品

(上)

梶山雄一・丹治昭義
津田真一・田村智淳　訳注
桂　紹隆

岩波書店

凡　例

一　本書は、『大方広仏華厳経《だいほうこうぶつけごんきょう》』の終品「入法界品《にゅうほっかいぼん》」(Gaṇḍavyūhasūtra)のサンスクリット語原典から現代語への初めての全訳の試みである。

二　翻訳にあたっては、ヴァイディヤの校訂本(P. L. Vaidya, ed., *Gaṇḍavyūhasūtra*, Buddhist Sanskrit Texts, No. 5, Darbhanga, 1960)を底本とした。常時、鈴木大拙・泉芳璟校訂本(京都、一九三四―三六年、改訂版一九四九年)、三種の漢訳(『大正新脩大蔵経』二七八、二七九、二九三)、チベット語訳(『東北目録』四四、「影印北京版」七六一)を参照して、必要に応じてサンスクリット語テキストを修正したが、一々注記することはしなかった。対照の便宜のために、訳文の下欄にヴァイディヤ本の頁数を記した。

三　通読を容易にするため、しばしば(　)の中に訳者の説明の語句を補った。
固有名詞や仏教用語には、三種の漢訳の中から最も現存サンスクリット語テキストの表現に近いものを適宜選択し、やや小さい活字で漢訳語と時には日本語訳をも〔　〕

の中に挿入した。

四　長い章には、内容を理解しやすくするために、ゴシックの小見出しを適宜挿入した。

五　本翻訳は、梶山雄一・丹治昭義・津田真一・田村智淳・桂紹隆の共同作業の結果であるが、最終的な訳語や文体の統一は梶山雄一が行なった。

六　本書は、『さとりへの遍歴　華厳経入法界品』(上・下、中央公論社、一九九四年一・二月刊)を底本として、文庫(全三巻)としたものである。文庫化にあたり、丹治昭義と桂紹隆が、改めて校正作業を行なった。

七　上巻、中巻の「解説」は、『さとりへの遍歴』に収載された梶山雄一による「解説」を再録した。下巻には、桂紹隆による文庫版「解説」を新たに収載した。

目　次

凡　例　3
善財童子が歴訪する善知識たち　11
訳語について　23
序　章
一　華厳世界の展開……31
二　普賢菩薩——獅子奮迅三昧の解説……89
三　文殊菩薩と善財童子の出会い……112
第一章　メーガシュリー比丘……137
第二章　サーガラメーガ比丘……145

第三章　スプラティシュティタ比丘……155
第四章　ドラヴィダ人メーガ……165
第五章　ムクタカ長者……175
第六章　サーラドヴァジャ比丘……190
第七章　アーシャー優婆夷……215
第八章　ビーシュモーッタラ・ニルゴーシャ仙……235
第九章　ジャヨーシュマーヤタナ婆羅門……243
第十章　マイトラーヤニー童女……257
第十一章　スダルシャナ比丘……265
第十二章　インドリエーシュヴァラ童子……273
第十三章　プラブーター優婆夷……280
第十四章　ヴィドヴァーン家長……291

第十五章　有徳の長者ラトナチューダ……301
第十六章　香料商サマンタネートラ……308
第十七章　アナラ王……315
訳　注……327
解　説（梶山雄一）……339

全巻目次

上巻

序章・第一章―第十七章

解説(梶山雄一)

中巻

第十八章　マハープラバ王

第十九章　アチャラー優婆夷

第二十章　遊行者サルヴァガーミン

第二十一章　香料商ウトパラブーティ

第二十二章　船頭ヴァイラ

第二十三章　ジャヨーッタマ長者

第二十四章　シンハヴィジュリンビタ比丘尼

第二十五章　遊女ヴァスミトラー

第二十六章　ヴェーシュティラ家長

第二十七章　観世音菩薩

第二十八章　アナニヤガーミン菩薩

第二十九章　マハーデーヴァ神

第三十章　大地の女神スターヴァラー

第三十一章　第一の夜の女神ヴァーサンティー

第三十二章　第二の夜の女神

第三十三章　第三の夜の女神

第三十四章　第四の夜の女神

第三十五章　第五の夜の女神

第三十六章　第六の夜の女神

第三十七章　第七の夜の女神

第三十八章　第八の夜の女神

解説(梶山雄一)

下巻

第三十九章　ルンビニーの森の女神
第 四 十 章　シャカ族の女ゴーパー
第四十一章　菩薩の母マーヤー王妃
第四十二章　天の娘スレーンドラーバー
第四十三章　ヴィシュヴァーミトラ童師
第四十四章　長者の子シルパービジュニャ
第四十五章　バドローッタマー優婆夷
第四十六章　金細工師ムクターサーラ
第四十七章　スチャンドラ家長
第四十八章　アジタセーナ家長
第四十九章　シヴァラーグラ婆羅門
第 五 十 章　シュリーサンバヴァ童子とシュリーマティ童女
第五十一章　弥勒菩薩
第五十二章　文殊菩薩
第五十三章　普賢菩薩――普賢行の誓願
解説（桂紹隆）

善財童子が歴訪する善知識たち

（漢訳名に異同がある場合は、六十巻／八十巻／四十巻の順で示す）

上巻

マンジュシュリー（文殊師利《もんじゅしゅり》）菩薩《ぼさつ》　ダニヤーカラ大都城（覚城／福城／福生城）の東、ヴィチトラ・サーラ・ドヴァジャ・ヴューハという林（荘厳幢娑羅林）において「法界《ほっかい》の真理の光輝」という経を説く。善財童子《ぜんざいどうじ》に目をとめて、善知識《ぜんちしき》歴訪の旅に旅立たせる。

1　**メーガシュリー（功徳雲／徳雲／吉祥雲）比丘《びく》**　ラーマーヴァラーンタ（可楽／勝楽／勝楽）国のスグリーヴァ（和合／妙峰／妙峰）山で「一切（諸仏）の境界《きょうがい》を顕現させ（その）集合する様を（照らし出す）普門《ふもん》の光明」という念仏門を得て、十方《じっぽう》の多数の諸仏を真正面に見ることができる。

2　**サーガラメーガ（海雲）比丘**　サーガラムカ（海門）地方において、「普《あまね》き眼」という法門を得、その法門を受持する。

3　**スプラティシュティタ**（善住／善住／妙住）**比丘**　ランカー島への途上にあるサーガラ・ティーラ（海岸国／海岸聚落／海岸聚落）において、「無礙《むげ》の門」という菩薩の解脱《だつ》を得、「無礙の究極」という智の光明を獲得し、十方を普く疾走する。

4　**ドラヴィダ人メーガ**（弥伽）　ヴァジュラプラ（自在城／自在城／金剛層）というドラヴィダ人の町において「弁才陀羅尼《べんざいだらに》の光明」を得、あらゆる言語に通暁する。

5　**ムクタカ**（解脱）**長者**　ヴァナ・ヴァーシン（住林）国において「無礙の荘厳《しょうごん》」という如来《にょらい》の解脱を得、十方の諸仏世尊を見ることができる。

6　**サーラドヴァジャ**（海幢）**比丘**　ジャンブ州の先端にあるミラスパラナ（荘厳閻浮提頂国／閻浮提畔摩利伽羅国／閻浮提遍無垢住処）で「普門清浄の荘厳」という三昧《さんまい》を得、体中から不可思議な神変《じんぺん》を現じる。

7　**アーシャー**（休捨／休捨／伊舎那）**優婆夷《うばい》**　サムドラ・ヴェーターディー（海潮／海潮／海潮処）地方のマハープラバ（円満光）城の東、サマンタ・ヴューハ（普荘厳）園林において「憂いなき平安の旗印」という菩薩の解脱を得、常に十方の諸仏にまみえる。

8　**ビーシュモーッタラ・ニルゴーシャ**（毘目多羅／毘目瞿沙／大威猛声）**仙**　サムドラ・ヴェーターディーのナーラユス（那羅素）国において「無敵の旗印」という菩薩の

解脱を得、十方諸仏の足下に住する。

9　**ジャヨーシュマーヤタナ**（方便命／勝熱／勝熱）**婆羅門**《ばらもん》　イーシャーナ（進求／伊沙那／伊沙那）国において「無尽の輪《マンダラ》」という菩薩の解脱を得、金剛焔三昧の光明によって呼び集めた神々などに教えを説く。

10　**マイトラーヤニー**（弥多羅尼／慈行／慈行）**童女**　シンハ・ヴィジュリンビタ（師子奮迅／師子奮迅／師子頻申）城のシンハ・ケートゥ王の毘盧遮那蔵《びるしゃなぞう》宮殿の屋上において、「普き荘厳」という般若波羅蜜門《はんにゃはらみつもん》の転回を得、普門陀羅尼などを知る。

11　**スダルシャナ**（善現／善見／妙見）**比丘**　トリナヤナ（救度／三眼／三目）国の林の中で、「消えることのない智の燈火」という菩薩の解脱を知り、一発心ですべてを知る。

12　**インドリエーシュヴァラ**（釈天主／自在主／根自在主）**童子**　シュラマナ・マンダラ（輪那／名聞／円満多聞）国のスムカ（妙門）城の河の合流点近くで、「あらゆる法の知識である技術の神通《じんずう》を具《そな》えた」という菩薩の智の光明を得、菩薩の算法を知る。

13　**プラブーター**（自在／具足／弁具足）**優婆夷**　サムドラ・プラティスターナ（海住／海住／海別住）城の住いにおいて、「無尽の荘厳の福徳の宝庫」という菩薩の解脱を得て、一個の壺ですべての衆生《しゅじょう》を飽食させる。

14　**ヴィドヴァーン家長**（甘露頂長者／明智長者／具足智長者）　マハーサンバヴァ（大

興／大興／大有）城において、「心の宝庫から生じる福徳」という（菩薩の）解脱を知り、天穹《てんきゅう》から無量のものを得て、すべての衆生に与える。

15 有徳の長者ラトナチューダ（法宝周羅長者／法宝髻長者／尊法宝髻長者） シンハポータ（師子重閣／師子宮／師子宮）城において、「無礙なる誓願の輪《マンダラ》の荘厳」という菩薩の解脱に通じ、十層の館に住む。

16 香料商サマンタネートラ（普眼妙香／普眼／普眼） ヴェートラ・ムーラカ（実利根／藤根／藤根）国のサマンタムカ（普門／普門／普遍門）城において、「一切の衆生を満足させ、普き方位の諸仏にまみえ、供養し、奉仕できる香玉」という法門を知り、病の治療など衆生のあらゆる望みを満たす。

17 アナラ（満足／無厭足／甘露火）王 ターラ・ドヴァジャ（満幢／多羅幢／多羅幢）城において、「幻」という菩薩の解脱を得、無法の衆生を調御《じょうご》する。

中　巻

18 マハープラバ（大光）王 スプラバ（善光／妙光／妙光）城の王宮において、「大慈の旗印」という菩薩行の智の光明の門を知り、すべての恐怖や災難を鎮める。

19 アチャラー（不動）優婆夷 王都スティラー（安住城）の父母の家において、「無敵の智の蔵」という菩薩の解脱門を得て、不可思議な奇蹟を示す。

20　**遊行者サルヴァガーミン**（随順一切衆生外道／遍行外道／遍行外道）　アミタ・トーサラ国のトーサラ（不可称国知足／無量都薩羅／都薩羅）城の北のスラバ（善得）山の経《きん》行所《ひんしょ》で、「あらゆる衆生に合わせる」という菩薩行によって、「あらゆる普門を観察する光明」という三昧門を具え、すべての衆生の利益《りやく》を図る。

21　**香料商ウトパラブーティ**（青蓮華香長者／優鉢羅華鬻香長者／具足優鉢羅華鬻香長者）　プリト・ラーシュトラ（甘露味／広大／広博）国において、すべての香料のことを知り、すべての衆生を金色の華で飾る。

22　**船頭ヴァイラ**（自在海師／婆施羅船師／婆施羅船師）　クーターガーラ（楼閣）城の門前の海岸において、「大悲《だいひ》の旗印」という菩薩行を得て、すべての衆生の利益を叶える。

23　**ジャヨーッタマ**（無上勝／無上勝／最勝）**長者**　ナンディハーラ（可楽／楽瓔珞）城のヴィチトラ・ドヴァジャー（大荘厳幢）無憂樹林において、「あらゆる所に赴く」という菩薩行の門を知り、世間で教えを説く。

24　**シンハヴィジュリンビター**（師子奮迅／師子頻申／師子頻申）**比丘尼**《びくに》　シュローナーパラーンタ（難忍／輸那／無辺際河）国のカリンガヴァナ（迦陵迦婆提／迦陵迦林／羯

陵迦林）城の日光園において、「一切の慢心を打ち破る」という菩薩の解脱を得、十方世界の諸仏に供養し、奉仕する。

25 遊女ヴァスミトラー（婆須蜜多女人／婆須蜜多女人／伐蘇蜜多女人） ドゥルガ（険難）国のラトナヴューハ（宝荘厳）城の大邸宅において、「離欲の究極を究めた」という菩薩の解脱を得、すべての衆生が離欲するように説法する。

26 ヴェーシュティラ家長（安住長者／鞞瑟胝羅居士／毘瑟底羅居士） シュバ・パーランガマ（首婆波羅／善度／浄達彼岸）城の住いにおいて、「不涅槃の果て」という菩薩の解脱を得て、すべての如来を眼前にする。

27 アヴァローキテーシュヴァラ（観世音／観自在／観自在）菩薩 ポータラカ（光明／補怛洛迦／補怛洛迦）山において、「遅滞のない大悲の門」という菩薩行の門を知り、衆生たちをすべての恐怖から解放する。

28 アナニヤガーミン（正趣／正趣／正性無異行）菩薩 東方から空を飛んで、サハー（娑婆《しゃば》）世界の鉄囲《てっち》山《せん》の山頂（金剛山頂／輪囲山頂）に降り立ち、「普門より速やかに赴く」という菩薩の解脱を得て、すべての仏の国土に入る。

29 マハーデーヴァ神（大天天／大天神／大天神） ドヴァーラヴァティー（婆羅波提／堕羅鉢底／門主）城において、「雲の網」という菩薩の解脱を得て、善法の修行に向かわせる。

30　大地の女神スターヴァラー（安住道場地神／安住主地神／自性不動主地神）　マガダ（摩竭提）国の菩提道場において、「不屈の智の蔵」という菩薩の解脱を得て、菩薩の心の動きを知る。

31　第一の夜の女神ヴァーサンティー（婆娑婆陀夜天／婆珊婆演底夜神／春和主夜神）マガダ国のカピラヴァストゥ（迦毘羅婆／迦毘羅／迦毘羅）城の上空の獅子座において、「一切衆生の痴闇《ちあん》を破る法の光明により世の衆生を教化《きょうけ》する門」という菩薩の解脱を得、一切衆生の避難所となる。

32　第二の夜の女神サマンタ・ガンビーラ・シュリーヴィマラ・プラバー（甚深妙徳離垢光明夜天／普徳浄光夜神／普遍吉祥無垢光主夜神）　マガダ国の毘盧遮那仏《びるしゃなぶつ》の菩提道場において、「静寂な禅定《ぜんじょう》の安楽を普く歩行する」という菩薩の解脱を得、あらゆる如来の本来の相に悟入する。

33　第三の夜の女神プラムディタ・ナヤナ・ジャガッド・ヴィローチャナー（喜目観察衆生夜天／喜目観察衆生夜神／喜目観察一切衆生夜神）　第二の女神のすぐ横にいて、「普く優れた喜びの広大で無垢の勢いの幢」という菩薩の解脱を得、あらゆる衆生を教化し成熟させる。

34　第四の女神サマンタ・サットヴァ・トラーノージャッハ・シュリー（妙徳救護衆生夜天／普救衆生妙徳夜神／普救衆生威徳夜神）第三の女神のすぐ隣にいて、「一切世間に現前して（如来が）世の衆生を教化する様子を示現する」菩薩の解説を得、無数の仏に奉仕する。

35　第五の女神プラシャーンタ・ルタ・サーガラヴァティー（寂静音夜天／寂静音海夜神／具足功徳寂静音海夜神）第四の女神のすぐ隣にいて、「広大な歓喜の衝動を生じる心刹那の荘厳」という菩薩の解脱を得、一切衆生に法を説き、彼らを防護する。

36　第六の夜の女神サルヴァ・ナガラ・ラクシャー・サンバヴァ・テージャッハシュリー（妙徳守護諸城夜天／守護一切城増長威力夜神／守護一切城増長威徳主夜神）同じ菩提道場の毘盧遮那仏の説法会《せっぽうえ》の中の獅子座において、「心に適った音声の深遠な神変に入る」という菩薩の解脱を得、無上の法を摂取し、法を説く。

37　第七の夜の女神サルヴァ・ヴリクシャ・プラプッラナ・スカ・サンヴァーサー（開敷樹華夜天／開敷一切樹華夜神／能開敷一切樹華安楽主夜神）毘盧遮那仏の足下、第六の女神の隣で、「広大な喜びを産みだす大満足の光明」という菩薩の解脱を得、如来の徳により衆生を包容する智慧と方便の光明をもつ。

38　第八の夜の女神サルヴァ・ジャガッド・ラクシャサー・プラニダーナ・ヴィーリ

ヤ・プラバー（願勇光明守護衆生夜天／大願精進力救護一切衆生夜神／大願精進力守護一切衆生光明夜神）　同じ説法会の獅子座において、「あらゆる衆生を願いに応じて成熟させ、善（根）を産み出すように勧告する」という菩薩の解脱を得、一切法の自性《じしょう》の平等性に目覚める。

下　巻

39　**森の女神ステージョー・マンダラ・ラティシュリー**（妙徳円満林天／妙徳円満林神／妙徳円満愛敬林神）　ルンビニーの森（嵐毘尼林）の中の楼閣で、「無量劫《むりょうごう》に亘り一切の境界における菩薩誕生の神変《じんぺん》を示現する」という菩薩の解脱を得、毘盧遮那仏誕生の神変の海に悟入する。

40　**シャカ族の女ゴーパー**（瞿夷釈迦女／瞿波釈種女／瞿波釈種女）　カピラヴァストゥ城の普現法界光明という菩薩の講堂の蓮華座において、「すべての菩薩の三昧の海の真理の観察の境界」という菩薩の解脱を得て、衆生たちの行なうすべての業やその果報を知る。

41　**菩薩の母マーヤー王妃**（摩耶夫人《まやぶにん》）　毘盧遮那仏の足下の蓮華座において、「偉大な誓願の智の幻の荘厳」という菩薩の解脱を得、菩薩の生母となる。

42 **天の娘スレーンドラーバー**（天主光童女）　三十三天の王宮において、「無礙の憶念の清浄なる荘厳」という菩薩の解脱を得、無数の如来にお仕えする。

43 **ヴィシュヴァーミトラ童師**（遍友童子師）　カピラヴァストゥ城において、次の善知識を紹介する。

44 **長者の子シルパービジュニャ**（善知衆芸童子）　カピラヴァストゥ城において、「工《く》巧《ぎょう》に通じた」という菩薩の解脱を得、四十二字門に通暁している。

45 **バドローッタマー**（賢勝／賢勝／最勝賢）**優婆夷**　マガダ国のケーヴァラカ（有義）地方のヴァルタナカ（婆咀那／婆咀那／婆怛那）城において、「無依所の輪《マンダラ》」という法門を知って、無礙三昧を体得する。

46 **金細工師ムクターサーラ**（堅固解脱）　バルカッチャ（沃田）城において、「無礙の憶念の荘厳」という菩薩の解脱を知り、十方の如来の足下で法を探求する。

47 **スチャンドラ**（妙月）**家長**　同じバルカッチャ城において、「汚れなき智の光明」（浄智光明／浄智光明／無垢智光明）という菩薩の解脱を体得する。

48 **アジタセーナ**（無勝軍）**家長**　ロールカ（出生／出生／広大声）城において、「無尽の相」という菩薩の解脱を得、仏にまみえる無尽の蔵を体得する。

49 **シヴァラーグラ**（尸毘最勝／最寂静／最寂静）**婆羅門**　ダルマ（法／法／達磨）村にお

いて、真実語による決断を行ない、あらゆる目的を成就する。

50 **シュリーサンバヴァ（徳生）童子とシュリーマティ（有徳）童女**　スマナームカ（妙意華門）城において、「幻」という菩薩の解脱を得、一切世界は幻なりと見る。

51 **マイトレーヤ（弥勒《みろく》）菩薩**　一生補処《いっしょうふしょ》の菩薩の「三世《さんぜ》のすべての事物の智に入って忘失しない憶念の荘厳蔵」という解脱を得、善財の願いに応えて、故郷のマーラダ国（摩離／摩羅提／摩羅提）から、サムドラ・カッチャ（海潤／海岸／海岸）国の大荘厳園林の毘盧遮那荘厳蔵という大楼閣に来て、あるがままにすべてのものの本来の姿を示す。

52 **マンジュシュリー（文殊師利）菩薩**　スマナームカ城（普門城／蘇摩那城／普門国蘇摩那城）にいる善財童子の頭に千ヨージャナのかなたから手を置き、「普賢行《ふげんぎょう》の輪《マンダラ》」に悟入させる。

53 **サマンタバドラ（普賢《ふげん》）菩薩**　毘盧遮那如来の獅子座の前、大宝蓮華蔵獅子座にいて、善財童子に種々の神変を示し、神変に悟入させ、普賢行の誓願（普賢行願讃）を説く。

訳語について

普く優れた、普賢　原語 samantabhadra は「普《あまね》く優《すぐ》れた」を意味する形容詞で、「入法界品」でもこの意味で使われることが多い。それがやがて、智慧を代表する菩薩である文殊師利が誓願した慈悲行の名となり、それは普賢行《ふげんぎょう》とよばれた。本書の末尾にある「普賢行願讃」の原型がもとは「文殊師利発願経」(覚賢《かくけん》が四一八—四二〇年に漢訳)とよばれていたことからもそれは分かる。また、その文殊の発願《ほつがん》になる菩薩の慈悲行を実践する代表者として普賢菩薩という固有名詞が生まれた。『華厳経』においては文殊と普賢が仏の会座《えざ》を率いる上首の菩薩であり、終始、三昧に入って沈黙を守っている世尊に代わって、菩薩たち、とくに普賢が説法をする。

五十三人の善知識　善知識《ぜんちしき》とは仏道に導いてくれる「善き友」のこと。スダナ(善財)が出会い、訪ねて行く善知識は文殊から始めて普賢まですべてでのべ五十五人になる。そのうち文殊は最初と第五十二章とに二回現れる。また第五十章に登場するシュリーサンバヴァ(徳生)とシュリーマティ(有徳)とは二人で同一の教えを善財に説くから、これは二人で一人と数えることもできる。本訳では、文殊を一人に数え、第五十一、五十二人目をも一人と数え、善知識の数を五十三人とした。東海道五十三次が「入法界品」の善知識五十三人の居処の数にならって名付けられた、ということがどこまで確実であるか分からないが、しいてこの巷間の説を否定する必要もないからである。実際この善知識の数については学者の数え方も五十三人としたり、五十四人としたりしていて、まちまちである。また善財の歴訪する善知識はさまざまであり、菩薩五人、比丘五人、比丘尼一人、在家の男の仏教者(優婆塞《うばそく》)十人(長者三人、家長四人、商人二人、金細工師一人)、在家の女の仏教者(優婆夷《うばい》)四人、神一人、女神十人、天の娘一人、婆羅門二人、仙人一人、遊行者一人、王二人、童師一人、童子三人、童女二人、船頭一人、遊女一人、ドラヴィダ人一人、さらに出家前の釈尊の妃の一人ゴーパーと釈尊の母マーヤー夫人もいる(ここでは第五十一、五十二人目を童子、童女一人ずつに数えている)。分類の仕方は種々あり得るが、いまはできるだけ細分した。計五十四人のうち女性が二十一人もいる。仏教以外の宗教の信奉者、種々の職業に従事する者、また童子や童女などがいることも注目に値する。このことの意味については「いかなる人からも道を学ぶことができる」(中村元氏)、「どんな職業であっても、長い間それに打ちこみ、その道に通ずれば、その人は師となり得る」(鎌田茂雄氏)、「本経の編者の寛広にして雅量ある、人物の如何を問はず、叩けば必ず門は開かれ、求むれば終に教へは与へらるといふ見地から、真理探究の遺憾なき表現をこころみたものである」(泉芳璟氏)などの意見がある。岩本裕氏のいうように、宗教史的な、あるいは社会学的な分析が望ましいし、また「入法界品」の思想に基づく解釈も望まれるが、まだ果たされていない。

光、光明　本経は全編、光の横溢を謳いあげている。仏教では一般的に、光明は仏菩薩の智慧を意味するが、本経では単に思弁的な智慧や抽象的な真理を意味するのではなくて、全宇宙の実相をヴィジュアルに示現するのである。三昧に入った仏、菩薩、善知識が眉間の白毫《びゃくごう》、面門《めんもん》、口、歯間、両足、毛孔など全身の部分から光明を放ち、無限に十方へと広がって、一瞬のうちに無数の仏国土を照らし出すという表現が多出する。また、光による荘厳《しょうごん》として、金銀などの七宝だけでなく「毘盧遮那蔵摩尼宝石」「海蔵摩尼宝石」「光厳摩尼宝石」など他の経典には見られない種々の宝石が頻出するのも、『華厳経』の特徴の一つである。

海、大海　原語は samudra, sāgara 他。本経では、たとえば「真理の海」「説法会の海」「方便の海」「智の海」など海という語も多出する。『華厳経』においては海が時間的空間的な無限性、宇宙的な広大性の象徴として用いられているようである。また、善財の求道の遍歴がインド亜大陸の海岸線に沿っていること、二、三世紀にはローマ帝国と西インドとの貿易も盛んであったことを考え合わせると、海洋貿易のインド文化に与えた影響が海への憧憬を産んだとも思われる。

雲と雨　前項の「海」の場合と同じように、「雲」という語も他の名詞と結合して同格限定複合語として本経に多出する。たとえば「華雲」は「雲のような華」と訳すことができるが、本訳では「華の雲」などというように「……の雲」と訳す場合が多い。一年の大半は雲一つない、暑熱の晴天が続くインドでは、雨季に現れる雲は天の恵みである。雲は雷光と雷鳴を伴い、大雨と洪水をもたらす恐ろしいものでもあるが、それにもかかわらず、久しぶりの涼を与え、砂漠となった大地を甦らせ、植物と動物に新たな命を授け、田畑の耕作を可能にさせるものでもある。人々は千変万化する雲の形と色に様々な思いをはせ、詩人は雲の色形を青蓮や白蓮にたとえ、はては恋人のアイシャドーや胸のふくらみを想像し、虹と巨大な落日に慰めを見出し、また雷光の弓から雨の矢を降り注ぎ、雷音の軍鼓を打ち鳴らすインドラ神の軍勢と見て歌った。雲は宇宙の真理を伝える使者であったから、大乗経典においてしばしば象徴的にとりあげられる。解説(中巻)参照。

十方　小乗仏教の教理によれば、釈迦牟尼仏《しゃかむにぶつ》が滅して後、弥勒菩薩《みろくぼさつ》が成仏《じょうぶつ》してこの世に現れるまでの現在には、このサハー(娑婆)世界には仏は存在しない。しかし、大乗の仏教者は全宇宙に広がる無数の世界には無数の仏がいまも現在する、という現在十方諸仏の存在を信じた。この場合、十方一切世界の観念が全宇宙に相当する。十方《じっぽう》とは東、南、西、北、北東、東南、南西、西北、上、下の方角をいう。

輪《マンダラ》　原語 maṇḍala は、本来、円、円形のものを表す語。仏や聖者の座席として、あるいは仏菩薩への供養の儀礼を行なうための円形の地面を意味したが、実際にはしばしば方形にもつくられたから、一点の地面のことである。後代、密教では聖俗の二領域の一致を象徴し、多数の仏、菩薩、聖者などを配置した図絵(曼陀羅《まんだら》)を意味するようになる。円から転じて、全領域、総体、群などをも意味するから、本訳でもコンテクストに従って訳出している。

一つに包摂する、普入　原語 samavasaraṇa は華厳思想のキーワードの一つ。もともと「ともに来る」「集まる」を意味する語であるが、『華厳経』では主として、宇宙のすべての世界系がこの娑婆世界と融合し、統一され、一体化する意味に用いられる。漢訳は「普入《ふにゅう》」とする。中国の華厳哲学で、一が一切に入り、一切が一に入る、といい、一と多の相即相入《そうそくそうにゅう》と一切のものの重々無尽《じゅうじゅうむじん》の相互関係を説くときには、この普入を原理としている。序章において触れられ、しばしば言及されるように、一仏身が全宇宙を遍満したり、逆に全宇宙が一仏身の一つの毛孔の中に顕現し、包摂されたりすることを指すのであろう。そのとき、全宇宙の個々の構成要素の間になんらの矛盾や衝突が起きず、一つの統合体として融合することを、「無区別、平等」などと『華厳経』ではよぶようである。

道、方便、真理　原語 naya は語根 nī「導く」から派生した名詞で、普通「理趣」と漢訳される。この語は極めて流動的かつ多義的な意味をもつので、本訳ではコンテクストによって「(真理の)道」「方便」「(法界の)真理」などと試みに訳し分けてみた。

神変(vikurvita)、威神力(adhiṣṭhāna)　本経では仏が大荘厳重閣講堂、ジェータ林、さらにはその天穹を無限大に拡大し、あらゆる種類の荘厳によって無上に装飾すること、また菩薩が無限に遠い宇宙の十方のかなたから無数の眷属とともに仏の説法会に飛来することなどが「神変《じんぺん》」の内容となっている。「威神力《いじんりき》」は、かなり多義的な言葉であるが、本経では「神変」を示現《じげん》する仏菩薩の超自然的、魔術的な能力の意味、また、仏菩薩が他者を統御、支配、護持する意味で使われる。この他に「奇蹟」(prātihārya)、「威厳」(vṛṣabhitā)、「遊戯《ゆげ》」(vikrīḍita)、「威力」(anubhāva/prabhāva)などの語がほぼ同義語として現れる。

梵文和訳　華厳経入法界品（上）

序　章

一　華厳世界の展開

釈迦牟尼仏の集会への参列者　このように私は聞いた。あるとき、（釈迦《しゃか》牟《む》尼《に》）世《せ》尊《そん》はシュラーヴァスティー〔舎衛城《しゃえじょう》〕に滞在しておられ、ジェータ（太子）の林であり、アナータ・ピンダダ長者の園〔祇樹給孤独園《ぎじゅぎっこどくおん》〕にあるマハーヴューハという楼閣〔大荘厳重閣講堂《だいしょうごんじゅうかくこうどう》〕(1)に、サマンタバドラ〔普賢〕菩薩とマンジュシュリー〔文殊師利〕(2)菩薩とを初めとする五千人の菩薩たちと一緒であった。

（それらの菩薩とは）即ち、ジュニャーノーッタラ・ジュニャーニン〔智慧勝智〕菩《ぼ》薩摩《さつま》訶《か》薩《さつ》、サットヴォーッタラ・ジュニャーニン〔衆生を超えた智ある者、普賢勝智〕、アサンゴーッタラ・ジュニャーニン〔無礙《むげ》の優れた智ある者、無著勝智〕、クスモーッタラ・ジュニャーニン〔華勝智〕、スーリヨーッタラ・ジュニャーニン〔日勝智〕、チャンドローッタラ・ジュニャーニン〔月勝智〕、ヴィマローッタラ・ジュニャーニン〔無垢勝智〕、ヴァジュ

ロータラ・ジュニャーニン〔金剛勝智〕、ヴィラジョーッタラ・ジュニャーニン〔無塵労
勝智〕、ヴァイローチャノーッタラ・ジュニャーニン〔毘盧遮那勝智〕という菩薩摩訶薩た 2
ちであった。

また、ジョーティ・ドヴァジャ〔星宿幢〕、メール・ドヴァジャ〔須弥幢〕、ラトナ・ドヴァジャ〔宝勝幢〕、アサンガ・ドヴァジャ〔無礙幢〕、クスマ・ドヴァジャ〔華幢〕、ヴィマラ・ドヴァジャ〔無垢幢〕、スーリヤ・ドヴァジャ〔日幢〕、ルチラ・ドヴァジャ〔妙光幢〕、ヴィラジャ・ドヴァジャ〔離塵幢〕、ヴァイローチャナ・ドヴァジャ〔毘盧遮那幢〕という菩薩摩訶薩たちであった。

また、ラトナ・テージャス〔宝威徳光〕、マハー・テージャス〔大威光〕、ジュニャーナ・ヴァジュラ・テージャス〔金剛智光〕、ヴィマラ・テージャス〔無垢光〕、ダルマ・スーリヤ・テージャス〔法日光〕、プニヤ・パルヴァタ・テージャス〔福山光〕、ジュニャーナー・ヴァバーサ・テージャス〔智焔光〕、サマンタ・シュリー・テージャス〔普賢吉祥光〕、サマンタ・プラバ・テージャス〔普賢焔光〕、サマンタ・プラバ・シュリー・テージャス〔普き光の栄光の輝きある者、普吉祥威力〕という菩薩摩訶薩たちであった。

また、ダーラニー・ガルバ〔地蔵〕、ガガナ・ガルバ〔虚空蔵〕、パドマ・ガルバ〔蓮華蔵〕、ラトナ・ガルバ〔宝蔵〕、スーリヤ・ガルバ〔日蔵〕、グナ・ヴィシュッディ・ガルバ〔浄徳

蔵〕、ダルマ・サムドラ・ガルバ〔法海蔵〕、ヴァイローチャナ・ガルバ〔毘盧遮那蔵〕、ナービ・ガルバ〔臍蔵《さいぞう》〕、パドマ・シュリー・ガルバ〔蓮華吉祥蔵〕という菩薩摩訶薩たちであった。

また、スネートラ〔妙眼〕、ヴィシュッダ・ネートラ〔清浄眼〕、ヴィマラ・ネートラ〔無垢眼〕、アサンガ・ネートラ〔無著眼〕、サマンタ・ダルシャナ・ネートラ〔普見眼〕、スヴィローキタ・ネートラ〔妙観眼〕、アヴァローキタ・ネートラ〔観察の眼ある者〕、ウトパラ・ネートラ〔青蓮華眼〕、ヴァジュラ・ネートラ〔金剛眼〕、ラトナ・ネートラ〔宝眼〕、ガガナ・ネートラ〔虚空眼〕、サマンタ・ネートラ〔普眼〕という菩薩摩訶薩たちであった。

また、デーヴァ・ムクタ〔天冠〕、ダルマダートゥ・プラティバーサ・マニムクタ〔遍照法界摩尼智冠〕、ボーディマンダ・ムクタ〔菩提道場の冠を戴く者、道場冠〕、ディグ・ヴァイローチャナ・ムクタ〔光明遍照十方冠〕、サルヴァ・ブッダ・サムブータ・ガルバ・マニムクタ〔一切仏の生じる母胎の摩尼冠を戴く者、一切仏蔵冠〕、サルヴァ・ローカダートゥードガタ・ムクタ〔超諸世間冠〕、サマンタ・ヴァイローチャナ・ムクタ〔光明遍照冠〕、アナビブータ・ムクタ〔無能勝冠〕、サルヴァ・タターガタ・シンハーサナ・サムプラティシュティタ・マニムクタ〔一切如来の獅子座の摩尼冠を戴く者、持諸如来師子座冠〕、サマンタ・ダルマダートゥ・ガガナ・プラティバーサ・ムクタ〔普《あまね》く法界の虚空を照らす冠を戴く者、大光普照法界虚空冠〕という菩薩摩訶薩たちであった。

また、ブラフメーンドラ・チューダ〔梵王髻〕、ナーゲーンドラ・チューダ〔龍王髻〕、サルヴァブッダ・ニルマーナ・プラティバーサ・チューダ〔一切諸仏変化差別光明髻〕、ボーディマンダ・チューダ〔真実菩提道場髻〕、サルヴァ・プラニダーナ・サーガラ・ニルゴーシャ・マニラージャ・チューダ〔一切の海のような誓願の声を出す摩尼王の髻《もとどり》ある者、一切願海声摩尼王髻〕、サルヴァ・タターガタ・プラバー・マンダラ・プラムンチャナ・マニラトナ・ニガルジタ・チューダ〔一切如来の光の輪を放つ摩尼宝石が響く髻ある者、一切仏光明摩尼髻〕、サルヴァーカーシャ・タラーサムベーダ・ヴィジュニャプティ・マニラトナ・ヴィブーシタ・チューダ〔一切の天穹の無区別を表す摩尼宝石によって飾られた髻ある者〕、サルヴァ・タターガタ・ヴィクルヴィタ・プラティバーサ・ドヴァジャ・マニラージャ・ジャーラ・サンチャーディタ・チューダ〔示現一切如来神変摩尼王幢網垂覆髻〕、サルヴァ・タターガタ・ダルマチャクラ・ニルゴーシャ・チューダ〔出一切仏転法輪音髻〕、サルヴァ・トリアドヴァ・ナーマチャクラ・ニルゴーシャ・チューダ〔説三世一切名字音髻〕という菩薩摩訶薩たちであった。

また、マハープラバ〔大焔光〕、ヴィマラ・プラバ〔無垢焔光〕、ヴィマラ・テージャッハ・プラバ〔離垢威徳焔光〕、ラトナ・プラバ〔宝焔光〕、ヴィラジャ・プラバ〔離塵光〕、ジヨーティシュ・プラバ〔星宿焔光〕、ダルマ・プラバ〔法焔光〕、シャーンティ・プラバ〔寂焔光〕、スーリヤ・プラバ〔日焔光〕、ヴィクルヴィタ・プラバ〔神通焔光〕、デーヴァ・プラバ〔天焔光〕という菩薩摩訶薩たちであった。

また、プニヤ・ケートゥ〔福徳幢〕、ジュニャーナ・ケートゥ〔智慧幢〕、ダルマ・ケートゥ〔法幢〕、アビジュニャー・ケートゥ〔神通幢〕、プラバー・ケートゥ〔光幢〕、クスマ・ケートゥ〔華幢〕、ボーディ・ケートゥ〔菩提幢〕、ブラフマ・ケートゥ〔梵幢〕、サマンターヴァバーサ・ケートゥ〔普光幢〕、マニケートゥ〔摩尼幢〕という菩薩摩訶薩たちであった。

また、ブラフマ・ゴーシャ〔梵声〕、サーガラ・ゴーシャ〔大海声〕、ダラニー・ニルナーダ・ゴーシャ〔大地吼声〕、ローケーンドラ・ゴーシャ〔世主声〕、シャイレーンドラ・ラージャ・サンガッタナ・ゴーシャ〔山相撃音〕、サルヴァ・ダルマダートゥ・スパラナ・ゴーシャ〔遍満一切法界声〕、サルヴァ・ダルマダートゥ・サーガラ・ニガルジタ・ゴーシャ〔一切法海潮声〕、サルヴァ・マーラマンダラ・プラマルダナ・ゴーシャ〔摧破一切魔力声〕、マハーカルナー・ナヤメーガ・ニガルジタ・ゴーシャ〔大慈方便雲雷音〕、サルヴァ・ジャガッド・ドゥッカ・プラシャーンティ・アーシュヴァーサナ・ゴーシャ〔一切世間苦安慰音〕という菩薩摩訶薩たちであった。

また、ダルモードガタ〔法出生〕、ヴィシェーショードガタ〔勝出生〕、ジュニャーノードガタ〔智出生〕、プニヤ・スメールードガタ〔福徳須弥出生〕、グナ・プラバーヴォードガタ〔威厳ある功徳より現れた者、最勝功徳宝王出生〕、ヤショードガタ〔名称出生〕、サマンターヴァバーソードガタ〔普賢光出生〕、マハーマイトリ・ウドガタ〔大悲出生〕、ジュニャーナ・サムバーロードガタ〔智の資糧より現れた者、智聚出生〕、タターガタ・クラ・ゴートロードガタ〔如来種姓出生〕という菩薩摩訶薩たちであった。

また、プラバー・シュリー〔光吉祥〕、プラヴァラ・シュリー〔最勝吉祥〕、サムドガタ・シュリー〔出生の栄光ある者、正勇出生吉祥〕、ヴァイローチャナ・シュリー〔毘盧遮那吉祥〕、ダルマ・シュリー〔法勝〕、チャンドラ・シュリー〔月吉祥〕、ガガナ・シュリー〔虚空吉祥〕、ラトナ・シュリー〔宝吉祥〕、ケートゥ・シュリー〔幢勝〕、ジュニャーナ・シュリー〔智慧吉祥〕という菩薩摩訶薩たちであった。

また、シャイレーンドラ・ラージャ〔山自在王〕、ダルメーンドラ・ラージャ〔法自在王〕、ジャガド・インドラ・ラージャ〔世自在王〕、ブラフメーンドラ・ラージャ〔梵自在王〕、ガネーンドラ・ラージャ〔数自在王〕、デーヴェーンドラ・ラージャ〔諸神の自在王、龍自在王〕、シャーンテーンドラ・ラージャ〔寂静自在王〕、アチャレーンドラ・ラージャ〔不動自在王〕、リシャベーンドラ・ラージャ〔威力自在王〕、プラヴァレーンドラ・ラージャ〔最勝自在王〕という菩薩摩訶薩たちであった。

また、プラシャーンタ・スヴァラ〔最寂音〕、アサンガ・スヴァラ〔無礙音〕、ダラニー・ニルゴーシャ・スヴァラ〔地震音〕、サーガラ・ニガルジタ・スヴァラ〔大海潮音〕、メーガ・ニルゴーシャ・スヴァラ〔大雲雷音〕、ダルマーヴァバーサ・スヴァラ〔法光音〕、ガガナ・ニルゴーシャ・スヴァラ〔虚空音〕、サルヴァ・サットヴァ・クシャラムーラ・ニガルジタ・スヴァラ〔一切衆生の善根の鳴り響く音ある者、一切衆生広大善根音〕、プールヴァ・プラニダーナ・サムチョーダナ・スヴァラ〔往昔の誓願を激励する声ある者、演昔大願音〕、マーラマンダラ・ニルゴーシャ・スヴァラ〔魔の軍勢に響かせる音ある者、降魔王衆音〕という菩薩摩訶薩たちであった。

また、ラトナ・ブッディ〔宝覚〕、ジュニャーナ・ブッディ〔智の覚知ある者、須弥覚〕、ガガナ・ブッディ〔虚空覚〕、アサンガ・ブッディ〔無礙覚〕、ヴィマラ・ブッディ〔無垢覚〕、ヴィシュッダ・ブッディ〔清浄なる覚知ある者、善覚〕、トリアドヴァーヴァバーサ・ブッディ〔普照三世覚〕、ヴィシャーラ・ブッディ〔広大覚〕、サマンターヴァローカ・ブッディ〔普観覚〕、ダルマダートゥ・ナヤーヴァバーサ・ブッディ〔法界光明覚〕という菩薩摩訶薩たちであった。

（釈迦牟尼世尊とともにいる）上述の者たちを初めとする五千人の菩薩たちはみな、普く優れた〔普賢〕菩薩行と（その）誓願に熟達していた。あらゆる仏国土に遍満するために、その行動範囲〔境界《きょうがい》〕は妨げられることのないものであった。すべての如来に親しく近づくために、威神力《いじんりき》によって無限の身体を現すことができた。あらゆる仏の神変《じんぺん》を見るために、その清らかな視界を妨げるものは何もなかった。すべての如来が完全にさとりを得るときにその面前に親近《しんごん》することを止めないために、その直観力は無量に及んでいた。あらゆる仏の海のように(広大な)法の真理《ナヤ》を見る智の光を獲得しているために、無量の光明を具えていた。その自在な弁才が清浄《しょうじょう》であるために、無量の劫《こう》に亘って(仏の)尽きない功徳を説くのであった。世の衆生《しゅじょう》の願いのままに形姿〔色身《しきしん》〕を示現《じげん》するために、その最勝の智の境界は虚空界のように清浄で妨げられなかった。衆生世界には実は衆生なく生きるものなきことを普く知るために、眼翳《がんえい》を離れていた。一切の法界《ほっかい》に光網を遍満させるために、虚空に等しき智慧をもっていた。

さらに五百人の偉大な神通力《じんずうりき》を具えた声聞《しょうもん》たちも(世尊と)ともにいた。彼らはすべて真理《ナヤ》の道の本性〔真諦《しんたい》〕をさとっていて、究極の真実〔実際〕の直観に至り、深く法の本質〔法性《ほっしょう》〕を洞察し、生存の海から超出して、如来の虚空の如き境界にあり、人を束縛する煩悩《ぼんのう》とその習慣性を抑止し、(その)依り所や住居に執着することなく、虚空の如き静寂に住まい、仏についての惑いと誤解と疑惑とをすべて断ち切り、仏の智の海を信解《しんげ》する道に深く入っていた。

また世間の諸王〔世主〕たちも（世尊と）ともにいた。彼らは過去の諸仏を供養してきた者たちで、すべての世の衆生の利益《りやく》と幸福のために尽くし、（人々のために）請われずして善知識《ぜんちしき》〔不請友《ふしょうゆう》〕となり、他の衆生の守護に努め、世間を超越した智の門に入り、その心はあらゆる衆生を捨てず、仏の教説の境界より生まれ、如来の教説を守護することに努め、仏の系譜を維持しようとする誓願より生まれた者であり、まさに如来の家系、種《しゅ》姓《しょう》に生まれようとして、（仏の）一切智者性の智〔一切智智〕を願い求める者たちであった。

説法の勧請《かんじょう》　そこで、彼ら、眷属とともにいる菩薩たち、大神通力ある声聞たち、さらに眷属とともにいる世間の諸王たちにこのような考えが浮かんだ。――

　神々を含む世の衆生には、如来の境界、如来の智の対境、如来の威神力《いじんりき》、如来の（十種の）力、如来の自信〔無畏《むい》〕[3]、如来の三昧《さんまい》、如来の住み方、如来の最勝力、如来の身体、如来の智（という十種）を理解することはできない、あるいはそれらに入り込んだり、それらを解したり、直観したり、識別したり、思考したり、観察したり、分析したり、説明したり、他の人々の（心）相続に授けたりすることはできない。ただし、如来の威神力、如来の神変、如来の威力、如来の往昔《おうじゃく》の誓願を被るか、過去（の仏の下で）よく植えた善《ぜん》根《こん》によるか、善知識の援助によるか、信心の眼と智との清浄さによるか、広大な深信《じんしん》〔信解〕の輝きを獲得しているか、菩薩の清浄なる志願に助けられるか、（彼らの）志願によって一切智者性を得ようとの誓願に従って出で立っているかの場合にはその限りではない。

ただ、世尊が、われわれ菩薩たちにその願いに応じて、また、さまざまに志願を異にし、信解を異にし、知力を異にしているために、種々の言語や合図をもち、種々の力〔自在〕と地位をもち、種々の度合で清浄な機根をもち、種々の志願と手段をもち、種々の意志の対象をもち、種々の如来の功徳に依存し、如来の説法に対して直面する方向を異にしているあらゆる衆生に応じて、（世尊が）往昔いかにして一切智者性に向かって旅立たれたかをお示し下さるとよいのですが。また（世尊が）往昔いかにして菩薩の誓願を起こされたかをお示し下さるとよいのですが。往昔いかにして菩薩の諸波羅蜜《はらみつ》(4)の輪《マンダラ》を浄化されたかをお示し下さるとよいのですが。往昔に菩薩の諸地に登られた神変《じんぺん》をお示し下さるとよいのですが。往昔に菩薩行の輪を成就し完成されたことをお示し下さるとよいのですが。往昔に菩薩乗(5)を興し、荘厳《しょうごん》し、輝かされた有り様をお示し下さるとよいのですが。往昔に菩薩道を荘厳し、清められた様子をお示し下さるとよいのですが。往昔に菩薩として出離する方法《ナヤ》の海を成就し、荘厳されたことをお示し下さるとよいのですが。往昔に菩薩として得られた完全な知識と神変の海のすばらしさ〔荘厳〕をお示し下さるとよいのですが。菩薩としての前世の行為の海をもお示し下さるとよいのですが。

完全なさとりへの門と神変の海をもお示し下さるとよいのですが。如来が法輪を転じる〔転法輪《てんぽうりん》〕神変と威力をもお示し下さるとよいのですが。如来が仏国土を清める神変の海をもお示し下さるとよいのですが。如来が衆生界を教化《きょうけ》する方便の諸門をもお示し下さるとよいのですが。如来の一切智者性の法城の威徳をもお示し下さるとよいのですが。如来があらゆる衆生の道を輝かされる様子をもお示し下さるとよいのですが。如来が衆生の住居へお入りになる神変をもお示し下さるとよいのですが。如来が衆生の施物を嘉納なさる様子をもお示し下さるとよいのですが。如来があらゆる衆生に福徳ある布施を説くために現された数々の奇蹟をもお示し下さるとよいのですが。如来があらゆる衆生の心の有り様に応じた仏の影像《ようぞう》の顕現をもお示し下さるとよいのですが。如来が衆生のために現された種々の神変と奇蹟をもお示し下さるとよいのですが。如来があらゆる衆生のために示された説法と教誡《きょうかい》の奇蹟をもお示し下さるとよいのですが。如来があらゆる衆生に不可思議な仏の三昧の境界を現した神変をも(改めて)お示し下さるとよいのですが、と。

獅子奮迅三昧とジェータ林の神変　そのとき、世尊はその御心にてかの菩薩たちが心に思っていることをお知りになって、大悲《だいひ》を身体とし、大悲を口とし、大悲を先に立て、大悲を法とし、虚空《ナヤ》の真理に随順し、世の衆生を普く照らし荘厳する獅子奮迅と名づける三昧(6)にお入りになった。

世尊が(その三昧に)お入りになるや否や、大荘厳重閣講堂はその周辺も中央もないほど広大な有り様になった。(その講堂は)不壊《ふえ》の金剛の大地に配置され、あらゆる摩尼《まに》宝石の王の網に覆われ、大地の表面に無数の宝石の華が撒き散らされ、大きな摩尼宝石が美しく撒かれ、瑠璃《るり》の柱で飾られ、世界を照らす摩尼王をみごとに配して飾られ、あらゆる宝石が対をなして集められ、ジャンブ河産の(黄金)と摩尼宝石の集積で飾られ、あらゆる宝石の塔、龕《がん》、楼閣、窓と無数の欄楯《らんじゅん》で清らかに荘厳され、あらゆる世間の王にふさわしい摩尼宝石で飾られ、世界中の海の摩尼宝石で飾られ、あらゆる摩尼宝石で覆われ、傘蓋《さんがい》や幢《はた》や幡《のぼり》が掲げられ、あらゆる門や龕の荘厳を通って法界に光網が放たれ、遍満する荘厳があり、外側には不可説数の説法会《せっぽうえ》の地面を飾る欄楯があり、普き方向にある階段は摩尼宝石の集積でできていて、(大荘厳講堂は)このうえなく美しく配置され、飾られていた。

さらにジェータ林全体が大きく広がり広博な状態になった。そして、仏の威力によって不可説数の仏国土の微塵《みじん》の数にも等しいかの仏国土がみな大きく広がり広博な状態になったのである。あらゆる宝石により色とりどりに荘厳され、不可説数の様々な宝石によって地面が敷き詰められ、無数の摩尼宝石の牆壁《しょうへき》に囲まれ、種々の宝石から成るターラ樹の列が整然と配置された状態になった。それら(の仏国土)には無量の香水《こうずい》の河があり、無辺に渦巻く香水に満ちていた。あらゆる宝石の華で濁った激流が右旋して流れ、一切の仏の音声の響きによって荘厳されていた。不可思議な宝石の白蓮華の群生があり、あらゆる宝石から生じて咲きほこる蓮華の荘厳によって地面が飾られ、多くの宝石の樹木があった。不可思議な種々の宝石から成る楼閣が立ち並んでいたが、それらはあらゆる摩尼宝石の網に覆われ、無数の摩尼宝石の光網の輝きで飾られていた。無数の摩尼宝石の宮殿にはあらゆる摩尼宝石の飾りがあり、あらゆる香蔵が開かれ、あらゆる種類の香料の雲塊がみごとにたなびく状態であった。

さらに無量の宝石の幢が立てられ、同じように衣の幢、幡の幢、宝布の幢、華の幢、装飾品の幢、華鬘《けまん》の幢、あらゆる種類の宝鈴の網をつけた幢、摩尼王の傘蓋の幢、普く光明を放つ摩尼宝石の幢、一切如来の名号《みょうごう》の輪が鳴り響く摩尼宝石王の幢、獅子の愛好する摩尼宝石王の幢、一切如来の前世の行為を叫び伝える摩尼宝石王の幢、一切法界が影現《ようげん》する幢(が立てられ)、摩尼宝石王の幢の荘厳、あらゆる幢の装飾がすべての方角に美しく配分された荘厳をなしていた。

そして、ジェータ林の全体は不可思議な天上の宮殿の雲によって天穹を飾られた状態になった。無数の、あらゆる種類の香樹の雲の覆いによって飾られ、不可説数の、あらゆる荘厳を具えた須弥山《しゅみせん》の覆いによって飾られ、不可説数の楽器の雲が一切如来を讃える合奏の甘い音で飾られ、不可説数の宝石の蓮華の雲の覆いに飾られ、天上の摩尼宝石の衣が敷かれた、不可説数の宝石の獅子座に座った菩薩たちが如来を讃える甘い音声の雲で飾られ、不可説数の神々の王〔天王〕の姿に似た現前する摩尼製の像の雲に飾られ、不可説数の白珠の網の雲に飾られ、不可説数の赤珠の楼閣の雲の覆いに飾られ、不可説数の金剛のように堅い真珠の雲の降らす雨によって飾られていた。

それは何故であるか、というと、如来(が過去世に植えた)その善根が不可思議であるからである。如来の白浄《びゃくじょう》なる法の集積が不可思議であり、如来の仏としての威厳と威神力とが不可思議であり、如来が一切世界を一身によって遍満する神変が不可思議であり、一切の如来が一身に入り、一切の仏国土の荘厳が一つに包摂されるという威神力の示現が不可思議であり、如来たちが、一微塵の中に一切の法界を顕現させる示現が不可思議であり、諸々の如来が一々の毛孔の中に過去世の果てまでに属する一切の如来の次第相承《しだいそうじょう》を示現することが不可思議であり、諸々の如来が(放つ)一々の光明の門に一切世界の微塵の数に等しい(世界)を現出させ、照らすことが不可思議であり、諸々の如来の一々の毛孔に一切世界の微塵の数に等しい化作《けさ》された雲を(現出させ、)一切仏国土に遍満させることが不可思議であり、諸々の如来が一々の毛孔に一切世界の帰滅と生成との劫を示現することが不可思議であるからであった。

ジェータ林はこのような形の仏国土の清浄《しょうじょう》によって清浄にされたのであるが、そのように十方にある、法界を最高とし、虚空界を極みとする一切の世界も清浄にされ、飾られ、美化され、如来の身体に満たされ、ジェータ林と一つに包摂され、菩薩たちで一杯になり、如来の説法会の海の中に確立され、あらゆる荘厳の雲の雨が降り、あらゆる宝石によって輝かされ、一切の摩尼宝石の雲の雨に飾られ、一切の国土荘厳の雲の覆いに飾られ、一切の天上の身体の雲の雨に飾られ、一切の華の雲の雨に飾られ、美しく華の咲いた宝庫の広がりに飾られ、あらゆる衣の雲から種々の美しい色に輝く衣の雨を注ぐ宝庫であり、あらゆる華鬘《けまん》と組紐と瓔珞《ようらく》の荘厳の雲がたえまなく雨降らせて飾り、あらゆる方角に立ち上る種々の香りの香雲の塊があらゆる世の衆生に似た形を雨降らせて飾り、あらゆる宝石の華網の雲がたえまなく宝網の微細な粉を雨降らせて飾り、あらゆる宝石の幢幡《どうばん》の雲が天の娘たちの手に握られて天穹《マンダラ》をめぐり回転して飾り、あらゆる宝石の蓮華の色とりどりの宝石の葉の集まりや上の茎や下方の雄蕊に結ばれた楽器が打ち合って出す甘い音声に飾られ、あらゆる宝石のビンバ樹の(果実の)網、獅子の檻という摩尼宝石、種々の宝石から成る色とりどりの瓔珞や華鬘で飾られているのがみな見られたのである。

十方からの菩薩の来集　このようにして世尊が獅子奮迅という如来の三昧に入られた直後、まず東の方角、不可説数の仏国土の微塵の数にも等しい世界海を過ぎた所にあるカナカ・メーガ・プラディーパ・ドゥヴァジャー〔金燈雲幢〕という世界のヴァイローチャナ・シュリー・テージョー・ラージャ〔毘盧遮那吉祥威徳王〕如来の仏国土から、ヴァイローチャナ・プラニダーナ・ナービ・ラシュミ・プラバ〔毘盧遮那願光明〕という名の菩薩摩訶薩が、不可説数の仏国土の微塵の数にも等しい菩薩たちとともに、かの世尊の許しを得て、その説法会の海より出で立って、種々の荘厳の雲によって天穹を飾りながら、この娑婆《しゃば》世界(7)の方へ近づいて来た。即ち、天上の華の雲の雨を雨降らし、天上の薫香の雲の雨を放ち、天上の宝石の蓮華の雲の雨を散華《さんげ》し、天上の華鬘の雲の雨を雨降らし、天上の宝石の雲の雨を雨降らし、天上の装飾品の雲の雨を雨降らし、天上の宝石の傘蓋の雲の雨を注ぎ、種々の色とりどりの微妙な天衣《てんね》の雲の雨を雨降らし、天上の宝石の幢幡の雲を天穹に立て、あらゆる輝く宝石の雲の荘厳を天穹に広げ、(釈迦牟尼)世尊のおられる所に近づいた。随行(の菩薩たち)とともに世尊に礼拝して、東の方角において、普く荘厳された摩尼宝石の網で覆われた諸楼閣と諸方を照らす摩尼王の蓮華台の獅子座(8)とを多数化作して、威神力によって、(すべての願いを成就させる)如意王摩尼宝石の網で菩薩たちの身体を覆い、結跏趺坐《けっかふざ》して座った。

南の方角、不可説数の仏国土の微塵の数にも等しい世界海を過ぎた所にあるヴァジュラ・サーガラ・ガルバー〔金剛海蔵〕という世界のサマンターヴァバーサ・シュリーガルバ・ラージャ〔普光遍照吉祥蔵王〕如来の仏国土より、ドゥルヨーダナ・ヴィーリヤ・ヴェーガ・ラージャ〔不可壊精進勢王〕という名の菩薩摩訶薩が、不可説数の仏国土の微塵の数にも等しい菩薩たちとともに、かの世尊の許しを得て、その説法会の海から出で立って、この娑婆世界の方へ近づいて来た。7 彼は威神力によってあらゆる薫香の組紐の網で一切の世界海を覆い、威神力によってあらゆる宝石の瓔珞や組紐の網で一切の仏国土の広がりを覆い、威神力によってあらゆる華の組紐や瓔珞の網で一切の仏国土の系譜を覆い、威神力によってあらゆる華鬘や組紐や瓔珞の網であらゆる仏国土の旋転を覆い、威神力によってあらゆる金剛の瓔珞で一切の仏国土の説法会の下面の基礎を囲み、威神力によってあらゆる摩尼宝石の網で一切の仏国土の体系《ナヤ》を覆い、威神力によってあらゆる衣の組紐で一切の世界の周囲を普く取り巻き、威神力によってあらゆる宝石の像や瓔珞や組紐の束の網で覆われた一切の仏国土を現し、威神力によってめでたく輝く摩尼宝石の瓔珞や組紐の網で一切の国土を覆い、威神力によってあらゆる荘厳をなして光り輝く日輪の如き摩尼王の組紐の網で一切の仏国土を覆い、威神力によって獅子の愛好する摩尼宝石の瓔珞や組紐の網で一切の世界の基礎を囲み覆いながら、(釈迦牟尼)世尊のおられる所へ近づいた。随行(の菩薩たち)とともに世尊に礼拝して、南の方角において、世の衆生を照らし出す摩尼の楼閣とあらゆる方角を照らし出す摩尼宝石の蓮華台の獅子座を多数化作して、威神力によって菩薩たちの身体をすべての宝石の華の網の飾りで覆い、結跏趺坐して座った。

西の方角、不可説数の仏国土の微塵の数にも等しい世界海を過ぎた所にあるマニ・スメール・ヴィローチャナ・ドヴァジャ・プラディーパー〔摩尼の遍照《へんじょう》する須弥山の幢の燈火をもつもの、須弥山幢毘盧遮那摩尼宝燈〕という世界のダルマダートゥ・ジュニャーナ・プラディーパ〔法界智燈〕如来の仏国土から、サマンタ・シュリー・サムドガタ・ラージャ〔普き栄光より生じたる王、普遍出生吉祥威徳王〕という名の菩薩が、不可説数の世界海の微塵の数にも等しい菩薩たちとともに、かの世尊の許しを得て、その説法会(の海)より出で立ってこの娑婆世界に近づいて来た。彼は不可説数の仏国土の微塵の数にも等しい、種々の色の香幢の須弥山雲によって一切の法界を満たしながら、不可説数の仏国土の微塵の数にも等しい、様々な香華《こうげ》の雲によって一切の法界を満たしながら、不可説数の仏国土の微塵の数にも等しい、とりどりの色の薫香の須弥山と香料の雲によって一切の法界を満たしながら、不可説数の仏国土の微塵の数にも等しい、種々の色の香雲によって一切の法界を満たしながら、不可説数の仏国土の微塵の数にも等しい、一切の装飾物に似た色の身毛の光より生じた摩尼王の須弥山雲によって一切の法界を満たしながら、不可説数の仏国土の微塵の数にも等しい、種々の光の輪《マンダラ》に飾られた星宿幢という摩尼宝石の須弥山雲によって一切の法界を満たしながら、不可説数の仏国土の微塵の数にも等しい、様々な色の金剛蔵摩尼王による種々の荘厳を境界とする須弥山雲で一切の法界を満たしながら、不可説数の仏国土の微塵の数にも等しい、一切の世界の影現を境界とするジャンブ河産の(黄金)と摩尼宝石から成る須弥山雲によって一切の法界を満たしながら、不可説数の仏国土の微塵の数にも等しい、一切の山を含む法界を影現させる摩尼王から成る須弥山雲によって覆われた天穹を威神力によって化作しながら、不可説数の仏国土の微塵の数にも等しい、一切の如来の(三十二)相を影現させる摩尼王から成る須弥山雲によって一切の法界の境界を満たしながら、不可説数の仏国土の微塵の数にも等しい、一切の如来の過去世の行為の影像を示し、その菩薩行について語る声音を出す摩尼王から成る須弥山雲によって一切の法界の虚空を満たしながら、不可説数の仏国土の微塵の数にも等しい、一切の如来の菩提道場を影現させる摩尼王から成る須弥山雲によって十方を満たしながら、(釈迦牟尼)世尊のおられる所へ近づいた。随行(の菩薩たち)とともに世尊に礼拝して、西の方角において、一切の香王を体とし、真珠の網で覆われた諸楼閣と神々の王を影現させる幢という摩尼宝石の蓮華座の獅子座を化作して、威神力によって菩薩たちの身体を金と摩尼王で覆い、如意宝王の冠をつけさせ、結跏趺坐して座った。

北の方角、不可説数の仏国土の微塵の数にも等しい世界海を過ぎた所にあるラトナ・ヴァストラーヴァバーサ・ドヴァジャー〔宝衣光焰幢〕という世界のダルマダートゥ・ガガナ・シュリー・ヴァイローチャナ〔吉祥大光明遍照一切虚空法界〕如来の仏国土から、アサンガ・シュリー・ラージャ〔無礙吉祥勝蔵王〕という名の菩薩摩訶薩が、不可説数の世界海の微塵の数にも等しい菩薩たちとともに、かの世尊の許しを得て、その説法会の海から出で立って、この娑婆世界の方へ近づいて来た。彼は威神力によってあらゆる宝石の葉の雲で天穹を飾りながら、威神力によって黄色の上にも黄色に輝く宝石の衣の雲で天穹を飾りながら、威神力によって様々な薫香を薫じた摩尼の衣の雲の雨で天穹を飾りながら、威神力によって日幢という摩尼王の衣の雲によって天穹を飾りながら、威神力によって黄金の栄光の光をもつ摩尼宝石の衣の雲によって天穹を飾りながら、威神力によって宝石の光をもつ摩尼王の衣の雲で天穹を飾りながら、威神力によってあらゆる星宿の影像《ようぞう》をもつ様々な摩尼の衣の雲で天穹を飾りながら、威神力によって青白い毛布のような玻璃《はり》の輝きをもつ摩尼宝石の衣の雲を天穹の十方に遍満させながら、威神力によって日輪の栄光ある焰の輝きのある摩尼王の衣の雲を天穹の十方に遍満させながら、威神力によって熾烈な光明で諸方を普く照らす摩尼王の衣の雲で天穹の十方を輝かしながら、威神力によって大海を荘厳する摩尼王の衣の雲で天穹を覆いながら、〔釈迦牟尼〕世尊のおられる所へ近づいた。随行〔の菩薩たち〕とともに世尊に礼拝して、北の方角において、海から生じた摩尼王から成る諸楼閣と瑠璃の蓮華台の獅子座を化作して、威神力によって菩薩たちの身体を獅子の愛好するという摩尼王の網で覆い、星宿幢という摩尼の髻《もとどり》をつけさせて、結跏趺坐して座った。

北東の方角、不可説数の仏国土の微塵の数にも等しい世界海を過ぎた所にあるサルヴァ・マハープリティヴィー・ラージャ・マニ・ラシュミ・ジャーラ・プラムクター〔摩尼の光網より放たれた一切大地の王、一切大地王〕という世界のアニラムバ・チャクシュス〔他に依存しない眼をもつ者、無礙眼〕如来の仏国土から、ダルマダートゥ・スニルミタ・プラニディ・チャンドラ〔法界よりみごとに化作された誓願の月をもつ者、法界善化願月王〕という名の菩薩が、不可説数の世界海の微塵の数にも等しい菩薩たちとともに、かの世尊の許しを得て、その説法会の海より出で立って、この娑婆世界の方へ近づいて来た。彼は、威神力によって一切世界の広がりを宝石の楼閣の雲で覆いながら、威神力によって一切世界の広がりを薫香の楼閣の雲で覆いながら、威神力によって一切世界の広がりを練香の楼閣の雲で覆いながら、威神力によって一切世界の広がりを栴檀《せんだん》の楼閣の雲で覆いながら、威神力によって一切世界の広がりを華の楼閣の雲で覆いながら、威神力によって一切世界の広がりを摩尼の楼閣の雲で覆いながら、威神力によって一切世界の広がりを金剛の楼閣の雲で覆いながら、威神力によって一切世界の広がりを黄金の楼閣の雲で覆いながら、威神力によって一切世界の広がりを衣の楼閣の雲で覆いながら、威神力によって一切世界の広がりを蓮華の楼閣の雲で覆いながら、（釈迦牟尼）世尊のおられる所へ近づいた。随行（の菩薩たち）とともに世尊に礼拝して、北東の方角において、あらゆる宝石製の法界に直面する門と尖塔をもつ大きな摩尼宝石の諸楼閣と無比香王という摩尼の蓮華台の獅子座を化作して、威神力によって菩薩たちの身体を華の王の網で覆い、色とりどりの宝庫の網や摩尼の冠をつけさせ、結跏趺坐して座った。

　東南の方角、不可説数の仏国土の微塵の数にも等しい世界海を過ぎた所のガンダ・メーガ・ヴューハ・ドヴァジャー〔香雲荘厳幢〕という世界のナーゲーシュヴァラ・ラージャ〔龍自在王〕如来の仏国土から、ダルマールチシュマット・テージョー・ラージャ〔法に燃える光明の王、法慧光明威徳王〕という名の菩薩が、不可説数の世界海の微塵の数にも等しい菩薩たちとともに、かの世尊の許しを得て、その真理の海である説法会から出で立って、この娑婆世界の方へ近づいて来た。彼は、黄金の光輪《マンダラ》の雲によって全天穹を覆いながら、無量の色合いの宝石の光輪の雲によって全天穹を覆いながら、如来の白毫《びゃくごう》の色の光輪の雲によって全天穹を覆いながら、とりどりの宝石の色の光輪の雲によって全天穹を覆いながら、蓮華台の光輪の雲によって全天穹を覆いながら、宝樹の枝の集まり《マンダラ》に吊った摩尼王の色の光輪の雲によって全天穹を覆いながら、如来の頂髻《ちょうけい》の色の光輪の雲によって全天穹を覆いながら、ジャンブ河産の黄金〔閻浮《えんぶ》檀金《だんごん》〕色の光輪の雲によって全天穹を覆いながら、太陽の色の光輪の雲によって全天穹を覆いながら、月と星宿の輪《チャクラ》の集まり《マンダラ》の色の雲によって全天穹を覆いながら、〔釈迦牟尼〕世尊のおられる所に近づいた。随行〔の菩薩たち〕とともに世尊に礼拝して、東南の方角において、汚れなく遍照する栄光という摩尼の華より成る諸楼閣と獅子金剛摩尼の蓮華台の獅子座とを化作して、威神力によって菩薩たちの身体を宝石の光焔という摩尼王で覆い、結跏趺坐して座った。

南西の方角、不可説数の仏国土の微塵の数にも等しい世界海を過ぎた所にあるマニ・スーリヤ・プラティバーサ・ガルバー〔摩尼の太陽の光を内蔵するもの、日蔵光明摩尼宝王〕という世界のダルマ・チャンドラ・サマンタ・ジュニャーナーヴァバーサ・ラージャ〔普智光照法月王〕如来の仏国土から、サルヴァ・マーラマンダラ・ヴィキラナ・ジュニャーナ・ドヴァジャ〔摧破一切魔力智幢王〕という名の菩薩が、不可説数の世界海の微塵の数にも等しい菩薩たちとともに、かの世尊の許しを得て、その説法会の海から出で立って、この娑婆世界の方へ近づいて来た。彼は、そのすべての毛孔から虚空界ほど広大な華の光雲を放出しながら、そのすべての毛孔から虚空界ほど広大なあらゆる楽器の光雲を放出しながら、すべての毛孔から虚空界ほど広大な摩尼宝石の光雲を放出しながら、すべての毛孔から虚空界ほど広大な種々の香りの香料を薫じた宝衣の光雲を放出しながら、すべての毛孔から虚空界ほど広大な龍の神変の雷光の光雲を放出しながら、すべての毛孔から虚空界ほど広大な毘盧遮那摩尼《びるしゃなまに》宝石の光雲を放出しながら、すべての毛孔から虚空界ほど広大な黄金の焔のような宝石の光雲を放出しながら、すべての毛孔から虚空界ほど広大な勝蔵摩尼王の焔の光雲を放出しながら、すべての毛孔から虚空界ほど広大な如来の憶念の海にも似て三世の地平を照らす光明の眼という宝石の光雲を放出しながら、(釈迦牟尼)世尊のおられる所へ近づいた。随行(の菩薩たち)とともに、世尊に礼拝して、南西の方角において、あらゆる方角に直面する光網(からもれる光)の雫によって妙法界を照らす大摩尼宝石からできた諸楼閣と薫香の燈火の焔という摩尼の蓮華台の獅子座とを化作して、威神力によって菩薩たちの身体を離垢蔵《りくぞう》という摩尼王の網で覆い、一切の衆生が(解脱《げだつ》に向かって)出立する音を響かせる摩尼王の冠をつけさせて、結跏趺坐して座った。

西北の方角、不可説数の仏国土の微塵の数にも等しい世界海を過ぎた所にあるヴァイローチャナ・シュリー・プラニディ・ガルバー〔毘盧遮那願蔵〕という世界のサマンタ・ヴァイローチャナ・シュリー・メール・ラージャ〔普く照らす栄光ある須弥山の王、普明浄妙徳須弥山王〕如来の仏国土から、ヴァイローチャナ・プラニディ・ジュニャーナ・ケートゥ〔遍照する誓願と智の旗印をもつ者、明浄願智幢王〕という名の菩薩が、不可説数の世界海の微塵の数にも等しい菩薩たちとともに、かの世尊の許しを得て、その説法会より出で立って、娑婆世界の方へ近づいて来た。彼はその相好《そうごう》(9)のすべてから、すべての毛孔から、また全身から、〔過去、現在、未来の〕三世のすべてに及ぶ一切の如来の集《カーヤ》まりの影像の雲を放ちながら、その相好のすべてから、すべての毛孔から、また全身から、三世に及ぶ一切の菩薩の集まりの影像の雲を放ちながら、その相好のすべてから、すべての毛孔から、また全身から、三世に及ぶ一切の如来の説法会の集まりの影像の雲を放ちながら、その相好のすべてから、すべての毛孔から、また全身から、三世に及ぶ一切の仏の変化《へんげ》の輪《チャクラ》〔変化輪〕の影像の集まりの雲を放ちながら、その相好のすべてから、すべての毛孔から、また全身から、三世に及ぶ一切の如来の過去の生涯〔本生《ほんじょう》〕の影像の集まりの雲を放ちながら、その相好のすべてから、すべての毛孔から、また全身から、三世に及ぶ一切の声聞《しょうもん》や独覚《どっかく》の集まりの影像の雲を放ちながら、その相好のすべてから、すべての毛孔から、また全身から、三世に及ぶ一切の如来の集まりと菩提道場と〔菩提〕樹身から、三世に及ぶ仏の神変の影像の集まりの雲を放ちながら、その相好のすべてから、また全身から、三世に及ぶ仏の神変の影像の集まりの雲を放ちながら、その相好のすべてから、すべての毛孔から、また全身から、三世に及ぶ一切の世間の諸王の集まりの影像の雲を放ちながら、その相好のすべてから、すべての毛孔から、また全身から、三世に及ぶ清浄な仏国土の雲を放ちながら、刹那《せつな》刹那に(これらの雲で)虚空界を遍満しながら、(釈迦牟尼)世尊のおられる所へ近づいた。随行(の菩薩たち)とともに、世尊に礼拝し、西北の方角において、あらゆる方角を遍照する摩尼王をちりばめた諸楼閣と世の衆生を遍照する摩尼の蓮華台の獅子座とを化作して、威神力によって菩薩たちの身体を、打ち勝つことのできない光をもつ真珠の網で覆い、普光明摩尼の冠をつけさせて、結跏趺坐して座った。

下の方角、不可説数の仏国土の微塵の数にも等しい世界海を過ぎた所にあるサルヴァ・タターガタ・プラバー・マンダラ・ヴァイローチャナー(一切の如来の光輪の太陽をもつもの、一切如来円満普焰光)という世界のアサンガ・ジュニャーナ・ケートゥ・ドヴァジャ・ラージャ(無礙の智を旗印とする王、無著智星宿幢王)如来の仏国土から、サルヴァーヴァラナ・ヴィキラナ・ジュニャーナ・ヴィクラーミン(一切の障害を破砕する智慧ある勇者、破諸蓋障勇猛自在王)という名の菩薩が、不可説数の世界海の微塵の数にも等しい菩薩たちとともに、かの世尊の許しを得て、その説法会の海より出で立って、この娑婆世界の方へ近づいて来た。彼は、すべての毛孔から、一切の世の衆生の言葉の海や語言の解釈を産み出す響きを轟かせながら、一切の三世の菩薩を産み出す真理《ナヤ》の海の雲の響きを轟かせながら、あらゆる菩薩の誓願を成就する真理の海の響きを轟かせながら、あらゆる菩薩の波羅蜜行を清め完成する真理の海の響きを放ちながら、あらゆる菩薩行の輪《マンダラ》を一切の国土に遍満させる真理の海の響きを轟かせながら、あらゆる菩薩の証得と神変の真理の海の響きを轟かせながら、あらゆる如来が菩提道場に至って最悪の魔を降伏させてさとりを成就する海のような神変の響きを轟かせながら、あらゆる如来が法輪を転じる際の経典と真理《ナヤ》と名辞の海の響きの雲を轟かせながら、あらゆる世の衆生を時宜に適った仕方で教化する法の真理と方便の響きを轟かせながら、あらゆる智慧を得させるため誓願と優れた善根と時宜に応じた方便と法の真理の大洋の響きを轟かせながら、(釈迦牟尼)世尊のおられる所に近づいた。随行(の菩薩たち)とともに世尊に礼拝して、下の方角において、一切の如来の宮殿の光に満ち、あらゆる色とりどりの宝石の宝庫から成る諸楼閣とあらゆる宝石に貫かれた蓮華の集結した台の獅子座とを化作して、威神力によって菩薩たちの身体に一切の光り輝く菩提道場の顕現する幢という摩尼頂冠をつけさせ、一切の国土の光という摩尼王の網で覆い、結跏趺坐して座った。

上の方角、不可説数の仏国土の微塵の数にも等しい世界海を過ぎた所にあるアクシャヤ・ブッダ・ヴァムシャ・ニルデーシャー〔説仏種性無有尽〕という世界のサマンタ・ジュニャーナ・マンダラ・プラティバーサ・ニルゴーシャ〔普き智の輪の顕現を轟かす者、普智円満差別光明大声〕如来の仏国土から、ダルマダートゥ・プラニディ・タラ・ニルベーダ〔法界の誓願の地平において間断なき者、普遍法界大願際〕という名の菩薩が、不可説数の世界海にある微塵の数にも等しい菩薩たちとともに、かの世尊の許しを得て、その説法会の海より出で立って、この娑婆世界の方へ近づいて来た。彼は、そのすべての相好から、すべての毛孔から、全身から、手足肢節のすべてから、すべての言語道から、すべての衣や装飾品から、随行の菩薩と彼自身と毘盧遮那仏世尊と、さらに過去世の果てに属する如来たち、過去および未来の一切の如来たち、さらに未来の果てに属し、(成仏を)予言されたあるいはまだ予言されていない未来の一切の如来たちと、さらに現在の十方にあるすべての国土の広がりに住んでおられる如来たちが、㈠一切の布施波羅蜜に関係して行なった過去世の行為の海と、すべての布施を受ける者と布施される衣の影像とを、相好、毛孔、全身、手足肢節、言語道、一切の身体の装飾品において顕現させて知らしめながら、近づいてきた。㈡また彼らのすべての持戒波羅蜜に関係した過去世の行為の海を顕現させて示しながら、㈢また彼らが手足肢体を断ち切って教示しようとした、一切の忍辱《にんにく》波羅蜜と関係した過去世の行為の海を顕現させて示しながら、(四)一切の菩薩の精進(波羅蜜)における勇猛と奮励の有り様と関係した過去世の行為の海を顕現させて示しながら、(五)またすべての如来の禅定《ぜんじょう》(波羅蜜)の海の追求と達成とに関係した過去世の行為の海を顕現させて示しながら、(六)またあらゆる如来の法輪の伝播の成就と求法(という般若《はんにゃ》波羅蜜)に関係し、あらゆるものを放棄するという偉大な決意と行動と言葉の影像を知らせる過去世の行為の海を顕現させて示しながら、(七)またあらゆる如来にまみえる喜び、あらゆる菩薩道、あらゆる世の衆生を啓蒙する(方便波羅蜜[11])に関係した過去世の行為の海を顕現させて示しながら、(八)あらゆる菩薩の誓願(波羅蜜)の海を成就する門である浄化や荘厳と関係した過去世の行為の海を顕現させて示しながら、(九)あらゆる菩薩の力波羅蜜の成就と奮励と浄化と関係した過去世の行為の海を顕現させて示しながら、(一〇)広大な上にも広大な法界を一切の神変の雲によって遍満して、あらゆる菩薩の智(波羅蜜)の輪《マンダラ》と関係した過去世の行為の海を顕現させて示しながら、(釈迦牟尼)世尊のおられる所に近づいた。随行(の菩薩たち)とともに世尊に礼拝して、上の方角において、一切の金剛の王から成る色とりどりに荘厳された諸楼閣と、金剛の王の連なる普く優れた〔普賢《ふげん》〕菩薩たちの青い蓮華台の獅子座とを化作して、威神力によって菩薩たちの身体をあらゆる宝石で光り輝く摩尼王の網で覆い、三世の如来たちの名を響かせる摩尼王の瓔珞が垂れた最高の摩尼宝石の冠をつけさせ、結跏趺坐して座った。

ところで、彼ら菩薩のすべて、およびその随行者たちは、普賢菩薩行と(その)誓願に熟達していた。一切如来の足下からその尊容を仰ぎ見るための極めて清浄な智眼をもち、一切如来の法輪と経典の真理の妙音の海を洩らさずに聞くことに達しており、一切の菩薩の自在力を獲得するという最高の波羅蜜を得ており、一切の如来に近づくのを刹那刹那に示現する神変に熟達しており、一切の世界を一身で覆う対象としていて、一切如来の説法会中に身を現出して遍照することができ、一つの微塵の中に、一切の世界が一世界として顕現し、包摂される様を示現することを境界とし、あらゆる世の衆生を成熟させ教化するのに時を失わない熱意をもち、一切如来の法輪の雲(の響き)をあらゆる毛孔から轟かせることを境界としていた。一切衆生界を幻の如く(空である)と見る完全な智慧を得ており、一切如来を影像の如しと洞察しており、(衆生が)あらゆる生存の境遇に生まれることを夢の如しとする智に熟達しており、あらゆる行為とその果報とが影像の如くであるとする清浄な智をもち、あらゆるものの生起は陽炎の如くであるとの直観智をもち、世界のあらゆる広がりは変化《へんげ》の如くであると洞察していた。

如来に特有な十力《じゅうりき》の智の輝きを獲得しており(12)、雄牛の如き(四種の畏れなき)自信と獅《し》子吼《しく》の勢力をもち、無尽の(四種の)無礙《むげ》の弁才の海に通暁しており、一切世間の言葉の海と法を解説する智慧を獲得しており、無礙なる法界の虚空を智の対象とし、あらゆる法について障礙なき智を得ており、一切菩薩の清浄な神通の智の輪《マンダラ》が清浄であり、あらゆる魔の軍勢を震撼させる勇気をもち、(過去、現在、未来の)三世すべてに亘る智力に安住しており、障礙なきあらゆる智を獲得しており、執着することなき虚空を境界とし、(本来)努力を要しないで得られる一切智者性の位の虚空に向かって精進し、一切の生存に依存しない智の境界をもち、一切法界の真理の海の智に遍満され、一切世界が無区別であるという智の門に入っており、一切の世界を相互に包摂させる神変に熟達していて、いかなる世界の家系の中でも受生し生まれる身体を示現し、一切の世界の微と大、広と狭という種々の形状に通達しており、微細な対象と広大な国土とが一つに包摂される智を得ており、広大な対象と微細なものとの智を得ており、一切の仏が心の一刹那に住することを直証しており、一切如来の智を(自らの)身体としており、あらゆる方角の海に迷わない智を得ており、あらゆる方角の海を心の一刹那に入れる神変に満たされている者たちであった。このような形の無量(の功徳)を具足した菩薩たちによってジェータ林の全体が満ちみちたのであったが、それはすべて(十方の)如来たちの威神力によるものであった。

神変が見えない声聞たち　けれども、シャーリプトラ〔舎利弗《しゃりほつ》〕、マウドガリヤーヤナ

〔目犍連《もくけんれん》〕、マハーカーシャパ〔摩訶迦葉《まかかしょう》〕、レーヴァタ〔離婆多《りはた》〕、スブーティ〔須菩提《すぼだい》〕、アニルッダ〔阿㝹楼駄《あぬるだ》〕、ナンディカ〔難陀《なんだ》〕、カッピナ〔劫賓那《こうひんな》〕、カーティヤーヤナ〔迦旃延《かせんねん》〕、マイトラーヤニーの子プールナ〔富楼那《ふるな》〕を初めとする著名な声聞〔大声聞〕たちは、ジェータ林にいながら、この如来の神変を見なかった。彼らはそれらの仏の荘厳を、仏の威厳を、仏の遊戯神通《ゆげじんずう》を、仏の奇蹟を、仏の最勝力を、仏の行じた神変を、仏の威力を、仏の威神力を、仏国土の清浄な様を見なかったのである。

また(彼ら声聞たちは、)菩薩たちのかの不可思議な境界を見なかった。即ち、菩薩たちの会合、菩薩たちの普入、菩薩たちの集会《しゅうえ》、菩薩たちの到来、菩薩たちの神変、菩薩たちの奇蹟、菩薩たちの説法会、菩薩たちの諸方における着座、菩薩たちの獅子座の荘厳、菩薩たちの宮殿、菩薩たちの精舎、菩薩たちの三昧と遊戯神通、菩薩たちの観察、菩薩たちの奮迅、菩薩たちの威徳、菩薩たちの如来に対する供養、菩薩たち(が如来から受ける成仏)の予言、菩薩たちの威力、菩薩たちの果報、菩薩たちの法の集まり〔法《ほっ》身《しん》〕(13)の浄化、菩薩たちの智の集まり〔智身〕の完成、菩薩たちが誓願の集まり〔願身〕を示すこと、菩薩たちの色身、菩薩たちが(三十二)相を完全に具えて清浄なること、菩薩たちの無限の力の光輪の荘厳、菩薩たちが光網を放つこと、菩薩たちが変化の雲を放つこと、菩薩たちが(その身を)網のように諸方に遍満させること、(要するに普賢)菩薩行の輪《マンダラ》の神変を見なかった。

それは何故かというと、(彼ら声聞たちは菩薩たちとその)善根が同じでなかったからである。というのは、彼ら(声聞たちは過去世において)一切の仏の神変を見ることを引き起こすような多くの善根を積まなかったからである。彼らにはかつて十方世界に普く及ぶ一切仏国土の清浄な功徳の荘厳が説き聞かされたことがなかったからである。彼らには仏世尊たちによって種々の仏の神変が説き聞かされたことがなかったからである。彼らは、生死輪廻《しょうじりんね》していた過去にあって、衆生たちをこの上なく正しい菩提《ぼだい》〔無上正等覚《むじょうしょうとうがく》〕に至るように勧め、また(六)波羅蜜の(実践に)向かわせたことがなかったからである。彼らは他の人々の(心)相続に仏のさとりを得ようとする決意〔菩提心〕を起こさせたことがなかったからである。彼らは如来の系譜が断絶しないように努めたことがなかったからである。彼らはあらゆる衆生を救済するために力を尽くさなかったからである。彼らは生死輪廻していた過去において、一切世間における最勝の智の位を獲得しなかったからである。彼らは菩薩たちを波羅蜜(の実践)に励まさなかったからである。彼らは一切智者性に導く善根を積み重ねなかったからである。彼らは如来の出世間的な善根によって完成されるべき、一切の仏国土を清浄にする神変と神通力を知らなかったからである。また彼らは、菩薩の視界における顕現は、他と共通しない出世間のさとりを対象とする諸善根と大菩薩の誓願から生じることを知らなかったからである。彼らは、如来の威神力から生じ、(空なる諸法の)幻の如き法性によって現され、菩薩の夢の如き種々なる想念の理解に基づいた大菩薩の喜びの衝動を増大させ、一切の声聞や独覚には共通しない、普く優れた〔普賢〕菩薩の智の視界にのみ見られる顕現を知らなかったからである。

そういうわけで、(舎利弗と目犍連という)二人の上首、二人の賢者[14]を初めとする彼ら偉大な声聞たちは、その如来の神変を見ず、聞かず、知らず、理解せず、さとらず、信じず、分からず、憶念せず、観察せず、認めず、考えず、思惟《しゆい》しなかった。それは何故かというと、これは仏の智の領域であって、声聞の領域ではなかったからである。

したがって、彼ら著名なる声聞たちは、その同じジェータ林にいながら、それらの仏の神変を見なかったのである。というのは、彼らにはその(智見に)資するだけの善根がなかったのであり、彼らにはそれによってそれらの仏の神変を見ることができるはずの清浄な智の眼がなかったのであり、またそれによって小さな縁を契機として広大な神変と威神力をさとるはずの精神集中〔三昧〕もなかったのである。彼らには八種の解脱[15]がなく、神通がなく、威厳がなく、その力がなく、その最勝力がなく、その理がなく、想念がなく、鋭い眼力があるべくもなかったのである。さもなければ、彼らはそれら(の神変)を知り、見、さとり、理解し、覆い、進み、観察し、覚知し、近づき、他の人々に差し出し、説明し、指摘し、賞讃し、示し、あるいは提供し、施与し、あるいは人々をそこへ誘い、そこに打ち立て、確立させ、その仏の神変の真実〔法性〕に衆生をつなごうとしたはずである。そのような智が彼らには存在しなかったのである。

それは何故かというと、彼ら(声聞たちは)声聞乗《しょうもんじょう》[16]によって迷いの世界を離れ〔出離〕、声聞の道によって知識を得て、声聞の行の輪《マンダラ》を成満し、声聞の修道の果報に安住しており、(四諦《したい》の)真理として現れる智に依存し、究極の真実[17](である涅槃《ねはん》)に安住し(ていて現象世界における衆生の救済を見捨て)ており、絶対的静寂の究竟に達しているが、その心は大悲を離れてしまっていて、世間のことには一切無関心であり、自分の目的だけを果たして(それで満足して)いる者たちであるからである。彼らはこの同じジェータ林に集まり、(菩薩たちと)一緒に座り、世尊の前に、左、右、後ろに、世尊の眼前にともに座っていながら、ジェータ林におけるそれらの仏の神変を見なかったのである。

それは何故かというと、一切智者性の智を獲得していない者たち、一切智者性の智を成就していない者たち、一切智者性の智をめざして出で立っていない者たち、一切智者性の智(を得ようと)誓願を立てていない者たち、一切智者性の智を成就しようとしていない者たち、一切智者性の智が薫じられていない者たち、一切智者性の智によって浄化されていない者たちによっては、かの如来が（獅子奮迅）三昧によって神変に入ることを、さとることも、理解することも、見ることも、知ることもできないのである。それは何故かというと、それは菩薩の視界を得た者の知り得ることであって、声聞の視界を得ただけの者たちの知るところではないからである。それゆえに、彼ら著名な声聞たちは、その同じジェータ林にいながらも、如来の神変、仏の威神力、仏国土の清浄、菩薩の集会をも見なかったのである。

たとえていえば、丁度ガンジスの大河の両岸に集まった幾百千という多くの餓鬼が、飢えと渇きに苦しめられ、衣がなく裸で、身体の皮膚は焼け焦げた色をしていて、風と熱でからからに干からびていて、烏の群に攻撃され、狼やジャッカルどもに脅かされていて、かのガンジスの大河を見ないようなものである。いくらかの（餓鬼がたとえ見たにしても）彼らは干上がって水がなく、灰土で満たされた（ガンジス河を）見るのである。それは彼らが（ありのままに見るのを）妨げる行為〔業障《ごっしょう》〕に覆われているからである。丁度そのように、彼ら上足の著名な声聞たちはその同じジェータ林にいながらも、如来のかの神変を見ず、さとらなかった。それは彼らが一切智者性と矛盾する無知〔無明〕の膜によってその眼が覆われているからであり、一切智者の位に至るための善根に守られていないからである。

それは丁度、ある人が真昼間に、大勢の人々の群の中で眠りにおちる場合にたとえられる。彼は眠って夢を見て、その同じ場所にいて神の都城、シャクラ〔帝釈天《たいしゃくてん》〕の住居であるスダルシャナ〔善見大城〕をすべて見るとしよう。（即ち、善見大城のある）須弥山の山頂の平地は木々が茂り、多くの遊園の輪《マンダラ》に囲まれ、百千コーティ・ニユタ(18)のアプサラス天女が群れ、百千コーティ・ニユタの天子たちが住まい、色とりどりの天上の華が撒き散らされているのを。種々の天上の衣、真珠の瓔珞、宝石の装飾、華を放出する宝庫に他ならない如意樹を見るとしよう。また種々様々な天上の楽器から出る快く甘い響きを放つ楽器樹を見るとしよう。多くの種類の歓楽や遊戯が繰り広げられているのを見るとしよう。さらに天上のアプサラス天女の群の歌や奏楽の音を聞くとしよう。彼はそこにいる自分を意識し、すべてを具えたその場所が天上の荘厳で飾られているのを見るとしよう。けれども、その同じ場所にいる（他の）すべての人々の群は（その善見大城の荘厳を）見ず、知らず、観察もしないであろう。それは何故かというと、それは夢を見ているその男だけに見えるものであって、その同じ場所にいながら、大勢の人の群には見えないものであるからである。

これとまったく同じように、かの菩薩たちと世間の諸王たちは、（大乗の）菩提をめざす者たちであり、仏の広大な威神力により、また自己の善根をよく集積したことにより、一切智者性に向けてよく誓願を発していることにより、一切の如来の功徳を理解していることにより、偉大に荘厳された菩薩道に出で立っていることにより、一切智者性の智(の対象である)一切の形相を具えた法を完成していることにより、普賢菩薩行の殊勝な誓願を成就し、浄化することにより、一切の菩薩地の智の輪《マンダラ》に近づいていることにより、一切の菩薩の三昧の境地に遊戯神通であることによって、また一切の菩薩の智の領域において無礙に思察することによって、かの不可思議な仏の威厳、仏の遊戯神通を見、さとり、経験することができるのである。かの二人の上首、二人の賢者を初めとする著名な声聞たちは、菩薩の眼を具えていないために、(仏の神変を)見も、知りもしなかったのである。

たとえば豊富な薬草の資源に満ちている山の王たるヒマラヤにおいて、真言や明呪《みょうじゅ》や薬草の識別と採取法の知識を具えた人は、あらゆる薬草の用い方を知っているから、薬草採取の仕事をするであろう。しかし、その同じ山の王に登っていても、牛、羊、熊、鹿などの猟師たちや、あるいは薬草の用途を知らない他の人々は、かの薬草の味、効果、結果、効能、手段、方法を知りはしない。丁度そのように、かの菩薩たちは、如来の智の境界に深く入り、菩薩の神変の境界に熟達しているので、かの如来の三昧と神変の境界をよく知っている。けれども、二人の上首、二人の賢者を初めとするかの著名な声聞たちは、その同じジェータ林にいて時をすごしながらも、自分の目的〔自利〕にのみ満足して、他人の目的〔利他〕に無頓着で無関心であって、禅定に入って現在の楽しみにふけることによって安楽に住していて、如来の〔獅子奮迅〕三昧の境界、神変の境界を知らないのである。

たとえばこの大地はあらゆる宝石の鉱脈に富み、百千の宝脈が隠蔵され、様々な種類の無尽の宝石に満たされている。宝石の種類の見分け方の知識を習得した宝石鑑別者で、心が清らかで、（その）処理理論の知識と技術を学び、広大な福徳の力に支えられた人は、そこへ来て、欲するままにその（大地）から諸々の宝を取り出して、正しく自分を満足させ、父母に正しく仕え、子女を養うであろう。またその他の老いたる人々、病み、貧しく、不幸に陥り、食事や衣類に事欠く人々にも分け与えることができようし、様々な利益や喜びを感じるであろう。けれども、宝石の鉱脈や隠れた宝脈の見分け方を知らず、福徳をも積んでいない、宝石についての智の眼が清らかでない人々は、宝石の鉱脈や隠れた宝脈を知ることはない。彼らはその同じ場所を歩きまわっていても、宝石を採取することができず、宝石の効用を利用することもできない。

丁度そのように、かの菩薩たちは不可思議な如来の境界に対して智の眼が清らかで、不可思議な如来の智の境界に悟入しているので、かのジェータ林にあって、それらの仏の神変を見るのであり、法門の海をもさとり、三昧の海をも成就し、如来への供養と奉仕を行ない、一切の法の受持に努め、四摂事《ししょうじ》(19)によって一切の衆生を摂取《せっしゅ》するのである。一方、かの著名な声聞たちはそれらの如来の神変も、かの菩薩の集団の大集会も見ないし、知らないのである。

たとえばある人が両眼を布切れで目隠しされて、宝島に連れて来られたとしよう。彼はその宝島で歩きまわり、立ち止まり、座り込み、寝床を設けたりするであろうが、しかしそこの宝石の鉱脈を見ないであろう。(眼の前にある)宝樹も、衣宝も、香宝も、あらゆる宝石も見ないであろう。またそれらの宝石を感覚の対象としても、価値あるものとしても、享受すべきものとしても知ることはないであろう。彼はそれらの宝石を取ることもないし、宝石の効用を経験もしないであろう。しかし、眼を覆われていない人々はそのすべてを見、識別するであろう。

丁度そのように、かの菩薩たちは、法の宝島に到達したとき、一切世間の荘厳であり無上の宝である如来が目の前に現れ、ジェータ林におられて、不可思議な仏の神変を示されているのを見るのである。しかし、かの著名な声聞たちは、同じ場所で世尊の足下に立ち、時をすごしながら、しかもその如来の三昧の境界である神変と奇蹟を見ないのであり、また大きな宝石の鉱脈にも比すべき菩薩の大集会をも見ないのである。それは何故であるかというと、彼ら、一切智者性と敵対する無明の布で智の眼を目隠しされた者たちには、かの清浄なる無礙の菩薩の智の眼がないからであり、また彼らは、それによって不可思議な如来の三昧の威厳と神変と奇蹟とを見ることができるはずである、法界へ次第に参入することを修得していないからである。

たとえば無垢の光をもつもの〔無垢光〕と名づける眼の清浄性があり、それはいかなる暗闇とも共に存しない。それをある人が獲得するとしよう。彼は無垢光なる眼の清浄性を具えているので、暗闇に覆われた夜間に、百千コーティ・ニユタという多くの人々が集まるとき、それぞれ様々の威儀を行なう眼疾と闇に眼をくらまされた人々の間を通り抜け、歩きまわり、立ち止まり、座り、いろいろな威儀を行なうとしよう。けれども、その人々はその人を見ないし、様々な威儀を行なうのを知らないであろう。しかし、かの人はその大勢の群衆が様々な種類の威儀を行ない、様々な方角に向き、様々な形姿、様々な色、様々な外衣を着ているのを見るであろう。丁度そのように、如来は菩薩の集団に取り囲まれ、清浄な無礙の智の眼をもっていて、一切の世間を知り、見るのである。偉大な仏の三昧の神変と奇蹟を示すのである。けれども、かの著名な声聞たちは如来の偉大な智と三昧の神変と奇蹟も、かの(如来を)囲遶《いにょう》している大菩薩の集会も見ないのである。

たとえばある比丘《びく》が大勢の人々の中で、地遍処定《ちへんしょじょう》に入るとしよう(20)。あるいは水遍処定に、火遍処定に、風遍処定に、青遍処定に、黄遍処定に、赤遍処定に、白遍処定に、天遍処定に、種々衆生身遍処定に、一切言音遍処定に、一切所縁遍処定に入るとしよう。けれども、かの大群衆は、そのいずれかの三昧や等至《とうじ》の境地を獲得した人々を除いて、その水の集まりを見ないであろう。かの火焔の光をも、かの種々なる(衆生の)すべての集まりをも、乃至《ないし》、かの一切の対象に至るまでをも見ないであろう。丁度そのように、かの著名な声聞たちは、如来がかの不可思議な仏の三昧の境界である神変を示しているのを見ないであろう。けれども、かの菩薩たちは如来の道を実践しているので、かの如来の境界に悟入するのである。

たとえば隠身薬〔翳形薬〕に熟達した人は、両眼に塗薬しただけで、その身体がすべての人々に見えなくなる。彼自身の方は歩いていても、立っていても、座っていても、すべての人々の群を見ることができる。丁度そのように、如来は世間を超え、一切の世の衆生の境界を超越していて、一切智者の智の境界に入っているので、菩薩の智の眼によってのみ知られるのであり、如来はすべての世の衆生を見ている。けれども、かの著名な声聞たちは如来の神変を見ることができないのである。

たとえば人には、生まれつき(決まっていて)常につき従っている神がいる。その神はかの人を見ているのだが、かの人はその神を見ない。丁度そのように、如来は一切智者の智の境界に住していて、菩薩の集団の大集会の中にいて、偉大なる仏の神変を示すのである。しかし、かの著名な声聞たちは如来の現す神変と奇蹟をも、菩薩の説法会の神変をも見ないし、知りもしない。

たとえば一切の心の自在性という最勝の波羅蜜を獲得した比丘が、表象と感受の滅尽した三昧〔滅尽定《めつじんじょう》〕に入っているならば、何物をも思わず、感受せず、六感官によっていかなる対象をも知覚しない。けれども、彼は涅槃に入ったわけではない。その場所においてあらゆる世間の言説が起こっても、その等至の威神力の支配によって、彼はそれらを表象せず、感受しない。丁度そのように、かの著名な声聞たちは、その同じジェータ林で時をすごしながら、また彼らには六感官があるにもかかわらず、かの如来の三昧の神変と威厳と奇蹟とを見ず、さとらず、思わず、知らず、またかの菩薩の集会や菩薩たちが示した奇蹟、菩薩たちの神変をさとらず、見ず、知らなかったのである。それは何故かというと、実に仏の境界は甚深で、広大で、量り知れず、見難く、さとり難く、底を測り難く、一切世間を超出しているからである。不可思議な仏の境界はいかなる声聞や独覚によっても征服し難いのである。それゆえ、かの著名な声聞たちはその同じジェータ林において世尊の足下にいながら、その仏の神変を見なかったのである。またかの菩薩の大集会をも、また、不可思議阿僧祇《あそうぎ》数《すう》の清浄世界の功徳によるすばらしい光景を一つに包摂したジェータ林をも見ず、知らなかった。というのは、彼らはその器ではなかったからである。

十方の菩薩たちの讃仏歌　そこで、毘盧遮那願光明菩薩は、そのとき、仏の威神力によって十方を見渡して、次の詩頌《しじゅ》を唱えた。

見よ。衆生中の尊者が得た仏の菩提は不可思議である。勝者たる仏はこのジェータ林にて仏の神変を示現する。　(一)

自在者たちの威神力は阿僧祇数に現れてはいても、仏の法に無知である世間は、その威神力に惑わされる。　(二)

法の王者たちの深遠にして不可思議なる奇蹟が現れてはいても、世間はそれがわからない。　(三)

正覚者《しょうがくしゃ》たちは、無量の色彩をもち、(三十二)相によってよく飾られてはいても、正覚者たちによってもたらされた法は、実に、無相である。　(四)

勝者はジェータとよばれる林にて神変を示現するも、周辺も中央もない(ほど無辺で)深遠なる神変は言語道によって語るのはとても困難である。　(五)

気高い菩薩たちの集会が見られる。彼らは不可思議コーティ数の国土より、勝者に

まみえるためにやって来たのである。（六）
彼らは誓願を具足し、彼らの行の境界は無礙である。一切世間は彼らの志願を認識することができない。（七）
あらゆる独覚たち、そしてすべての声聞たちは、彼らの（菩薩）行と心の境界を知ることができない。（八）
菩薩たちは、偉大な智慧をもち、不屈であり、無敵であり、勇猛を旗印とし、雑乱なく、智の位を究めている。（九）
彼ら誉れ高き無量の菩薩たちは、三昧を成就しており、法界に遍満して、神変を示現する。（一〇）

そこで不可壊精進勢王菩薩は、そのとき、仏の威神力によって十方を見渡して、次の詩頌を唱えた。

見よ、善逝《ぜんぜい》の子らを。彼らは福徳を内蔵し、偉大な智慧をもち、菩薩行を完成し、あらゆる世間に安楽をもたらす。（一一）
聡明であり、無限の智をもち、心はよく三昧に入っており、その智の境界は周辺も中央もなく深遠でしかも広大である。（一二）

大荘厳で飾りたてられたジェータとよばれる大園林において、菩薩たちによって埋め尽くされた正覚者のこの住処において、（一三）

見よ、（その園林にいる）大勢の家なく定住地なき（菩薩たちの）海を。彼らは十方より参集して、蓮華座に座っている。（一四）

定住地なく、巧むことなく自然であり、戯論《けろん》なく、執着なく、心は無礙自在であり、無垢であり、法界を究極の目的とする。（一五）

智の幢を掲げ、大勇であり、心は金剛のように堅く、動揺することなき菩薩たちを見よ。彼らはまだ涅槃に達していない諸法において涅槃を示現する。（一六）

十方の阿僧祇コーティ数もの国土より参集して、正覚者に親近し、（相対する）二の観念を離れている菩薩たちを見よ。（一七）

これらのここに参集した菩薩たちは、自在者たるシャカ族の獅子がその威神力でもってここに現した神変を見るのである。（一八）

勝者の子らは、仏の諸法においても法界の地平においても区別することなく、区別はただ言説のみということに通達している。（一九）

牟尼《むに》たちは、法界の無区別の極みに安住して、しかも尽きることなき語句でもって法の分析を行なう。（二〇）

そこで普遍出生吉祥威徳王菩薩は、そのとき、仏の威神力によって十方を見渡して、次の詩頌を唱えた。

見よ、衆生中の尊者の広大な智の輪《マンダラ》を。(尊者は)神通によって適時と不適時を知り、衆生たちに法を説く。(二一)

種々の異教徒によって撒き散らされた論敵の主張を打破し、それぞれの願いに応じて衆生たちに神変を示現する。(二二)

正覚者は限られた空間を占めるのでもなく、また仏は限られた方向に進むのでもない。偉大な牟尼は無量と有量とを超越するものでもない。(二三)

あたかも太陽が空中を渡って昼と数えられるものをもたらすように、智の優れた師は三世において無礙自在に力を発揮する。(二四)

あたかも月輪《がちりん》が満月の夜に輝くように、導師が白浄《びゃくじょう》の法で満たされているのを人は見る。(二五)

あたかも日輪がこの空中を渡り行くように、仏のかの神変がここにとどまることはない。(二六)

あたかも虚空が十方のいかなる国土にも定着していないように、世間の燈火たる仏

の神変もそのように知られるべきである。（二七）

あたかもあらゆる衆生にとって大地が世間の基盤であるように、世間の燈火たる仏の法輪はそのように（基盤として）世間にとどまっている。（二八）

あたかも風が空中を遮られることなく敏速に吹き抜けるように、仏の法性はあらゆる世界に進み行く。（二九）

あたかも国土として数えられるものはすべて水の集まりの上に安定しているように、三世に及ぶ諸仏は智の集まりの上に安定している。（三〇）

そこで無礙吉祥勝蔵王菩薩は、そのとき、仏の威神力によって十方を見渡して、次の詩頌を唱えた。

あたかも金剛から成る岩山が高くそびえるように、あらゆる世間の救済者たる仏は世間にそのように出現する。（三一）

あたかも大海中の無量の汚れなき水のように、仏にまみえるならば世間の渇きが断たれる。（三二）

あたかも須弥山が大海の水中からそびえ立つように、世間の燈火たる仏は法の海より出現する。（三三）

あたかもあらゆる宝石の大きな鉱脈である満ちた大海のように、一瞬に（衆生を）目覚めさせる自在者の智は尽きることがない。（三四）

導師の智は深遠にして数え難く量り難い。その智でもって、仏は無量にして不可思議なる神変を示現する。（三五）

あたかも幻の形相を示現する熟練の幻術師のように、智において自在なる仏は神変の示現者である。（三六）

あたかも（衆生の）願いを満たす清らかな如意宝珠《にょいほうじゅ》のように、勝者は清浄な道心の衆生たちの誓願を満たす者である。（三七）

あたかも太陽がヴァイローチャナ宝石（明浄宝）を輝かせるように、清浄なる一切智者性は衆生の道心を照らし出している。（三八）

あたかも（八）方に向かうように適切に置かれた八面体の宝石のように、仏の無礙の光明は法界を照らし出している。（三九）

あたかも濁水を清める清浄な輝きのある浄水珠のように、仏にまみえることによって世の衆生の感官は清められる。（四〇）

そこで法界善化願月王菩薩は、そのとき、仏の威神力によって十方を見渡して、次の詩頌を唱えた。

あたかもこのインドラニーラ(帝青宝)によってあらゆる方向が(青)一色にされてしまうように、仏にまみえることによって衆生は菩提の色に染められる。(四一)

仏は微塵の一々に、菩薩たちの浄化をもたらす無量の多種多様な神変を示現する。(四二)

その(神変)は、希有であり、深遠であり、際限なく、そして近づき難く、世間の人々にはそれとわからないような、聡明な(菩薩の)智の境界である。(四三)

さらにまた、菩薩たちの完成のために、諸々の荘厳を具足し、仏の妙相によって浄化されている法界への入口を(示現する)。(四四)

その(荘厳の)中で勝者は不可思議数の仏国土を示現するが、その国土は聡明な(菩薩)に囲まれた仏たちによって普く満ちあふれている。(四五)

あらゆる法に自在なる師、シャカ族の雄牛は既に出現している。その無量の奇蹟がここに演じられている。(四六)

観察せよ、勇猛なる(菩薩たちの)無量の行の多様性を。無量の光をもつ仏は無限の神変を示現する。(四七)

世間の主は勝者の子たちに法界を学ばせる。彼らはあらゆる法において無礙の智の

境界をもつ者となる。（四八）
人中の王（即ち仏）の威神力のゆえに、幾百もの奇蹟に満ち、あらゆる世間を清浄ならしめる法輪が回転する。（四九）
彼らは、衆生中の尊者の境界に入り、智の輪《マンダラ》は浄化され、豊かな智慧をもつ大龍となって、あらゆる世間を解脱せしめる。（五〇）

そこで法慧光明威徳王菩薩は、そのとき、仏の威神力によって十方を見渡して、次の詩頌を唱えた。

諸々の声聞たちは、三世に亘って最高の聖仙によって教化されたにもかかわらず、
正覚者が足を上げたり下ろしたりすること〔挙足事〕さえも知らない。（五一）
また三世にある限りの独覚たち、彼らのすべてが救済者の挙《こ》足下《そくげ》足《そく》を知らない。（五二）
ましてや、革ひもでつながれた犬のように、無明の闇に覆われたあらゆる衆生たちがどうして教化者を認知することがあろうか。（五三）
この勝者はいかなる量でもっても量られることなく、彼を知ることは不可能である。
無礙の智をもつ仏はあらゆる言語道を超越している。（五四）

(仏は)満月のように輝き、勇猛であり、種々の相でもってよく飾られ、諸々の神変でもって威神力を示しながら、無量の劫をも尽くす。(五五)

たとえよく瞑想に入った人がいて、(瞑想の)道の一々によって仏を思議して、不可説数不可思議コーティ数の劫を尽くそうとも、(五六)

その人が自在者の功徳の一部分の一端でさえも理解することはないだろう。仏が(どれほど)瞑想されたとしても、仏の諸法は不可思議である。(五七)

しかしながら、それ(諸法)への誓願を起こし、それ(諸法)を心から喜ぶ人たちがあれば、その人たちのすべてがそのような見究め難い境界に達するであろう。(五八)

(彼らは)無垢で勇猛な心に安住し、偉大な(福徳と智の二つの)資糧を具足して邁進し、福徳と智から成るこの無限の道に入る。(五九)

彼らの誓願は広大であり、彼らの心の制御も広大である。彼らは勝者の境界に近づいて、広大な菩提を得るであろう。(六〇)

そこで摧破一切魔力智幢王菩薩は、そのとき、仏の威神力によって十方を見渡して、次の詩頌を唱えた。

自在者たちは、無礙の智を身体とするがゆえに、身体をもたず、また彼らは、不可

思議な智の対象であるがゆえに思議されえない。（六一）

仏の身体は不可思議数の清浄な業《ごう》によって獲得されたのである。諸々の相でもって輝くその身体が、三界《さんがい》に属するものによって汚染されることはない。（六二）

（それは）世間において普く輝き、法界において浄化されており、仏の菩提《ぼだい》の門でもあり、あらゆる智の大きな宝庫である。（六三）

塵垢を離れ、戯論を離れ、あらゆる執着を離れ、世間の太陽となって智の光明を放つ。（六四）

生死流《しょうじる》転《てん》の恐怖を断除し、三界の衆生を浄化し、また菩薩たちの（行の）完成でもあり、さらに仏の菩提を内蔵する宝庫でもある。（六五）

無限の色を示現するが、それ自体はいかなる色にも結びつけられることなく、いかなる身体を有する者にとっても思議できない無量の色を示現する。（六六）

（仏の智は）それによって仏の不可思議な菩提が一瞬のうちに浄化されるのであるから、一体誰が仏の智の究極に到達できようか。（六七）

（仏の）智はどれほど説いても尽きることなく、それ自体として不変である。そこ（仏智）において三世に属する勝者たちのすべてが、一瞬のうちに生じるのである。（六八）

智慧をもち、無限の(善)業を有して菩提を願う人は、常に思念せよ。人にある思いが生じたとしても、その思いはその人の心に生じるのではない、と。（六九）

仏の諸法は、いかなる言説の対象にもならず、深遠であり、言語道を離れているが、まさにそれらの諸法によって正覚者たちは生じるのである。（七〇）

そこで明浄願智幢王菩薩は、そのとき、仏の威神力によって十方を見渡して、次の詩頌を唱えた。

錯乱なき憶念を有し、清浄で、法の高揚を決意した菩薩たちは、不可思議な賢明さの所有者であり、菩提の尽きることなき海である。（七一）

彼らの心はここ(法の保持)に定められており、実にそれが彼らの修行の領域である。彼らの智はここにおいて動揺せず、彼らはこれに対する疑念を断ち切っている。（七二）

彼らには倦怠なく、また彼らには落胆の心も生じない。彼らの心は仏法を究極の目的として発動する。（七三）

彼らには、深い根より成長し、崇高となった信心が生じる。実に彼らの喜びは、この何物にも依存せず、何物にも結びつけられない智にあるからである。（七四）

彼らは既にコーティ劫にも亘って積まれた諸善法によって満たされているが、智を求める彼らは、それら(諸善)のすべてを(智に)回向する。彼らは比類なきものである。（七五）

彼らは輪廻の中をめぐり行くが、輪廻に左右されることはない。仏の諸法に心を定めて、彼らは仏の(智の)境界を喜ぶ。（七六）

衆生界で実現されるある限りの世間の完成も、勇猛な彼らにとってはすべてがつまらないものである。実に彼らは仏の完成に安住しているからである。（七七）

世間は、無益にも、(何かに)依存しており、常に(煩悩に)縛られて動いている。無礙自在に行動する菩薩たちは、常にそこ(世間)で衆生の利益のみに固執する。（七八）

苦しみがなくなるようにと世間の幸福しか考えない有身の衆生たちにとっては、彼ら(菩薩たち)の無類の行動は不可思議である。（七九）

菩提の智によって浄化されている彼らは、あらゆる世間を憐れみ、世間の光明となってあらゆる世間を解放する者である。（八〇）

そこで破諸蓋障勇猛自在王菩薩は、そのとき、仏の威神力によって十方を見渡して、次の詩頌を唱えた。

百コーティ劫をもってしても仏の音声はとても得難いものである。ましてや仏にまみえるという至上のことはさらに得難いことである。それ(見仏)はあらゆる疑念を断ち切る。(八一)

(今ここに)あらゆる法を究め尽くした世間の燈明《とうみょう》が美しく見られる。あらゆる衆生を洗い清めるこの三界の福徳の沐浴池を(見よ)。(八二)

衆生中の尊者が色身として完全であることを見ている者にとって、コーティ・アユタ劫をもってしても見飽きることはない。(八三)

人中の王の色身を眼前に見ている勝者の子たちは、何物にも執着することなく利他のために、自分の善業の(福徳)を菩提に回向《えこう》する。(八四)

偉大な牟尼のこの色身は仏の菩提への門である。そこから無礙にして無尽の自在な弁才が出てくる。(八五)

偉大な牟尼は無量不可思議数の衆生たちを照らし、大乗に導き入れて、最高の菩提を彼らに予言する。(八六)

彼は偉大な福徳の田地(として供養の対象)であり、高く昇った智の(日)輪であり、福徳の集まりを増大せしめて、無量の世間を照らす。(八七)

彼は苦しみの網を断ち切り、智の集まりを浄化する。ここで勝者を供養する人々には悪趣に落ちる恐怖はない。（八八）
両足尊《りょうぞくそん》を眼前に見ている人々には、広大な心が生じる。月光の如き阿僧祇数の智慧の力が彼らに生じる。（八九）
彼らは、衆生中の尊者にまみえて、菩提へと決定された者となる。彼らには、私はやがて如来となろう、という決意が生じる。（九〇）

そこで法界差別願智神通王(21)菩薩は、そのとき、仏の威神力によって十方を見渡して、次の詩頌を唱えた。

無限の功徳を具足したシャカ族の雄牛たる牟尼にまみえて、その心を大乗に回向する人たちは、大乗において浄化される。（九一）
諸々の如来たちは、衆生を利益するために世に現れた。如来たちは深い憐れみの心をもち、勇猛に法輪を転じるのである。（九二）
どうして衆生が諸仏の恩に報いることができようか。諸仏は百コーティ劫にも亘って衆生の利益のために専念されたのである。（九三）
あらゆる執着を離れている調御師《じょうごし》にまみえることを得ないならば、三悪趣において

コーティ劫に亘って焼かれた方がましである。(九四)
あらゆる衆生の生存においてどれほどの苦しみが生じようとも、そのすべてを耐え忍ぶ方が、諸仏にまみえる機会がないよりましである。(九五)
この世間のすべてにどれほどの悪趣があろうとも、その一々に長く住む方が、諸仏を聞く機会がないよりましである。(九六)
勝者の到達した菩提から遠く離れてとどまることがないならば、一々の地獄にさえも数劫に亘って住んでもかまわない。(九七)
何故に諸々の悪趣に長く住むことさえ厭わないのか。それは、勝者の王にまみえることによって、智の増大があるからである。(九八)
人は世間の主たる勝者にまみえて、あらゆる苦しみを断つ。そして正覚者の境界である(仏の)智に悟入する。(九九)
人は人中の尊者たる仏にまみえて、あらゆる障害を消滅させる。そして無量の福徳を増大させ、それによって菩提が獲得される。(一〇〇)
仏にまみえることは衆生たちの疑念や疑惑を断ち切り、それは彼らの目的を満足させる、それが世間的なものであっても出世間的なものであっても。(一〇一)

二　普賢菩薩――獅子奮迅三昧の解説

獅子奮迅三昧――普賢菩薩の解説　そこで普賢菩薩摩訶薩は菩薩の集団のことごとくを見渡して、この獅子奮迅という如来の三昧が、法界の真理《ナヤ》として虚空界と等しく、三世と等しく、法界と等しく、衆生界と等しく、すべての世界と等しく、すべての業の連続と等しく、衆生の志願と等しく、衆生の深信《じんしん》と等しく、法の顕現と等しく、衆生の成熟の時と等しく、すべての人の機根と等しいことを、さらに入念に説明し、詳述し、説示し、教示し、解明し、明示し、顕示し、解説して、これらの菩薩たちに十種の教示の言葉（法句《ほっく》）によって明らかにした。

「十種とはどのようなものかというならば、即ち、(一)すべての法界に含まれた仏国土の微塵（の各々）においてすべての仏が継起され、（それら諸仏の仏）国土も継起する様の教示、(二)虚空界を最高とするすべての仏国土において、未来の果てに至る劫の間、如来の功徳を賞讃し続ける様の教示、(三)すべての仏国土において如来が出現され、周辺も中央もない現等覚《げんとうがく》の門の海を示現される様の教示、(四)虚空界を最高とする（すべての）仏国土の如来の説法会において、菩薩の集団が菩提道場に面と向かっている様の教示、㈤すべての毛孔から、(過去、現在、未来の)三世のすべての仏の身体に似た変化(身)を湧き出させて、心の一刹那に法界を遍満する様の教示、㈥すべての方角の海においで、すべての国土海と等しい地平に、威神力によって一身体が遍満して顕現する様の教示、㈦すべての事物の上に三世のすべてを一つに包摂する威神力によって仏の位〔仏地〕の神変を示現する様の教示、㈧すべての国土の微塵(の数)と等しい三世の国土の継起と様々な仏の神変を劫の海の間、示現する様の教示、㈨三世のすべての仏の誓願の海(の海鳴り)がすべての毛孔から轟き、未来の果てまで威神力によって菩薩が出生する様の教示、㈩獅子座は法界と(等)量であり、菩提道場の荘厳は菩薩の説法会と無区別である、(そういう獅子座における)様々な法輪の転回を未来の果てまでも威神力によって示される様の教示。

このように、おお、勝者の子らよ、この獅子奮迅三昧について、私はこれら十種(の教示)を初めとして、不可説数の仏国土の微塵の数に等しい教示を知っている。けれども、ああ、勝者の子らよ、こ(の三昧)は如来の智の境界なのである」

そこで普賢菩薩は、まさにこの如来の獅子奮迅三昧の意味の教示を明瞭に示すために、仏の威神力のおかげを受け、如来の尊顔を仰ぎ見、すべての説法会の海を見渡し、不可思議な仏の境界である周辺も中央もない如来の三昧の諸神変を観察し、不可思議な世界の融合を観察し、不可思議な智の幻の法性《ほっしょう》を観察し、不可思議な三世の諸仏の平等性を観察し、不可思議な周辺も中央もないすべての言語道の説明やすべての法の真理《ナヤ》を観察したうえで、そのとき、以下の詩頌を説いた。

一毛に、すべての国土の微塵の数に等しい勝者の国土海があり、その（全国土海）においで御仏が、菩薩の集会に取り巻かれて、仏の座におられる。　（一）

一毛に、多くの国土海があり、すばらしい木の下にある菩提道場に設けられた蓮華座において、指導者は、広々とした法界に遍満して見られる。　（二）

一毛に、すべての国土の微塵の数に等しい勝者方が座に着いておられ、菩薩の集団に取り巻かれて、普賢行《ふげんぎょう》を説いておられる。　（三）

すべての国土の広がりに遍満して、（しかも）勝者は一つの国土において座っておられる。（一方）かの無尽蔵の菩薩の多くの雲は、普く十方から（勝者の下に）詣でる。　（四）

（幾）コーティもの国土の微塵の数にも等しい菩薩の海の功徳の輝きが、法界に遍満した師の集会において十方から立ち昇る。　（五）

法王である勝者の智の海を具えた（菩薩）たちは、すべての国土に（彼らの）影像を示現し、また、彼らは普賢行に安住し、すべての仏の集会に近づいて行く。　（六）

すべての国土の広がりに座を占め、菩薩のすばらしい歓喜の境界にいて、教えの雲を聴聞しているこれらの勇士たちは一国土においてコーティ劫の間、修行をする。 (七)

法の海を行き、普く照らす光である菩薩たちは〔菩薩〕行を行ない、誓願の海に入り、彼らは勝者の位の境界を具えて安住する。 (八)

様々な勝者の法から生まれた彼らは、優れた思慮で普く修行〔普賢行〕し、すべての仏の功徳の讃美の海や広大な神変に悟入する。 (九)

善逝は法界に遍満し、常にすべての国土の微塵の数に等しい身体の雲〔身雲〕を湧き出させ、教えの雨を降らせて、(人々を)菩提に近づけられる。 (一〇)

法界の普き門を顕現させる三世を照らす光線　そこで世尊はそれらの菩薩たちが、まさにこの仏の獅子奮迅三昧に従事するために、一層念を入れて、法界の普き門を顕現させる三世を照らす〔普照三世法界門〕という、不可説数の仏国土の微塵の数に等しい光線を伴った(大)光線を眉間の白毫から放って、十方のすべての世界海にあるすべての仏国土の広がりを照らし出した。

そこでジェータ林〔祇園《ぎおん》〕に参集したかの菩薩たちは、すべての法界にあり、虚空界を究めるすべての仏国土、(即ち)すべての仏国土の微塵の数に等しい仏国土の微塵の中にある(すべての仏国土)――(各々)仏国土の名称をもち、色も様々であり、清浄さも様々、地盤も様々、形状も様々な仏国土――において、すばらしい菩提道場にある[22]獅子座に座り、すべての世間の王によって供養され、菩薩の集団によって囲まれて、菩薩が無上正等覚を現にさとっているのを見た。ある(仏国土)では、不可説数の仏国土に広く広がった(幾多の)説法会において、(菩薩が)法界に普く響き渡る音声の(波紋のように広がる)輪《マンダラ》によって法輪を転じているのを(見)、ある(仏国土)では神々の宮殿に行き、ある所では龍の宮殿に行き、ある所ではヤクシャの宮殿、ある所ではガンダルヴァの宮殿、ある所ではアスラの宮殿、ある所ではガルダの宮殿、ある所ではキンナラの宮殿、ある所ではマホーラガの宮殿、ある所では人間の王の宮殿に行き、ある所では人の世にある村落、都城、都市、国、王国、王都において、様々な神変によって教えを説いているのを(見た。即ち)様々な威厳のある行住坐臥《ぎょうじゅうざが》〔威儀〕によって、様々な種類の身体、様々な三昧の門の顕示、様々な三昧の神通力、様々な家柄や種姓への出生、様々な容色の顕示、様々な円光、様々な光網の放散、様々な音声の輪、様々な説法会、様々な説示者の威神力、様々な教説の威神力、様々な句や文、様々な説明によって、(様々な説法会において)教えを説いているのを見た。

そして、それぞれの説法会において如来が深遠な仏の三昧の神変を(行なうのを)見た限りの菩薩たち[23]は(みな)、法界を最高とし、虚空界を究め、十方に配列され、無限に(細分される)方角の転回に包摂され、すべての方角の海に属す(諸世界、即ち)様々な法の方角の門を具え、様々な方角の名称をもち、様々な方角に入り、様々な方角の部分を占め、様々な方角に随順し、様々な方角の海にある諸世界において(如来の神変を見た)。即ち、東方、南方、西方、北方、北東の方位、東南の方位、南西の方位、西北の方位、上、下の方位、国土身の諸方角、衆生身の諸方角、衆生の名前の諸方角、過去の果ての諸方角、十方の現在の諸方角、極めて細い毛の先端で記すことによって知られるすべての虚空の道の諸方角、すべての国土の微塵の連続(が示す)諸方角、方角の入口に入る諸方角、様々な業をつくることによって生起した諸方角にある(諸世界)においても、一毛端にある周辺も中央もない天穹の名称の方角の(無数の)道にある(諸世界)においても(如来の神変を見た。しかもその神変を見たすべての菩薩はこれらの諸世界においても、菩薩が)平等性に随順して一つに集められた三世の地平で、平等性に随順して一つに集められたすべての世(界)のすべての衆生の想念の中で平等な音声を発し、すべての世の衆生の心において影像となり、すべての衆生の身体に対面する者として認識され、すべての説法会に赴くという形の(神変)、あらゆる劫においてその智に区別なく、あらゆる国土においてすべての点で平等で、（各々の）願いのままに衆生たちに対面する姿を示現して知らしめる（神変）、すべての仏の法を教示してすべての衆生の教化をたえず続ける如来の神変を見た。

（この神変を見た）彼らはすべてみな、（彼らの）過去の善行にふさわしく、毘盧遮那世尊が四摂事《ししょうじ》によって摂取した者たちであり、（その仏を）見、聞き、想起し、尊崇して成熟し、過去に無上正等覚に心を起こし、あちこちで如来方の下に近づいて、善い行ないによって摂取された（菩薩）たちである。（彼らの）善根にふさわしく、（彼らは）一切智者性への成熟の手段によってよく摂取されているので、そこで毘盧遮那世尊の、法界に広く広がり、虚空界を究める不可思議な三昧の神変に入った。

ある者たちは法身に入り、ある者たちは色身に入り、ある者たちは過去に菩薩が達成した所に入り、ある者たちは波羅蜜の成就に入り、ある者たちは行の輪《マンダラ》の清浄の荘厳に入り、ある者たちは菩薩の位の神変に入り、ある者たちは正しい菩提の神変に入り、ある者たちは仏が住する三昧と無区別の神変に入り、ある者たちは如来の（十）力と（四つの）畏れなき自信の（仏）智に入り、ある者たちは仏の無礙弁才の海に入り、それらを初めとする十不可説数の仏国土の微塵の数ほど（多く）の仏の神変の海に入った。様々な深信、様々な道、様々な戸口、様々な入口、様々な門口、様々な方法《ナヤ》、様々な随順、様々な方角、様々な器、様々な場所、様々な世間、様々な証得、様々な資糧、様々な神変、様々な手段、様々な三昧によってその仏の神変の海に入った。

菩薩の百種類の三昧　種々の三昧によって入るとは、即ち、(一)普く法界を荘厳する菩薩の三昧によって(菩薩たちは、仏の神変の海に)入り、(二)三世のすべてにおいて無礙の智の境界を照明する菩薩の三昧、(三)法界の地平と無区別の智の光明を放つ菩薩の三昧、(四)如来の境界の地平に入る菩薩の三昧、(五)天穹を照明する菩薩の三昧、(六)如来の十力を獲得することによって(仏の神変を)開顕《かいけん》する菩薩の三昧、(七)仏の畏怖のない威厳〔荘厳〕によって猛勇を揮い、奮迅する菩薩の三昧、(八)法界の真理のすべての転回を内蔵する菩薩の三昧、(九)月(があらゆる所に現れる)ように、すべての法界に無礙の咆哮が轟き渡る菩薩の三昧、(一〇)普く荘厳された法の光のある菩薩の三昧によって、それらの菩薩たちは毘盧遮那世尊のかの仏の神変の海に入った。

(一一)何ら抵抗を受けない絹布でできた法王の旗印の菩薩の三昧、(一二)すべての事物〔境界〕に仏の海を見る菩薩の三昧、(一三)すべての世間の境遇に無区別に身体の影像を現す旗印の菩薩の三昧、(一四)如来の身体と無区別〔無差別身〕の境界に入る菩薩の三昧、(一五)すべての世間の人々の(輪廻の)転回に随順する(大)悲を内に秘める菩薩の三昧、(一六)すべての法の依り所に安住する威神力を発揮する菩薩の三昧、(一七)完全に鎮まり、静寂に帰し、普く照らす輝きの輪《マンダラ》を具える菩薩の三昧、(一八)認識の対象ではなくよく化作されて普く(世間に)変化(身)の影像を現す菩薩の三昧、(一九)すべての国土を普く包摂する威神力を揮う菩薩の三昧、(二〇)すべての仏国土において菩提の様相を実現する菩薩の三昧、(二一)すべての世間の王の容色を解明する菩薩の三昧、(二二)すべての世(界)を抜きんでた無礙の領域《マンダラ》を解明する菩薩の三昧、(二三)すべての如来を産む母から生じる威神力を揮う菩薩の三昧、(二四)すべての(仏の)海の功徳の観察に入る菩薩の三昧、(二五)余す所なきすべての事物における神変の成就によって未来の果てまで威神力を揮う菩薩の三昧、(二六)すべての如来の過去世の出来事の海〔本事海〕に入る菩薩の三昧、(二七)未来の果てまですべての如来の系譜を護持する威神力を揮う菩薩の三昧、(二八)現在の十方のすべての国土海を清浄にする深信の威神力を揮う菩薩の三昧、(二九)心の(一)刹那にすべての仏の住処を照らし出す菩薩の三昧、(三〇)すべての事物において無礙の究極に入る菩薩の三昧によって(仏の神変の海に入った)。

(三一)すべての世界を一仏国土にする威神力を揮う菩薩の三昧、(三二)すべての仏の身体の変化を生じる菩薩の三昧、(三三)金剛の王のようにすべての(衆生の)機根の海を見通す菩薩の三昧、(三四)すべての如来を同一の身体に満たす威神力を揮う菩薩の三昧、(三五)心の(一)刹那(をさらに細分した)極限にあって、すべての法界の真理をさとって順(24)境に暮らす菩薩の三昧、(三六)すべての法界にある国土の広がりにおいて滅度を示現する威神力を揮う菩薩の三昧、(三七)逆倒した地平における暮らしを見せる威神力を揮う菩薩の三昧、(三八)すべての仏国土において衆生の身体を無区別に現す威神力を揮う菩薩の三昧、(三九)すべての智の転回に向かい、(そこに)入る菩薩の三昧、(四〇)あらゆるもの〔法〕の自性《じしょう》と相〔性相〕を遍智によって区別する菩薩の三昧、(四一)三世を心の一刹那に無区別の全体《マンダラ》(として知る)菩薩の三昧、(四二)すべての心の刹那に法界の真理の身体〔法界身〕を内蔵する菩薩の三昧、(四三)すべての如来の系譜に適う堂々と闊歩する獅子のような智を具える菩薩の三昧、(四四)すべての事物に法界を見る慧眼の輪《マンダラ》を具える菩薩の三昧、(四五)十力の獲得に勇往邁進し始める菩薩の三昧、(四六)すべてのものを普く見る眼の輪を具える菩薩の三昧、(四七)すべての色の輪によって世(界)に輝きを生じる菩薩の三昧、(四八)不動の転回を内蔵する菩薩の三昧、(四九)一つの法にすべての法を包摂して教示する菩薩の三昧によって、(また)(五〇)一つの法を言語道の解説の語句によって分節する菩薩の三昧によって、それらの菩薩たちは毘盧遮那世尊のかの仏の神変の海に入った。

(五一)すべての仏の(不二の法という)旗印のもつ威神力のおかげで法を説く菩薩の三昧、(五二)三世の果てを妨げられないで照明する菩薩の三昧、(五三)すべての劫に随順して区別しない智を具える菩薩の三昧、(五四)玄妙な道理の十力の中にある菩薩の三昧、(五五)断絶されるべきでない菩薩行をすべての劫において成就する菩薩の三昧、(五六)あらゆる方角に普く速やかに現前する雲が湧く菩薩の三昧、(五七)完全な菩提〔正覚《しょうがく》〕の神変を幻作する菩薩の三昧、(五八)あらゆる感覚によって感じられない安穏の旗印を立てる菩薩の三昧、(五九)すべての荘厳によって虚空の装飾を成就する菩薩の三昧、(六〇)各々の刹那ごとに世の衆生(の数)に等しい化作の影像の雲〔変化身雲〕を成就する菩薩の三昧、(六一)虚空のように塵埃《じんあい》のない如来の月光を放つ菩薩の三昧、(六二)虚空のようなすべての如来を威神力で現す菩薩の三昧、(六三)すべての法に対する機根の荘厳を照らし出す菩薩の三昧、(六四)すべての教えの意味を解き明かす燈火をともす菩薩の三昧、(六五)十力の輪《マンダラ》を照らし出す菩薩の三昧、(六六)三世の諸仏の栄光の旗印を立てる菩薩の三昧、(六七)すべての仏を一つに収める菩薩の三昧、(六八)すべての刹那の各々に(すべての)企てを究める菩薩の三昧、(六九)無尽蔵の福徳を内蔵する菩薩の三昧、(七〇)無限に仏にまみえる境界を照らし出す菩薩の三昧、(七一)金剛の獅子のようにすべての法に安住する菩薩の三昧、(七二)すべての如来の変化(身)の示現によって(如来を)普く知らしめることを成就する菩薩の三昧、(七三)すべての如来の開悟の昼に近づく菩薩の三昧、(七四)一(日)に三世の苦悩を味わう菩薩の三昧、(七五)すべてのもの〔法〕が本来寂静《じゃくじょう》したものであると普く(十方に)音声を放つ菩薩の三昧、(七六)すべての仏にまみえることの極限に進み行く菩薩の三昧、(七七)すべての法界に余す所なく群生する蓮華が開華している菩薩の三昧、(七八)虚空のように法に依り所がないと観察する菩薩の三昧、(七九)一方に十方の海を入れる転回を具える菩薩の三昧、(八〇)すべての法界の地平に向かう門に入る菩薩の三昧によって(仏の神変の海に入った)。(同じく)(八一)すべての法の海を内蔵する菩薩の三昧、(八二)すべての衆生に光を放つ寂静した身体を具える菩薩の三昧、(八三)心の一刹那にあらゆる神通力や誓願を成就する菩薩の三昧、(八四)常にあらゆる所で普く正しい菩提を成就する威神力を揮う菩薩の三昧、(八五)一の荘厳に従ってすべての法界に入る菩薩の三昧、(八六)すべての仏を憶持《おくじ》し、(仏の)身体を照らし出す菩薩の三昧、(八七)すべての世の衆生の多くの殊勝性〔広大殊勝〕を知る智に通暁する菩薩の三昧、(八八)心の(一)刹那に無限の法界の真理に自己の身体を遍満する菩薩の三昧、(八九)(唯)一の真理《ナヤ》の法界にあらゆる法を(唯)一の真理の荘厳として飾る光を放つ菩薩の三昧、(九〇)すべての仏の法の輪《マンダラ》を説く(法)輪《チャクラ》の威光を輝かす威神力を揮う菩薩の三昧、(九一)インドラの網(25)〔因陀羅網《いんだらもう》〕によって衆生界を摂取するという誓願と修行の威神力を揮う菩薩の三昧、(九二)すべての世界の地平を区別しない菩薩の三昧、(九三)すばらしい蓮華の神変(26)によって普く闊歩する菩薩の三昧、(九四)すべての衆生の身体の転回の智に通暁する菩薩の三昧、(九五)すべての衆生に面と向かった身体を威神力で現す菩薩の三昧、(九六)すべての衆生の音質の海ですべての世の衆生の音声を(聞き)分ける方法《ナヤ》に通暁する菩薩の三昧、(九七)すべての世の衆生の地平《タラ》の区別の智に通暁する菩薩の三昧、(九八)無区別の大悲の蔵を内蔵する菩薩の三昧、(九九)すべての仏の如来の究極〔如来際〕に入る菩薩の三昧、(一〇〇)すべての如来の解脱の宮殿を観察する菩薩の獅子奮迅三昧によって、(また)これら(の三昧)を初めとする不可説数の仏国土の微塵の数に等しい菩薩の三昧道に入ることによって、それらの菩薩は毘盧遮那世尊の仏の神変の海に入り、心の各々の刹那にすべての法界に遍満する悟入によって、過去世の同じ行ないの神変も想起した。

ジェータ林に来た菩薩たちの諸徳　(一)さらにそれらの菩薩たちはジェータ林に到着し、(二)世尊の方を向いたままでおり、(三)十の仏国土の微塵の数に等しい世界(全体)に広がった、様々な宝石の蓮華台の獅子座に座っており、(四)大いなる智と神通の神変に練達し、(五)鋭利な智と神通の位に到達し、(六)智によって普く考察し、(七)智慧を産む源泉である種姓《しゅしょう》から生まれて、(八)一切智者の智を目前にし、(九)眼病〔翳〕のない智の眼を具え、(一〇)衆生の調御者の境地に到達し、(一一)すべての仏の平等性に随順し、(一二)常に分別しないで法を行なうが、(一三)(分別の)対象であるすべての法を洞察して、(一四)すべての法の寂静した本性《ほんしょう》を(洞察の)対象とし、(一五)あらゆる世間の寂静した涅槃の家に専念し、(一六)(しかも)すべての世間の多様性に安住し、(一七)あらゆる国土に赴くが、

102

（そこを）住処とせず、（一八）あらゆる法を立場とするが、（そこに）安住せず、（一九）労せずにすべての法の大邸宅に安住し、（二〇）すべての世の衆生の成熟と教化を行ない、（二一）すべての衆生の安穏の境涯を示し、（二二）卓越せる智と解脱の宮殿を境界とし、（二三）離欲の究極を究める智の身体を具え、（二四）すべての生存の海から出で行き、（二五）すべての世の衆生の究極の真実を見究め、（二六）法の海を知る智慧の輝きの輪《マンダラ》を具え、（二七）海の（領）界の三昧によく入り、大悲の心を具え、（二八）法の真理《ナヤ》を幻の如しとよく見通し、（二九）すべての世界を夢の如しと洞察し、（三〇）すべての如来の示現は影像の如しと見通していた。

（三一）（また彼らは）すべての音声や叫びを反響《こだま》の如しと認識し、（三二）すべての法の生起《しょうき》は化作の如しと智によって洞察し、（三三）抜きん出て優れた誓願をよく獲得し、（三四）普く（照らす）智の輪の清浄で巧妙であることに従い、（三五）心は完全に鎮まり寂静であり、（三六）すべての陀羅尼《だらに》を源泉とする智の境界を具え、（三七）恐れずに三昧力によって普く勇往邁進し、（三八）法界の存在の究極に及ぶ眼を具え、（三九）すべてのものを取得しない境涯に至り、（四〇）果てしない智慧の海の考察者であり、（四一）智波羅蜜の究極に達し、（四二）般若波羅蜜力の発揮に至り、（四三）神通波羅蜜をすべての世（界）において遂行し、（四四）三昧波羅蜜によって自在であり、（四五）すべての如来の目的の巧妙さを不倒錯な智で知り、（四六）教えの蔵〔法蔵〕の巧妙さを明らかに示す方法をも知り、（四七）（法蔵を）解説するための智に習熟し、(四八)説法への閃き《ひらめ》〔弁才〕の力と教えの雲は無尽蔵であり、(四九)自信〔無所《むしょ》畏《い》〕をもって牛王と獅子の咆哮を放ち、(五〇)依り所のない法に無比の(法)悦を悦び、(五一)眼病のない眼はすべてのものに及び、(五二)智の月はすべての世の生滅を(照らし)、(五三)智慧の輪《マンダラ》によってすべての真実《サティヤ》の道理《ナヤ》を語る光明を放ち、(五四)金剛のような智とチャクラヴァーラ〔鉄囲山《てっちせん》〕(27)のような福徳を具え、(五五)あらゆる比類を絶し、(五六)すべての教えに対する機根と智の芽は既に芽ばえ、(五七)勇士の旗印を立て、(五八)勇猛精進はすべての魔の旗印を蹂躙《じゅうりん》し、(五九)果てしなく広がる智の光輪は威光を放ち、(六〇)その身体はすべての世の衆生を超え、(六一)智慧はすべての法を妨げられずに知っていた。

(六二)尽きる(究極)と無尽の究極を智でさとり、(六三)普く(すべての)究極に従い行くも、究極の真実に安住し、(六四)無相を目の当りに観察する智の眼を具え、(六五)すべての菩薩行を成就する原因に通暁し、(六六)不二の智の境界にあり、(六七)すべての世間の境遇を観察し、(六八)すべての仏国土の境遇で影像を現すが、(そこを)住処とせず、(六九)すべての法に関する闇黒を離れ、(七〇)闇黒のない智の輪を具え、(七一)普く(十)方に法の輝きを放ち、(七二)すべての世の衆生のために優れた福徳の田地となり、(七三)聞いたり見たり(した人)の誓願は月のように空しくなく(満たされ)、(七四)須弥山《しゅみせん》のようにすべての世間の人々に抜きん出た福徳を具え、(七五)すべての異教の論者の(法)輪を制圧する勇士たちであり、(七六)すべての仏国土に言音や音声を轟かせ、(七七)すべての仏の身体にまみえて飽くことなく、(七八)すべての仏の身体の影像を自由に現し、(七九)世の衆生を教化するのにふさわしい身体を威神力で現し、(八〇)すべての国土の広がりに一身体で遍満し、(八一)無作意の神通の輪《マンダラ》を清浄にし、(八二)妨げられずに行く大いなる智の乗物である船を所有し、(八三)智の(光)輪によってすべての法界に身体を照らし出し、(八四)すべての世(界)に智は太陽の如く昇り、(八五)容色はすべての世の衆生の意に適って好ましく、(八六)智はすべての世の衆生の願いや機根を見通し、(八七)あらゆる法が妨げられない境界に生まれ、(八八)すべてのものの自性《じしょう》を不生《ふしょう》と識知し、(八九)微細と粗大の相互包摂〔相入〕を自由に統御し、(九〇)深遠な仏の位への行道《ぎょうどう》を確実にしていた。

(九一)深遠な意味を語句や文で表現する智を具え、(九二)尽きることのない語句や文で意味をよく説き、(九三)すべての経の海を一句に入れて説き、(九四)広大な陀羅尼の智の身体を威神力によって得、(九五)無限の劫に亘って保持する陀羅尼をさとる威神力を揮い、(九六)心の一刹那に不可説数の劫の経過を理解する智慧を具え、(九七)心の一刹那に三世を知る智によってすべての世間の人々に通暁し、(九八)すべての法の陀羅尼によって、果てしない仏の教えの海を(憶持して)弁才を揮い、(九九)すべての世の衆生に(仏)智をもたらす法輪を転じて退転することなく、(一〇〇)仏の境界を知る智の輝きを獲得し、(一〇一)見て快い〔善見〕三昧に常に入っており、(一〇二)無礙の究極にあるすべての法を分析する智に通暁し、(一〇三)すべての法を超越した解脱の境界に智によって遊戯《ゆげ》し、(一〇四)すべての事物において清浄な荘厳を現す威神力を揮い、(一〇五)方角に従って無方の法界に入り、(一〇六)ありとあらゆる方位、方角の法界に普入し、(一〇七)極めて微細で広大な微塵(の各々)において菩提をさとっており、(一〇八)無色の本性においてすべての色を現しだし、(一〇九)(すべての方角を)一方角に入れ、(一一〇)このような限りない功徳と智によって増大した智と福徳を内蔵し、(一一一)すべての仏によって賞め讃え賞揚され、(一一二)語句や文による功徳の賞讃の説示が尽きることのない(菩薩たちであった)。(彼ら)菩薩たちが、ジェータ林に参集し、着座し、如来の功徳の海に入り、如来の光線に照らし出されたとき、全員の身体やそれらの楼閣、菩薩の享受する品々、菩薩の座、ジェータ林全体から大いなる歓喜の勢いの獲得の本来の姿として、また不可思議な菩薩の法の輝きを獲得したおかげで、歓喜の勢いから現れる大いなる神変の荘厳(の雲)が湧き出て、法界全体に遍満した。

即ち、(一)心の各刹那に、すべての世の衆生を満足させる広大な光網の雲が湧き出て、十方に充満した。(二)あらゆる摩尼宝石の鈴の雲が湧き出て、三世のすべての如来の功徳と賞讃の説示の雲の(雷)鳴を鳴り響かせて、十方に充満した。(三)すべての世の衆生の器楽の演奏の雲がすべての事物から湧き出て、すべての衆生の業の異熟《いじゅく》の甘美な楽器の調べを具えた(その雲は)鳴り渡りながら、十方に充満した。㈣あらゆる菩薩の誓願と多様な菩薩行の示現から成る雲が湧き出て、あらゆる菩薩の誓願の音声を鳴り響かせて十方に充満した。㈤すべての如来の変化と神変の雲が湧き出て、すべての如来が説かれる音声を繰り返し述べて、十方に充満した。㈥(三十二)相と(八十種《はちじっしゅ》)好《ごう》で飾られた菩薩の身体の雲が湧き出て、すべての国土に順応した仏の出現の相続を説示して、十方に充満した。㈦すべての三世の如来に適った菩提道場の雲が湧き出て、すべての如来の菩提への出離の荘厳を示現して十方に充満した。㈧すべての事物からすべての龍王の身体の雲が湧き出て、あらゆる香料の雨を降らせて十方に充満した。㈨すべての世間の王に似た身体の雲が湧き出て、普賢菩薩行を説示して、十方に充満した。㈩あらゆる事物からすべての宝石から成るすべての清浄な仏国土の多くの影像の雲が湧き出て、すべての如来の転法輪を示現して、十方に充満した。このような(神変)を初めとした不可説数の仏国土にある微塵の数に等しい大いなる荘厳の神変の雲が、それらの菩薩の威神力のおかげや不可思議な法の海の輝きの獲得の本来の姿として、湧き出たのである。

文殊師利菩薩　そこで文殊師利《もんじゅしり》菩薩は仏の威神力のおかげで、これらのすべての神変を示現し、十方を見渡して、そのとき、これらの詩頌を説いた。
ジェータ林で果てしなく続く広大な仏の威神力が発揮されているのを見よ。すべての事物から身体の雲が湧き出て、それらがあらゆる方角に充満している。（一一）
善逝《ぜんぜい》の子たちの種々の荘厳は清浄で広大で限りない色彩に映え、それらすべて（の菩薩）は影像となって、座からも事物からも現れている。（一二）
宝石の光線の雲を放ちつつ、（その菩薩たちの）種々の荘厳は国土の内部に普く遍満する、善逝の子たちの毛孔から仏の音声を鳴り響かせながら。（一三）
起居動作〔威儀〕は寂静し、身体も清らかで、梵天王《ぼんてんのう》の容姿にも似た（それらの菩薩の）身体が木々の華々から現れて、禅定の要素を説きながら逍遥する。（一四）
不可思議で無数の菩薩たち――彼らは普賢（菩薩）に似、（三十二）相と（八十種）好に飾られた四肢を具え、威神力によって現された化作人《けさにん》である――が、善逝の毛（孔）から湧き出ている。（一五）
三世に出現する善逝の子息たちを賞讃する調べを発する大海であり、功徳の海を飾るそれら荘厳の雲が、ジェータ林に座った彼らを（讃えて）咆哮する。（一六）
すべての方角の衆生の群の種々様々なすべての業の大海（について説く声）が、ジェータ林にある木々のつぼみの内部から発せられているのが聞かれる。（一七）

三世におられる勝者方のすべての国土における神変の悉《ことごと》くは、国土海の微塵の数ほど(多い)が、それらが各々の事物において輝いている。　(一八)

各々の毛(孔)の中に配置された種々の勝者の居処を、(十)方の国土にいる海の雲のような仏たちが刹那ごとに照らし出しており、それら(の居処)において、仏の雲は、世の衆生(の数)と等しい(ほど多い)が、(その雲が)あらゆる方角に充満して、衆生たちを方便によって成熟させており、彼らの(放つ)光から芳香の光線の海とおびただしい華の雲が湧き出て、　(一九)

宝石の大邸宅を、虚空のように無量で妙なる荘厳によって余す所なくまばゆく輝くすべてのものをも、あらゆる方角に遍満し、すべての国土をも菩提道場をも同じく(遍満する)。　(二〇)

余す所なく(すべての)方角における三世の(菩薩)たち、(それら)三世におられる善逝の子の大海の、普賢行法によって浄化された国土、世の衆生のように無量な劫の大海の間に浄化された(その国土の)様々な荘厳、それらもすべて、余す所なくジェータ林の空中に影像として見られる。　(二一・二二)

そこで仏の三昧によって、（身心の）相続を照らし出されたそれらの菩薩たちの中の各々の菩薩がみな、不可説数の仏国土の微塵の数に等しい（ほど多くの）大悲の門に入った。彼らはさらに激しくすべての世の衆生の利益と摂取のために修行をした。そのように三昧に入った彼らの一つ一つの毛孔から、不可説数の仏国土の微塵の数に等しい（ほど多くの）光線が放たれ、各々の光線の門から不可説数の仏国土の微塵の数に等しい（ほど多くの）、すべての世間の王と類似した身体、すべての世の衆生に対面した身体、すべての衆生の成熟に適った身体を具えた菩薩の変化（身）の雲が湧き出た。湧き出ると、あらゆる方角において法界を充満し、（すべての）衆生を鼓舞し、成熟させ、教化した。

（即ち）(一)不可説数の仏国土の微塵の数に等しい（ほど多くの）神々の宮殿において死去を示現する門、(二)すべての世間において誕生を示現する門、(三)菩薩行の輪《マンダラ》を示現する門、(四)夢を示現する門によって衆生を鼓舞した。(五)すべての菩薩の誓願による救済の門、(六)完成した世界《マンダラ》（現生世界）の門、(七)布施波羅蜜行を示現する門、(八)すべての如来の功徳の実行と成就の円満の門、(九)四肢や（身体の）各部の切断（に耐える）忍辱波羅蜜を示現する門、(一〇)菩薩の大いなる神変（を成し遂げる）精進波羅蜜を示現する門、(一一)すべての菩薩の禅定、解脱、三昧、等至と、仏智の道の輪《マンダラ》の光明の清く輝く門、(一二)すべての仏の徳を追求するので、教えの各々の句や文のためにも、無数の身体の喜捨を示現する門、(一三)すべての如来の下に赴いて、すべての法を問う門、(一四)(菩薩が)時宜に適い、願い通りに世の衆生に近づくように導く一切智者性を成就する手段の道理《ナヤ》の海の光明を顕現させる門、(一五)すべての菩薩の福徳と智の資糧がいかなる魔や異教徒によっても蹂躙されることのない力の旗を示現する門、(一六)あらゆる工芸の知識に通暁する智の位を示現する門、(一七)すべての世の衆生の相違の知識に通暁する智の位を示現する門、(一八)すべての衆生の願いの違いの知識に通暁する智の位を示現する門、(一九)すべての衆生の機根に入る修行によって、種々の煩悩や薫習《くんじゅう》を根絶する知識に通暁する智の位を示現する門、(二〇)すべての衆生の種々の業の実行の知識に通暁する智の位を示現する門、これらを初めとする不可説数の仏国土の微塵の数に等しい(ほど多くの)門、衆生を成熟し教化する手段によって摂取する(それらの門)を通って、これらの菩薩がすべての衆生の住居に赴くのが見られた。

ある(菩薩)たちは神々の宮殿、ある(菩薩)たちは龍の宮殿、ある(菩薩)たちはヤクシャの宮殿、ある(菩薩)たちはガンダルヴァの宮殿、ある(菩薩)たちはアスラの宮殿、ある(菩薩)たちはガルダの宮殿、ある(菩薩)たちはキンナラの宮殿、ある(菩薩)たちはマホーラガの宮殿、ある(菩薩)たちは梵天王の宮殿、ある(菩薩)たちは人間の王の宮殿、ある(菩薩)たちはヤマの都市、ある(菩薩)たちはすべての餓鬼の棲家、ある(菩薩)たちはすべての地獄の世間、ある（菩薩）たちはすべての畜生道（に赴くのが見られた）。無区別の大悲、無区別の誓願、無区別の智、無区別の衆生摂取《せっしゅ》の実行によって、（菩薩を）見ることによって教化される衆生、聞くことによって教化され、憶念によって教化され、音声の輪《マンダラ》によって教化され、名号《みょうごう》（の流れる）河の音響によって教化され、光の輪《マンダラ》によって教化され、光の網の放射によって教化される衆生を（彼らの）願い通りに成熟させ教化するために、それらの菩薩たちが種々の神変の荘厳によって、ジェータ林からすべての世界海に（赴いて）すべての衆生界の広がりに遍満しているのが見られたが、彼らは如来の足下から動きはしなかった。

　ある（菩薩）たちは、自己の住居、楼閣、座、従者たちを伴って、十方に遍満しているのが見られたが、彼らは如来の足下から動かなかった。ある（菩薩）たちは、変化（身）の雲（化身雲）を放射しているのが見られた。ある（菩薩）たちは衆生を成熟させるために、ただ一人単独で行くことを現しながら、如来の説法会から動きはしなかった。（即ち）ある（菩薩）たちは沙門《しゃもん》の姿、ある（菩薩）たちは婆羅門《ばらもん》の姿、ある（菩薩）たちはすべての禁戒を守る人々（苦行身）の特徴や行ないや背丈と恰幅をもった姿、ある（菩薩）たちは医者の姿、ある（菩薩）たちは商人の姿、ある（菩薩）たちは清浄な生活者の姿、ある（菩薩）たちは舞踊家の姿、ある（菩薩）たちは篤信者の姿、ある（菩薩）たちはあらゆる工芸の伝持者の姿で、あらゆる村、都城、町、国、王国、王都に赴ける者として現れた。時節に従い、時節に適っているので、(彼らは)ふさわしい様々な身体の成就により、ふさわしい様々な身体の色や形、様々な音声、様々の言葉《マントラ》、様々な威厳のある起居動作、様々の住居をもって、すべての世(界)において幻術〔帝網《たいもう》〕のような菩薩行を、(即ち)すべての工芸の全体を照らし出し、すべての世の衆生の知識を照らし出す光明の燈火を具え、あらゆる真実の誓いの荘厳を具え、あらゆる業を輝かす光をもち、あらゆる方角に存在する(三)乗の区別を清浄にし、あらゆる法の全域《マンダラ》を照らす燈火を具えた菩薩行を行じ、衆生を成熟させ、教化するためにすべての村、都城、町、国、王国、王都に赴くのが見られた(が、如来の足下から動きはしなかった)。

三　文殊菩薩と善財童子の出会い

36
そこで、プラティシュターナ〔善安住〕という楼閣にいたマンジュシュリー〔文殊師利〕法王子(28)は、同じような経歴の菩薩たちを伴って、さらには常に(守護して)離れない金剛力士たち、あらゆる世界のために力を発揮することに専念してあらゆる仏に仕えたいとの誓願の心をもつ身衆神たち、往昔の誓願から離れない足行神たち、法の聴聞を求める主地神たち、大悲の心を実践する泉、湖、小湖、池、井戸の主水神たち、智慧の光明の力と輝きで照らしている主火神たち、宝冠をつけた主風神たち、あらゆる方向を照らす智をもつ主方神たち、無知の闇の除去に専心する主夜神たち、如来の昼を実現しようと努める主昼神たち、あらゆる法界の天空の荘厳に努める主空神たち、あらゆる世の衆生を輪廻の生存の海から（岸へ）渡らせようと努める主海神たち、一切智者性のための資糧の取得に努め心が善根の楼閣のように高揚している主山神たち、あらゆる世の衆生の身体を装飾しようと努めあらゆる仏の容色と威神力を願うことに専心する主河神たち、あらゆる世の衆生の心の都城を守護しようと努める主城神たち、一切（智者）の法の都城に向かうことを誓願し、それに心を傾けている龍王たちを伴って、さらにはまたあらゆる衆生の守護を実践するヤクシャの王たち、あらゆる衆生の喜びの興奮を増大させようと努めるガンダルヴァの王たち、あらゆる餓鬼の境遇の消滅に努めるクンバーンダの王たち、あらゆる衆生を輪廻の生存の海から救いとることを誓願し実践するガルダの王たち、あらゆる世間（の衆生）より傑出した如来の身体と力を成就しようとの誓願が生じているアスラの王たち、如来にまみえる喜びを得て身体を屈して（礼拝する）マホーラガの王たち、心は輪廻を恐れて、顔は（諸仏を）仰ぎ見る神々の王たち、深い尊敬の念をいだいて身体を屈して（礼拝する）梵天王たちを伴って、また彼らによって深い尊敬の念でもって讃嘆されほめ讃えられて、文殊師利菩薩は、このような菩薩の威力の荘厳さを完備して、自分の精舎を出でて、世尊の周りを幾百回も右遶《うにょう》し、多様な供養をした後に世尊の下を去り、南方へと向かい諸々の地方の遊行《ゆぎょう》に出発した。

そこでそのとき、長老の舎利弗は、仏の威力によって、文殊師利法王子が、上に述べたような菩薩の神変の荘厳さを完備して、ジェータ林を出発して南に向かって進むのを見た。それを見て、彼は自分も文殊師利法王子とともに地方の遊行に出発したいと思った。彼は丁度六十人の比丘に恭しく囲まれ伴われて、自分の精舎を出でて、世尊の下に向かった。そこに着くと、世尊の両足に頂礼《ちょうらい》し、世尊にいとまごいをし、世尊の許しを得て、世尊の周りを三度右遶した後に、世尊の下を去り、以下のような六十人の比丘たちに恭しく囲まれ伴われて、彼らとともに、文殊師利法王子の下へと向かった。

それらの比丘たちは、すべて同じ精舎に住み込んでいる修行を始めてまもない年若き比丘たちであった。即ち、サーガラ・ブッディ〔海智〕という名の比丘であり、マハースダッタ〔大善調伏〕という名の比丘、プニヤプラバ〔功徳光〕、マハーヴァトサ〔大童子〕、ヴィイブダッタ〔電光興〕、ヴィシュッダ・チャーリン〔浄行〕、デーヴァシュリー〔天妙徳〕、インドラ・マティ〔因陀羅慧〕、ブラフモーッタマ〔梵勝〕、プラシャーンタ・マティ〔寂静慧〕という名の比丘たちである。これらの比丘を初めとする六十人の比丘たちに恭しく囲まれ伴われていた。その比丘たちはすべて、過去の仏に恭しく奉仕して、すでに善根を植えつけており、深信はよく深まっており、信心の眼は浄められており、偉大な志と正しい振舞いを有し、仏の方位を観察するにふさわしく、法の自性と本性からもたらされた心を有し、覚知は常に衆生の利益に向けられており、如来の功徳を希求しており、文殊師利の説法によって教化されるにふさわしい比丘たちであった。

そこで長老の舎利弗は、道を進み行く途中で、それらの比丘たちすべてを見渡して、サーガラ・ブッディ比丘にこう述べた。「見よ、サーガラ・ブッディよ、文殊師利菩薩の身体の清浄さを。それは神々にとっても世間にとっても不可思議であり、相好によって荘厳されている。見よ、光明の輪《マンダラ》の清浄さを。それは無量の衆生に喜びを生じさせ、光輝の網の荘厳は無量の衆生の苦しみを鎮める。見よ、随行する者たちの卓越さを。彼らは(文殊の)過去の善根によって摂取された者たちである。見よ、道の荘厳さを。進むにつれて道は八歩分ずつ(平坦に)整っていく。さらに道を勇猛に進む諸々の荘厳さはあらゆる方位の輪《マンダラ》に向かって進展し、福徳の円満の荘厳は多くの財宝となって道の両側からあふれ出ている。過去の仏に奉仕して得られた善根の果報としてあらゆる樹木の間から諸々の荘厳が現れ出ている。あらゆる世間の王たちが供養の雲を雨降らせながら文殊に礼拝する。あらゆる如来の眉間の白毫からは光線の網の輪《マンダラ》が十方から放出され、あらゆる仏法を響かせながら（文殊の）頭上に落ちるのを見よ」

長老の舎利弗は、このような荘厳を初めとして、道を進み行く文殊師利法王子の限りない功徳の荘厳のすべてをその比丘たちに教示し、説明し、宣言し、示現し、讃嘆し、開示し、詳説し、広く知らしめた。尊者の舎利弗が文殊師利法王子の諸々の功徳を宣言していくに従って、その比丘たちの心は清浄となり信心深くなり、喜びの興奮は増大し、歓喜があふれ出で、そして彼らの気質は柔軟で活動的になり、諸々の感覚能力は澄明となり、喜びは増大し、悲哀はなくなり、心の汚れは消え去り、あらゆる（さとりへの）障害は後退し、眼前に仏にまみえることとなり、仏法に心を傾け、菩薩の能力が浄化され、菩薩の浄信への衝動が生じ、大悲の心が生まれ、波羅蜜の輪《マンダラ》に踏み込み、偉大な誓願が生じ、十方の仏の海が眼前に現れた。

その比丘たちは、このように高揚した一切智者性に対する浄信への衝動を獲得し、「師がこの善き人（文殊師利）の下へわれわれを導かれんことを」と師の舎利弗に述べた。そこで長老の舎利弗は、これらの比丘たちをひきつれて文殊師利法王子の下に行き、「文殊師利よ、これらの比丘たちはあなたにまみえることを願っています」と述べた。すると、文殊師利法王子は、偉大な菩薩の神変でもって、あたかも象が全身で振り返って見るように、[29]その説法会が及ぶ限りの地面《マンダラ》もろともに振り向いて、比丘たちを見渡した。そこでその比丘たちは、文殊師利法王子の両足に頂礼し、合掌してこう述べた。「善き人よ、いまあなたにお会いし礼拝できたこの善根、さらにはあなたが承知され、師（の舎利弗）も承知し、さらには世尊釈迦牟尼如来の眼にも明瞭なわれわれのその他の善根、これらの善根によってわれわれもまたあなたが今あるのと同じように成り得ることを。同じような身体を得んことを。同じような声を、同じような相好を、あなたの神変と同様の神変をわれわれもまた得んことを」

比丘たちにこのように語りかけられて、文殊師利法王子は彼らにこう告げた。「比丘たちよ、以下の十種の倦怠《けたい》なき心〔十種大心〕の発起《ほっき》を体得して、大乗（の教え）に向かって出発したものは、男女を問わず、如来の位〔地〕に踏み込むのである。まして菩薩の位〔地〕はいうまでもない。

その十種とは何か。それは即ち、㈠あらゆる如来にまみえ奉仕し供養しお仕えすることにおける倦怠なき心の発起、㈡あらゆる善根の集積から退転することのない倦怠なき心の発起、㈢あらゆる法の探求における倦怠なき心の発起、㈣あらゆる菩薩の波羅蜜の実践における倦怠なき心の発起、㈤あらゆる菩薩の三昧の完成における倦怠なき心の発起、㈥あらゆる世〔三世〕に次から次に間断なく入ることにおける倦怠なき心の発起、㈦十方のあらゆる仏国土の海に遍満し浄化することにおける倦怠なき心の発起、㈧あらゆる衆生界を成熟させ教化することにおける倦怠なき心の発起、㈨あらゆる国土においてあらゆる劫に亘って菩薩行を完成することにおける倦怠なき心の発起、㈩あらゆる仏国土の微塵の数に等しい波羅蜜の実践によって一人の衆生を順次教化して、あらゆる衆生界を教化することによって一如来の力を成就することにおいて倦怠なき心の発起を（修得すること）である。

比丘たちよ、浄信深くこれら十種の倦怠なき心の発起を体得するならば、男女を問わず、あらゆる善根に近づき、あらゆる輪廻転生《りんねてんしょう》の海から退き、あらゆる世俗の系譜を超越し、そしてあらゆる声聞や独覚の位を踏み越える。さらにあらゆる如来の家系の系譜に生まれ、菩薩の誓願を成就し、あらゆる如来の功徳の修得において浄化され、あらゆる菩薩行において浄化され、あらゆる如来の力に通達し、あらゆる魔や異教の師たちを粉砕し、あらゆる菩薩の位に歩み入り、如来の位へと近づく」

そこで比丘たちは、この法の真理を聞いて、「あらゆる仏を直観するのに無礙《むげ》なる眼の境界」〔見一切仏境界無礙眼〕という名の三昧を得た。そしてその三昧の威力によって、十方の無限で無辺の世界に居住する（無数の）如来たちとその説法会を見ることができた。さらにまた、その（無数の）世界の中の諸々の衆生の境遇に生まれている衆生たち、その衆生たちを余す所なく見ることができた。その（無数の）世界が多種多様に区分されていることを見ることができた。その(無数の)世界にある限りの微塵、それらさえも一々数え上げてその数を知ることができた。その(無数の)衆生たちの種々の宝石でつくられた邸宅や宮殿の享楽、それらを見ることができた。その(無数の)如来たちが(法を説く)音声の海を聞くことができた。その(無数の)説法を、多種多様な語句や文字や語義の説明や名称や記号でもって、理解することができた。その(無数の)衆生たちの心や機根や志願を観察することができた。また、過去および未来の十生に及ぶ期間を憶念することができた。その(無数の)如来たちの十の法輪の言説〔転法輪〕の偉業に悟入することができた。(無数の如来たちの)十の神通による神変の偉業、(無数の如来たちの)十の説法の仕方の偉業に、(無数の如来たちの)十の教訓の語句の偉業に悟入することができた。その(無数の)如来たちの十の無礙の弁才〔無礙弁〕の方便の偉業に悟入することができた。そしてこの三昧を獲得するや、直ちに一万の菩提心の支分を成就することができた。一万の三昧に踏み込むことができた。一万の波羅蜜の要素を浄化することができた。その比丘たちは、偉大な光明を得て、偉大な智慧の輪に照らされて、十の菩薩の神通力を得ることができた。

神通力の柔らかく小さな若芽を獲得して菩提を求める心を発してそれに堅く安住している比丘たちを、文殊師利法王子は、普賢菩薩行へと向かうように説き勧め、そこに安住させた。比丘たちは、普賢菩薩行に安住し、偉大な誓願の海に入り、成就した。偉大な誓願の海によってもたらされた心の清浄さによって、彼らは身体の清浄さも得た。身体の清浄さによって身体の軽快さも得た。その身体の清浄さと身体の軽快さとによってそれら(十)の神通の門を拡大し、消滅することなく退転することのない神通を得た。その神通の獲得によって比丘たちは、文殊師利法王子の足下を離れることなしに、あらゆる仏法を成就するためにあらゆる如来の身体(に奉仕する)雲を、普く十方につくり出した。

そこで文殊師利法王子は、その比丘たちをこの上なく正しい菩提〔無上正等覚〕に安住せしめた後、諸々の地方を順次遍歴しながら、南の地方〔南方〕にあるダニヤーカラ〔福城〕という名の大都城にたどり着いた。そしてその大都城を東に進むと、ヴィチトラ・サーラ・ドヴァジャ・ヴューハ〔多様な娑羅樹の幢の荘厳、荘厳幢娑羅《しょうごんどうさら》〕という名の大きな林があり、そこは、衆生たちを成熟させるために、過去の諸々の仏たちが住んでおられた塔廟《とうびょう》であり、如来の威神力を受けてその名声は無限の国土に響き渡っていた。世尊も昔そこで菩薩行を修行されたとき、多くのなし難い喜捨を施された。またその場所は、常にたえることなく、神々、龍、ヤクシャ、ガンダルヴァ、アスラ、ガルダ、キンナラ、マホーラガ、人間、鬼神たちが競いあって供養をする所である。そういう場所にある

（彼らの）住居に、文殊師利は従者とともに近づいた。

その場所で文殊師利法王子は、「法界の真理の光輝」〔普照一切法界《ふしょういっさいほっかい》〕という名の経を説き、それから十百千コーティ・ナユタもの経が流れ出た。その経を説いているとき、多くの百千コーティ・ナユタもの龍が大海からやって来た。彼らはその法の真理《ナヤ》を聴聞した後、龍に生まれていることをひどく嫌い、如来の功徳（を得ること）を切に願って、龍の境遇から退いて神や人間に生まれることを得た。さらにその中の一万の龍たちは無上正等覚から退転しないものとなった。また別な時に文殊師利がその法を説くと、周辺も中央もない衆生界が三乗でもって教化されるに至った。

ダニヤーカラの人々は、文殊師利法王子がこの都城にやって来て、確かにこの荘厳幢娑羅（林）の塔廟に滞在しておられると聞いた。それを聞いて、マハープラジュニャ〔大智〕という名の優婆塞の長者を先頭に、在家の男女の信者が、男児も女児も、それぞれが五百人の従者を伴って、ダニヤーカラの都城を出て、文殊師利法王子の下にやって来た。

そのとき、優婆塞《うばそく》のマハープラジュニャは、スダッタ〔須達多〕という優婆塞、ヴァスダッタ〔婆須達多〕、プニヤプラバ〔功徳光〕、ヤショー・デーヴァ〔名称天〕、ソーマシュリー〔月吉祥〕、ソーマ・ナンディン〔月喜〕、スマティ〔善慧〕、マハーマティ〔大慧〕、ラーフラ・バドラ〔賢護〕、バドラシュリー〔賢妙徳〕という優婆塞たちを初めとする五百人の優婆塞に囲まれ付き添われて、文殊師利法王子の下にやって来た。そして文殊の両足に頂礼し、彼の周りを三度右遶して、一隅に座した。

またそのとき、マハープラジュニャー〔大慧〕という名の優婆夷《うばい》が、スプラバー〔善光〕という優婆夷や、スガートラー〔善身〕、スバドラー〔賢優〕、バドラシュリー〔賢徳〕、チャンドラ・プラバーサー〔月光〕、ケートゥ・プラバー〔幢光〕、シュリーバドラー〔賢吉祥〕、スローチャナー〔善眼〕という優婆夷たちを初めとする五百人の優婆夷に囲まれ付き添われて、文殊師利法王子の下にやって来た。そして文殊の両足に頂礼し、彼の周りを三度右遶して、一隅に座した。

善財童子《ぜんざいどうじ》の登場　またそのとき、スダナ〔善財〕という名の長者の子が、スヴラタ〔善誓〕という長者の子、スシーラ〔善戒〕、スヴァーチャーラ〔善威儀〕、スヴィクラーミン〔善勇猛〕、スチンティン〔善思〕、スマティ〔善慧〕、スブッディ〔善覚〕、スネートラ〔善眼〕、スバーフ〔善臂〕、スプラバ〔善光〕という長者の子たちを初めとする五百人の長者の子に囲まれ付き添われて、文殊師利法王子の下にやって来た。そして文殊の両足に頂礼し、彼の周りを三度右遶して、一隅に座した。

またそのとき、家長マハープラジュニャのスバドラー〔善賢〕という名の童女が、バドラー〔賢称〕という童女、アビラーマ・ヴァルター〔悦楽顔〕、ドリダマティ〔堅固慧〕、シュリーバドラー〔吉祥賢〕、ブラフマダッター〔梵天與〕、シュリープラバー〔功徳光〕、スプラバー〔善光明〕という童女たちを初めとする五百人の童女に囲まれ付き添われて、文殊師利法王子の下にやって来た。そして文殊の両足に頂礼し、彼の周りを三度右遶して、一隅に座した。

さてそこで文殊師利法王子は、これらのダニヤーカラの都城から集まってきた老若男女が座に着いたのを知ると、人々の願いに応じた（身体でもって）現れて、その威光で辺りを圧倒し、自在な大慈の威力で（人々に）喜びを与え、自在な大悲の威力で説法を引き受け、自在な智の威力で（人々が）心に願うことを考慮し、偉大な弁舌でもって法を教示せんと欲したそのとき、善財童子《ぜんざいどうじ》に気付いたのだった。

ところでこの善財童子は、一体何故に善財とよばれるのだろうか。実に、善財が母胎に入るや否や、その家には七宝の芽が自然に生え出でたが、それらはあらゆる方向から家の周りにきれいに配置されていた。その七宝の芽の根元には七つの大きな宝蔵があり、その宝蔵から七宝の芽が、即ち金、銀、瑠璃、玻璃、赤珠、瑪瑙《めのう》、そして第七の宝石硨《しゃ》磲《こ》の（芽）が伸び立ち、地表を突き破って現れ出た。やがて十カ月が過ぎて善財は五体満足に誕生したが、そのときにはその七つの大きな宝蔵も縦横奥行が七腕尺《ハスタ》の大きさとなり、地表から現れ出て、（自然に）開いて周囲を照らして光り輝いた。またその家には、種々の宝石でつくられた五百の宝器が現れ出た。たとえば、酥《そ》の容器、ごま油の容器、蜜の容器、生酥《しょうそ》の容器などであり、どの容器もそれぞれがあらゆる種類の品々で満ちあふれていた。たとえば、金剛の容器はあらゆる香料で満たされ、芳香の容器は種々の衣で満たされ、水晶の容器は種々の食物や嗜好品などの最高の味覚で満たされ、摩尼宝石の容器は種々の宝石で満たされ、黄金でつくられた容器は銀粉で満たされ、銀でつくられた容器は金粉で満たされ、金銀でつくられた容器は瑠璃と摩尼宝石で満たされ、玻璃でつくられた容器は硨磲で満たされ、硨磲でつくられた容器は玻璃宝石で満たされ、瑪瑙でつくられた容器は赤珠で満たされ、赤珠でつくられた容器は瑪瑙で満たされ、星光を特徴とする摩尼宝石（星幢摩尼）でつくられた容器は清水のように澄んだ摩尼宝石（水精摩尼）で満たされ、水精摩尼でつくられた容器は星幢摩尼で満たされていた。これらを初めとする五百の宝石でつくられた容器が、実に善財童子が誕生すると同時に（現れ出て）、そしてその家では、あらゆる宝蔵や倉庫に財物や穀物や金塊や黄金や種々の宝石の雨が降り注いだのである。彼が誕生すると、直ちにその家に広大な繁栄が現れたということで、婆羅門の占者たちや彼の両親や親族一同によって、善財という名がつけられたのである。

実にこの善財童子は、既に過去の諸仏にお仕えし、(多くの)善根を植え、深信は既に高揚し、善知識に近づくことを念願し、身体と言葉と心との三業において過失なく振舞い、菩薩道の浄化に励み、一切智者性に心を傾け、仏法を受容する容器となっており、志願は虚空の如く清浄となり、無礙の菩提心を完成していたからである。

そこで文殊師利法王子は、善財童子に眼をとめて、彼を歓迎し、そして彼に法を説いた。即ち、あらゆる仏法に関して説法したのであり、あらゆる仏法が生起するに至る経過、あらゆる仏が間断なく順次現れ出たこと、あらゆる仏に間断なく順次悟入すること、あらゆる仏の説法会の清浄さ、あらゆる仏の法輪〔説法〕の化作《けさ》〔化導《けどう》〕の荘厳、あらゆる仏の色身に具わる相好の清浄さ、あらゆる仏が法身を完成していること、あらゆる仏の弁舌の能力の荘厳、あらゆる仏の光明の輪の荘厳の清浄、あらゆる仏の平等性に関して法を説いた。

そこで文殊師利法王子は、善財童子およびその他の大勢の人々を法話によって教化し、彼らを励まし、興奮させ、喜ばせ、無上正等覚に向けて発心《ほっしん》させ、過去の善根を思い出させて、大都城ダニヤーカラの衆生たちのためにそれぞれの願いに応じて説法するという威神力を発揮した後、その地を去った。

一方、善財童子は、文殊師利法王子から直々にこのような仏の功徳とその偉大さを聴聞し、一心に無上正等覚を願って(文殊の)背後から離れずに、詩頌でもって文殊師利法王子を讃嘆した。

大慧の人よ、あなたの不可思議な力によって、私は衆生たちを利益するために菩提に向けて出立しました。無限の境界《きょうがい》をもつ人よ、私の心にいま生じている菩提への決意、それをどうかお聞き下さい。　(一)

愛欲の水を湛える濠が周囲に掘られ、慢心や尊大の塁壁が高く建てられ、あらゆる衆生の境遇への(五つの)門がつくられました。そういう大きな城郭が三つの生存(三有《さんぬ》)とよばれています。　(二)

それは迷妄無知の闇に覆われ、貪欲と憎悪の焔で焼かれています。愚かな目覚めていない人々は、いつも魔の帝王に支配されて、その(三有の)中に居住しています。　(三)

彼らは渇愛という鎖や足枷でしっかりとつながれ、策略や詐欺という荒廃によって心は荒れはて、疑惑や迷いによって眼は盲目となり、邪悪な領域を道として進み行きます。　(四)

いつも羨望や慳貪《けんどん》の蔓でつながれ、餓鬼や畜生や地獄という不遇の境涯に落ち、生病老死という苦しみに悩まされ、輪廻の車輪に迷い込んだままにさまよいます。

あなたは、彼らにとって、憐れみという清められた（月）輪であり、智の光明を発散する日輪であります。煩悩の海を枯渇させるために昇った太陽の如き人よ、どうかこの私を照らして下さい。（五）

慈悲の修得によって（福徳が）欠けるところなく満たされた（満月の）輪の如き人よ、福徳の月光を発して幸福を与える人よ、高く上った満月の如き人よ、あらゆる衆生の家々を照らすように（私を）照らして下さい。（六）

浄（業）の力の蔵すべて〔四兵〕を伴う人よ、あなたは法界の天空を進み行きます。法輪という宝を特徴とする人よ、真の支配者たる人よ、この私を戒めて下さい。（七）

菩提への乗物である誓願に乗って勇敢に進み行く人よ、広大な福徳と智とを身につけた人よ、あらゆる衆生の利益のために出立した人よ、旅行く隊商の指導者たる人よ、どうかこの私を守って下さい。（八）

忍辱《にんにく》という堅固で緻密な鎧《よろい》を身につけ、慈悲の手は智の剣をもち、魔の軍隊との戦いに臨んで真の英雄たる人よ、どうかこの（戦場から）私を運び去って下さい。（九）

（一〇）

法という須弥山の頂にどっしりと腰をおちつけ、アプサラス天女の如き最高の三昧に取り囲まれた人よ、煩悩というアスラのラーフ[30]を打ち破る真のシャクラたる人よ、どうか私に眼をとめて下さい。（一一）

あなたは三有という凡愚の住みつく城郭において、煩悩に基づく業〔惑業《わくごう》〕を断ち切ることを決意している。（仏になるための）因地《いんじ》と輪廻の車輪との迷乱において真の燈火たる人よ、この私に進路を教えて下さい。（一二）

悪い境遇〔悪趣〕に落ちる道には背を向け、善き境遇に赴く道はこれを浄化して、あらゆる世間の境遇を超越している人よ、私に解脱の門をもたらして下さい。（一三）

「常」の思い込み、「我」の思い込み、「楽」の思い込みを強くもち、虚妄を捉えてその殻に閉じ込められているこの私に、真理《サティヤ》を見抜く鋭い智力の眼をもつ人よ、早く解脱の門を開いて下さい。（一四）

真理の道と虚妄の道とをよく知る人よ、道によって智と方便に恐れなき自信をもつ人よ、あらゆる道による教化が確定している人よ、この私に菩提への道を示して下さい。（一五）

正しい見解〔正見〕という平らかな地に安住し、あらゆる仏の功徳の水で成長し、仏法の功徳の華を雨降らす人よ、この私に菩提への道を示して下さい。（一六）

衆生中の最尊者たる善逝として（太陽の如くに）光明を発して諸方に赴き渡る過去の勝者たちや未来の勝者たち、そして現在の勝者たち、それらの勝者たちにも、道を説く人よ、出会わせて下さい。（一七）

業の仕組や定めに対して畏れなき自信をもつ人よ、（菩提へ運ぶ）乗物としての法という車の仕組を熟知する人よ、智という乗物の定めが確定している人よ、菩提へ運ぶ乗物を私に示して下さい。（一八）

（菩提を）欣求《ごんぐ》する誓願がその車輪であり、金剛（のように堅い）忍辱と慈悲との車軸によって固定され、信心を轅《ながえ》とし、功徳の宝で飾られている、そういう菩提へ運ぶ乗物に私を乗せて下さい。（一九）

あらゆる陀羅尼によって浄化された（車）輪をもち、山と積まれた慈悲を覆いとして荘厳され、無礙の弁才を鈴の連珠として美しい、この最高の乗物を私に用意して下さい。（二〇）

禁欲〔梵行《ぼんぎょう》〕の寝床で飾られ、ナユタもの数の三昧という女たちで込み合い、法の太鼓の響きを轟かせる、そういう王位にふさわしい乗物を私にもたらして下さい。（二一）

その車の内部には四摂事が無尽蔵に収められ、徳によって連珠にされた智の宝石で

飾り立てられ、自己制御と恥じらいという最高の革帯で締めつけられた、そういう最高の乗物を私に示して下さい。　(二二)

喜捨の光明を美しい(車)輪の輝きとなし、持戒の白檀香と慈悲の塗香《ずこう》で香り、忍辱の木釘で堅く組み立てられた、そういう最高の乗物に早く私を乗せて下さい。　(二三)

あらゆる衆生を教化して退転することなく前進し、禅定や三昧の防御網が高く張られ、智慧と方便との二つが連結して進む、最善の法という乗物に私を乗せて下さい。　(二四)

その誓願の車輪は輪廻の車輪を浄化し、法の陀羅尼という堅固で大きな威力を有し、智という装置はみごとに作動し良く整備されている、そういう法という乗物に私を乗せて下さい。　(二五)

それは普賢行によって清められており、衆生を観察するためにゆっくりと進み、清らかな行によってあらゆる方向へ大胆に進む、そういう智という乗物を私にもたらして下さい。　(二六)

それは堅固にして金剛のように固く安定し、その智は魔術のように有効に働き、みごとに整えられて、あらゆる障害を断ち切る、そういう(普)賢なる乗物に私を乗せて下さい。

それは広大であり無垢であり、（あらゆる）衆生に対して平等無区別であり、あらゆる衆生の帰依所となって安楽をもたらし、広大な法界を照らす太陽である、そういう菩提への乗物に私を乗せて下さい。（二七）

それは生死流転の苦の大きな塊を断ち切り、業と煩悩との塵の車輪を清め、あらゆる魔と異教を圧しつぶす、そういう法という乗物に私を乗せて下さい。（二八）

それは普く一切の方向に及ぶ智を有し、虚空の如き法界を荘厳し、あらゆる衆生の願望を満足させる、そういう法という乗物を私にもたらして下さい。（二九）

それは清浄なる虚空の如く無量無尽であり、渇愛や無知や暗見の汚れはなく、あらゆる衆生への援助をなし続ける、そういう法という乗物に私を乗せて下さい。（三〇）

それは台風の如き勢いで迅速に進み、誓願の風力は世界を残らず包み込み、あらゆる（衆生を）寂静という城の大地に安住させる、そういう法という乗物に私を乗せて下さい。（三一）

それはあたかも不動の大地の表面のように、慈悲の激しい勢いにより重荷を担い、（大地の）恵みのように智は衆生たちの生きる糧となる。そういう最高の乗物に私を

乗せて下さい。（三三）

それはあたかも太陽のように衆生たちが生きるのに不可欠であり、（四）摂事が広大な光輪であり、最高の陀羅尼の清浄さを光明とする、そういう智の太陽を私に示して下さい。（三四）

あらゆる因果の道理と（菩薩の）位をよく知る人よ、あなたが実に多くの多数の劫に亘って修得された智を、有為転変の城を粉砕できるほどの金剛のように堅固な智を、聖者よ、私に与えて下さい。（三五）

あらゆる仏の功徳の灌頂《かんじょう》が完成した人よ、あなたは広大な智の海の中で、（多劫に亘って）無比の智の海を修得された。その海がどのようなものなのか、聖者よ、さあ、どうかこの私に話して下さい。（三六）

智の王冠で荘厳された人よ、あなたは（智の）眼が開かれ、法という最高の絹布を額に結んでいる。その法王（仏）の都城を見せて下さい。（三七）

そこで文殊師利法王子は、あたかも象が観るようにして善財童子を観て、こう述べた。

「善いかな、善いかな、善男子よ。あなたは既に無上正等覚に向けて発心して、諸々の善知識に密着しようとしている。そしてあなたは、菩薩道の完成を願う者は菩薩行をよく問わねばならぬと思っている。善男子よ、これがまず(すべての)始まりである。これが一切智者性の成就へと向かう因果の流れである。それは即ち善知識たちに仕え、崇拝し、親近することである。それゆえに、善男子よ、あなたは善知識に親しく仕えるのに決して倦怠することがあってはならない」

善財は次のように述べた。「聖者よ、それでは詳しく教えて下さい。いかにして菩薩は菩薩行を学ぶべきか、いかにして修めるべきか、いかにして菩薩は菩薩行に着手すべきか、いかにして菩薩は菩薩行を実践すべきか、いかにして菩薩は菩薩行を完成すべきか、いかにして菩薩は菩薩行を清めるべきか、いかにして菩薩は菩薩行に悟入すべきか、いかにして菩薩は菩薩行を成就すべきか、いかにして菩薩は菩薩行に随順すべきか、いかにして菩薩は菩薩行を把握すべきか、いかにして菩薩は菩薩行を拡充すべきか、いかにすれば菩薩の普賢行の輪《マンダラ》は円満に完成されるのか」

そこで文殊師利法王子は、詩頌でもって善財童子に語りかけた。

善いかな、すばらしい福徳の海をもつ人よ、あなたが私の下にやって来たとは。広大な哀憐と慈悲の心の人よ、あなたが無上の菩提を求めるとは。(三八)
あなたは、あらゆる衆生の解脱のために、広大にして無類の修行を誓願した。あなたはきっと世間の避難所となるであろう。これこそ菩薩行の筋道である。(三九)

心堅固にして、輪廻転生の中にあって倦怠なき菩薩たちは、打ち破られることなき無礙自在の普賢行を獲得する。(四〇)

福徳の光明をもつ人よ、福徳の旗印をもつ人よ、福徳の宝庫をもつ人よ、福徳の海をもつ人よ、あなたが清らかな普賢行を誓願したのは衆生のためなのである。(四一)

あなたは、十方の世界において、限りなく周辺も中央もない仏たちにまみえるであろう。そして念力によってその仏たちの法の雲を記憶して保持するであろう。(四二)

そういうあなたはまた、菩薩行のために十方の仏のそれぞれの国土において(いかに多くの)仏たちにまみえようとも、それぞれの国土においてそれらすべての仏たちの下で誓願の海を清浄ならしめるであろう。(四三)

世界の主の下で学びつつ、仏の大地に安住して、このような真理の海に悟入した人々は、一切を見る者(仏)となるであろう。(四四)

あなたは、広がる限りのあらゆる国土において、国土の微塵の数に等しい多くの劫に亘って、普賢行を修行した後に、寂静にして最高の菩提に触れるであろう。(四五)

最高の普賢行のためには、残余なき劫の海に亘って、周辺も中央もない国土において、(菩薩行を)修行すべきであり、誓願を成就すべきである。(四六)

見よ。あなたの誓願を聞いて、ナユタ数もの衆生たちが喜びを感じている。彼らもまた、普賢智によって菩提を得ることを願っているのだから。(四七)

そこで文殊師利法王子は、これらの詩頌を説き終ると、善財童子にこう述べた。「善いかな、善いかな、善男子よ。あなたが無上正等覚に向けて発心し、尋ね求めねばならないのは菩薩行である、と考えているとは。善男子よ、無上正等覚に向けて発心する人たちというのはまことに得難いものである。まして無上正等覚に向けて発心して菩薩行を尋ね求める人たちというのは、さらに得難いものである。それゆえに、善男子よ、一切智者の智を得るためには、真の善知識たちの下でその決意を固めた菩薩でなければならない。善知識たちを探し求めるのに倦怠なき心の菩薩でなければならない。善知識たちにまみえるのに飽きることなき菩薩でなければならない。善知識たちの教誡を柔順に受け入れる菩薩でなければならない。善知識たちが巧みな方便を用いてなすことを妨害してはならない。善男子よ、まさにここ南の地方にラーマーヴァラーンタ〔可楽〕という名の国がある。そこにはスグリーヴァ〔妙峰〕という名の山がある。そこにメーガシュリ

「〔徳雲〕という名の比丘が住んでいる。その比丘の下に行って、尋ねなさい。いかにして菩薩は菩薩行を学ぶべきか、いかにして菩薩行に着手すべきか、いかにして勤修《ごんしゅ》すべきか、いかにして菩薩行を実践すべきか、いかにして菩薩行を完成すべきか、いかにして清めるべきか、いかにして悟入すべきか、いかにして成就すべきか、いかにして随順すべきか、いかにして把握すべきか、いかにして拡充すべきか、いかにすれば菩薩の普賢行の輪は円満に完成されるのかを。その善知識は、善男子よ、あなたに普賢行の輪を教示してくれるであろう」

そこで善財童子は、満足し、感動し、喜び、歓喜し、喜悦と満足を生じて、文殊師利法王子の両足に頂礼し、文殊師利法王子の周りを幾百千回も右遶《うにょう》し、幾百千回となくよく見た後、心はこの善知識に魅了されており、この善知識にもはやまみえぬことに堪えられなくて、顔に涙して泣きながら、文殊師利法王子の下を去った。

第一章　メーガシュリー比丘

そこで善財童子は、次第に(南に下って)ラーマーヴァラーンタ国に到達した。到達した後、(自分の)過去の善根のゆえに(文殊菩薩の)気高い行為の威神力に与ったと思い、心中に湧きあがって来る喜びをかみしめながら、ラーマーヴァラーンタ国の中を遍歴し、スグリーヴァ山にやって来た。

スグリーヴァ山に登ると、メーガシュリー比丘を探し求めて、山の東の方角に向かった。同様に、南、西、北、北東、東南、南西、西北の方角にも向かった。メーガシュリー比丘を探し求めて、上方や下方も眺めた。七日後に善財は、別の山の尾根でメーガシュリー比丘が経行《きんひん》しているのを見つけた。比丘の下に近づき、その両足に頂礼し、比丘の周りを右遶した後、前に合掌して立ち、次のように言った。「聖者よ、どうぞ御理解下さい。私は既に無上正等覚に向けて発心いたしております。しかし、そもそも菩薩はいかにして菩薩行を学ぶべきか、いかにしてそれを修めるべきか私は知りません。いかにして菩薩行を始め、いかにして菩薩行を実践し、いかにして菩薩行を完成すべきか知りません。いかにしてそれを浄化し、いかにしてそこに悟入し、いかにしてそれを成就し、いかにしてそれに随順し、いかにしてそれを把握し、いかにしてそれを拡充すべきか私は知りません。そして、いかにして菩薩の普賢行の輪《マンダラ》が完成されるのかわかりません。

聖者は菩薩たちに教訓と教誡を授けられるとお聞きしております。聖者よ、どうぞ私にいかにして菩薩は無上正等覚を成就するのかお教え下さい」

このように問われて、メーガシュリー比丘は善財に答えた。「善いかな、善いかな、善男子よ。あなたが無上正等覚に向けて発心し、さらに菩薩行について尋ねるとは。というのは、善男子よ、これは実になしがたいことであるから。即ち、菩薩行を求め、菩薩の行境を求め、菩薩の出離の浄化を求め、菩薩道の浄化を求め、広大なる菩薩行の浄化を求め、菩薩の成就する神通力の浄化を求め、菩薩の解脱を示現し、世間を慈しむ菩薩の行ないを示現し、菩薩として世の衆生の願いに応じて随順し、(自らは)菩薩として生死輪廻《しょうじりんね》の中にありながら(衆生に)涅槃の門を示現し、有為《うい》(諸法)の過誤と無為《むい》(涅槃)の恐怖とに汚されない菩薩の観察力を求めることは、まことに成し難いことであるから。

善男子よ。私の信解力は自在であり、信心に導く智の眼は清らかである。真向から智の光明を照らして、普く(一切世界を)眺めることができ、普き境界において無礙である眼力と一切の障害を離れた巧みな観察力とによって、普く眼の及ぶ限りの境界において清浄である。清らかな身体によって、一切諸方の(仏)国土に赴き、(一度に諸仏に)向かって身を屈め恭敬するのに巧みであり、一切諸仏の雲のように(広大な)法をよく心にとどめ保持する陀羅尼力を具えている。ゆえに、私は一切諸方の(仏)国土におられる多数の如来を真正面から見ることができるのである。

即ち、私は東の方角に一人の如来を見る。また、二人、百人(の如来)を(見る)。さらに百の仏、千の仏、百千の仏、一コーティの仏、百コーティの仏、千コーティの仏、百千コーティの仏、百千コーティ・ニユタの仏を(見る)。乃至、無量数、不可量数、阿僧祇数、不可思議数、無比数、無限数、無辺際数、不可比数、不可説数の如来を見る。また、(ここ)ジャンブ州の微塵の数に等しい如来を見る。さらに四大州《しだいしゅう》世界の微塵の数に等しい(如来)、千、二千、三千大千仏国土の微塵の数に等しい如来を見る。また、十の仏国土の微塵の数に等しい如来を見る。百の仏国土の微塵の数に等しい、千の仏国土の微塵の数に等しい、百千の仏国土の微塵の数に等しい、一コーティの仏国土の微塵の数に等しい、百コーティの仏国土の微塵の数に等しい、千コーティの仏国土の微塵の数に等しい、百千コーティの仏国土の微塵の数に等しい、百千コーティ・ニユタの仏国土の微塵の数に等しい（如来を見る）。乃至、不可説不可説数の仏国土の微塵の数に等しい如来を私は見ることができる。

東の方角と同様に、南、西、北、北東、東南、南西、西北、上、下いずれの方角においても、私は一人の如来を見る。乃至、不可説不可説数の仏国土の微塵の数に等しい如来を私は見ることができる。

見渡すと、それぞれの方角に多種多様な色や形の如来を私は見る。種々の神変を現じ、種々の威厳と遊戯《ゆげ》神通《じんずう》を示し、様々な説法会に飾られ、多色に彩られ、多色の光網を放出し、それぞれ異なる清らかな仏国土の宮殿に飾られ、それぞれ異なる清らかな寿量を具え、世の衆生の願いに応じて（仏の境界を）顕現させ、正しい菩提を浄化する様々な方法を神変し、諸仏中の雄者として獅子吼しておられる如来を私は見ることができる。

善男子よ。（このように）私は、ただ一切（諸仏）の境界を顕現させ、（その）集合する様を（照らし出す）普門《ふもん》の光明という念仏（門）〔憶念一切諸仏境界智慧光明普見法門《おくねんいっさいしょぶつきょうがいちえこうみょうふけんほうもん》〕を獲得しているだけである。どうして私に、無限の智の輪《マンダラ》が清浄である菩薩たちの行を知り、その（広大な）功徳を語ることができようか。

というのは、かの菩薩たちは、（一）一切如来の輪《マンダラ》と一切の仏国土の清らかな宮殿の荘厳を悉く眼前に観察するために、普く（照らす智の）光輪〔智光普照〕の念仏門を体得しているからである。(二)世の衆生の願いに応じて(諸仏の境界を)顕現させ、如来を示し、(衆生を)清らかにさせるために、一切の世の衆生に付託された〔令一切衆生〕念仏門を体得しているからである。(三)如来の無量なる十力に随順するために、十力に付託された〔令安住力〕念仏門を体得しているからである。(四)法の聴聞という形で、一切如来の雲のように(広大な)身体を眺めるために、法に付託された〔令安住法〕念仏門を体得しているからである。(五)一切諸方の海の中でも無区別(平等)なる仏の海に悟入するために、諸方を普く照らす光明を内蔵する〔照耀諸方〕念仏門を体得しているからである。(六)微細な境界において一切如来が神変を現じ、威厳をお示しになるのをよく洞察するために、十方(の目に見えない世界)へ自由に入り込む〔入不可見処〕念仏門を体得しているからである。(七)一切劫においてたえず(一切)如来にまみえ、(仏の境界を)顕現させるために、劫に付託された〔住於諸劫〕念仏門を体得しているからである。(八)一切時において(常に一切)如来にまみえ、一緒に生活し、離れることがないために、時に付託された〔住一切時〕念仏門を体得しているからである。(九)一切の仏国土に出かけて行き、威圧されることなく(一切の)仏身を見、(諸仏の境界を)顕現させるために、(仏)国土に付託された〔住一切刹〕念仏門を体得しているからである。

(一〇)三世に属する(一切の)如来の輪と自分の心に願うだけで融合するために、三世に付託された〔住一切世〕念仏門を体得しているからである。(一一)一切の境界において如来がたえまなく次々と出現されるのを見、(その境界を)顕現させるために、境界に付託された〔住一切境〕念仏門を体得しているからである。(一二)一刹那のうちに、一切の世界において一切の如来が完全な涅槃にお入りになるのを顕現させるために、寂滅《じゃくめつ》(涅槃)に付託された〔住寂滅〕念仏門を体得しているからである。(一三)一日のうちに、一切の住処における一切の如来が(人々を教化するために)遊行《ゆぎょう》されるのを顕現させるために、(時空の観念の)消滅に付託された〔住遠離〕念仏門を体得しているからである。(一四)一々の如来の結跏趺坐《けっかふざ》して法界に遍満される仏身を顕現させるために、広大なものに付託された〔住広大〕念仏門を体得しているからである。(一五)一本の毛端に出現される不可説数の仏にお仕えするため、親しく近づくために、微細なものに付託された〔住微細〕念仏門を体得しているからである。(一六)一刹那のうちに、一切の世界において(諸仏が)菩提を得て、神変を現じられるのを顕現させるために、(仏国土の)荘厳に付託された〔住荘厳〕念仏門を体得しているからである。(一七)一切諸仏が出現し、法輪を転じ、神変を現じ、智の光明を放たれるのに通達するために、(諸仏の)偉業に付託された〔住能事〕念仏門を体得しているからである。(一八)一切の如来の影像を自分の心に願うだけで(自在に)見ることができるために、心に付託された〔住自在心〕念仏門を体得しているからである。(一九)一切の世の衆生が積み重ねてきた業に応じて、鏡に映る像（のように衆生の業）を示すために、業に付託された〔住自業〕念仏門を体得しているからである。（二〇）蓮池の蓮華のように法界全体に余すことなく遍満する広大な仏が神変を示し、普き諸方に（同時に）現前なさるのを顕現させるために、神変に付託された〔住神変〕念仏門を体得しているからである。（二一）雲のように（広大な）如来の御姿が法界の虚空を飾っているのを眺めるために、虚空に付託された〔住虚空〕念仏門を体得しているからである。

行け、善男子よ。まさにここ南の地方に、サーガラムカ〔海門《かいもん》〕という名の土地がある。そこに、サーガラメーガ〔海雲《かいうん》〕という名の比丘が住んでおられる。彼の下を訪れて、菩薩はいかにして菩薩行を学ぶべきか、いかにしてそれを修めるべきか、尋ねよ。

善男子よ。その善知識（サーガラメーガ比丘）は、あなたに（菩薩が広大なる）善根を積む資糧の因を明らかにするであろう。（菩薩の修行の第一段階である）広大なる資糧の位〔助道位〕に入らせるであろう。広大なる善根の勢いと力を生じさせるであろう。広大なる菩提心を起こす資糧の因を説き明かすであろう。広大なる大乗の光明の因を生じさせるであろう。広大なる波羅蜜を完成する資糧の力を確立するであろう。広大なる（菩薩）行の海に入る道《ナヤ》を明らかにするであろう。広大なる（菩薩の）誓願の輪《マンダラ》を浄化するであろう。広大なる普門出離の荘厳（という法門）を浄化するであろう。広大なる大慈悲（心）

の力を生じさせ、増大させるであろう」

そこで、善財は、メーガシュリー比丘の両足に頂礼し、彼の周りを幾百千回となく右遶し、(比丘を)見つめた後、メーガシュリー比丘の下を去った。

第二章　サーガラメーガ比丘

そこで善財童子は、あの善知識（メーガシュリー比丘）の教誡を熟考し、（比丘がお説きになった普門の）光明（という念仏門）を思い出し、その菩薩の解脱を吟味し、菩薩の三昧法について熟慮し、菩薩（行）の海への道を眺め、諸仏の輪《マンダラ》を眼前に信解《しんげ》し、諸仏にまみえる諸方を望み、諸仏の海に思いをめぐらし、諸仏が次々と出現される様を思い起こし、諸仏の軌則《ナヤ》によく随順し、諸仏の天空を眺めつつ、次第にサーガラムカの地に至り、サーガラメーガ比丘のおられる所に近づいた。サーガラメーガ比丘の両足に頂礼し、その周りを幾百千回となく右遶した後、比丘の前に合掌して立ち、次のように言った。「聖者よ、私は既に無上正等覚に向けて発心し、無上なる智の海に悟入したいと願っております。しかし、そもそもいかにして菩薩は世間の家から出て、如来の家に向かうのか、生死輪廻の海から抜け出て、一切智者（である仏）の智の海に悟入するのか、愚かなる凡夫の段階から向上し、如来の家柄に生まれるのか、生死輪廻の流れから出て、

(清らかな)菩薩行の流れに向かうのか、生死輪廻の海の中の(天、人、畜生、餓鬼、地獄の五)道の輪から逃れ、菩薩行の誓願の輪に向かうのか、一切の魔の軍勢を滅ぼし、一切諸仏の集まりの出現を顕示するのか、渇愛の海を干上がらせ、大悲の水を増大させるのか、(長寿天等の八つの)不運な生まれ[1]〔八難〕、(地獄、餓鬼、畜生の三)悪趣のすべてに陥る門戸を閉じ、昇天と涅槃へ至る門戸を開くのか、(欲界、色界、無色界という)三界の都城の扉を打ち破り、一切智者の要塞の門扉を開くのか、一切の生活の資具に対する渇愛を捨てて、一切の世の衆生を摂取しようという誓願を起こすのか、私は知りません」

　このように問われて、サーガラメーガ比丘は善財に次のように答えた。「善いかな、善いかな、善男子よ。あなたが既に無上正等覚に向けて発心したとは。というのは、善男子よ、未だ善根を植えていない衆生たちは菩提に向けて発心することがないからである。(しかし)普門の善(根)の光明を獲得し、(衆生済度のための巧みな)方便を内蔵し、正道(を推し進める)三昧の智の光明に照らし出され、海のように広大な福徳の資糧を蓄積し、一切の清浄(業)を積み重ねることを決してやめず、善知識に仕えるいかなる手段〔方便〕においても飽きることがなく、身命を顧みず、一切の物に対する執着がなく、でこぼこのない大地のように平等な心をもち、生まれつき(一切衆生に対する)慈悲と愛情をもち、(欲、色、無色の三)有のいかなる境遇に暮らすことにもひるまず直面し、如来の境界を願う衆生たちは、菩提に向けて発心するのである。

(菩提心とは)即ち、(一)一切の衆生を普く済度《さいど》するための大悲心であり、(二)一切の世の衆生を等しく幸福にするための大慈心であり、(三)一切の世の衆生の苦悩の集合を鎮めるための安楽心であり、(四)一切の不善の法を滅ぼすための饒益心《にょうやくしん》であり、(五)一切の恐怖から(衆生を)守護するための哀愍心《あいみんしん》であり、(六)一切の障害を取り除くための無礙心であり、(七)法界全体に遍満するための広大心であり、(八)虚空界と融合し、等しいことを知らしめるための無辺心であり、(九)一切の如来にまみえ、(その境界を)顕現させるための無垢心であり、(一〇)三世(の法)を残りなく知り、(そこに)遍満するための清浄心であり、(一一)一切智者の智の海に悟入するための智慧心である。

善男子よ、私はここサーガラムカの地において、満十二年間(常に)この大海を対象とし、(この大海に)直面しながら暮らしてきた。即ち、この大海の広大で量り知れないことを熟考し、汚れなく澄み切っていること、深くて量り知れないこと、次第に底が深くなり、安定していること、多くの宝石の鉱脈に飾られていること、水の量は量り知れないこと、水の色は不可思議で、種々様々であること、数限りない生物が住んでいること、種々の巨大な生物が住んでいること、大きな雲に覆われていること、海中は水が充満し、

(その量は増減しない)ことを熟考しながら(暮らしてきた)。その私に次のような考えが浮かんだ。この世に、この大海より広く、大きく、量り知れず、深くて、すばらしい海は決して他に存在しない、と。

善男子よ、私がこのように根源的なる思惟に熱中していたとき、大海の中から突如として大きな蓮華が出現した。その茎は絶対に砕くことができない摩尼宝石、インドラニーラという金剛摩尼より成り、その華冠は大きな瑠璃《るり》の摩尼宝石より成っていた。その葉はジャンブ河産の黄金で、汚れなく、広大であった。カーラーヌサーリンという栴檀の華托に飾られ、瑪瑙《めのう》の宝石の華芯を具えていた。その大きなことといえば、海のように広く広がっていた。

十百千のアスラ王がその茎をしっかりと支え、十百千の摩尼宝石のすばらしい宝網によってその上を覆われ、十百千の龍王がその上に香水を雲から雨のように降らせ、十百千のガルダ王が絹布や摩尼の紐や瓔珞を口にくわえてそこからぶら下がっていた。十百千のキンナラ王が(この蓮華を大切にしようという)饒益心をもってそれを観察し、十百千のマホーラガ王が顔を伏せてそれに礼拝し、十百千のラークシャサ王が身を屈めてそれに恭敬し、十百千のガンダルヴァ王が種々の楽器や音楽で、それを讃嘆《さんだん》し供養していた。十百千の天王がその上に天上の華、香料、華鬘《けまん》、練香、塗香、抹香、衣、傘蓋《さんがい》、幢、幡を雲から雨のように降らせ、十百千の梵天王が頭を垂れてそれに礼拝し、十百千の(無煩天《むぼんてん》、無熱天《むねつてん》、善見天《ぜんけんてん》、善現天《ぜんげんてん》、色究竟天《しきくきょうてん》の)浄居天《じょうごてん》衆がそれに合掌礼拝していた。十百千の転輪聖王《てんりんじょうおう》である人王が(金輪、白象、紺馬、神珠、玉女、主蔵臣、主兵臣の)七宝を手に進み出て、それに供養し、十百千の海の神々が(大海の中から)現れ出て、それに礼拝した。(その蓮華は)十百千の光味摩尼宝石の光の荘厳に照らし出され、十百千の浄福摩尼宝石が(あたり一面に)みごとに敷き詰められて、美しかった。十百千の汚れのない普光摩尼宝石を内蔵し、十百千の殊勝摩尼宝石の大きな輝きによって、光り輝いていた。十百千の妙蔵摩尼宝石により限りなく照らし出され、十百千の閻浮幢《えんぶどう》摩尼宝石が周囲を取り囲むようにしっかり列をなして立てられていて、美しかった。十百千の絶対に砕くことのできない金剛師子摩尼宝石に飾られ、十百千の優れた日蔵摩尼宝石によって光り輝いていた。十百千の可楽摩尼宝石の多種多様な色を具えており、十百千の無尽蔵の如意王摩尼宝石の荘厳の光明によって赤々と照らし出されていた。

ところで、その大蓮華は、如来の(過去に集積した)超世間的な善根より生じたものであり、諸菩薩の志願(信楽《しんぎょう》)に基礎を置いている。一切の諸方において(同時に人々の)眼前に顕現している。幻の如き諸法より生じ、悪臭を放たない(清浄)業より生じ、煩悩《ナヤ》を離れた法の真理によって飾られ、夢の如き法性に従って活動し、無功用《むくゆう》なる法の真理によって印づけられ、無礙なる法の真理に随順し、普く十方の法界に遍満し、諸仏の境界《きょうがい》をその光の輝きによって満たしている。その（蓮華の）状態、特質、形状、色彩、その荘厳の有り様は、百千阿僧祇数劫かけて理解しようとしても終ることがない（ほど無尽蔵である）。

私は一人の如来の結跏趺坐して（法界に）遍満する身体が、その蓮華の上を一杯に満たしているのを見た。そして、その如来の身体がここから（三界の頂点に位置する）有頂天《うちょうてん》の極みにまで達しているのを見た。

その如来を（いま述べた宝石の大蓮華の）座が美しく飾る不可思議を見た。説法会が飾る不可思議、光輪が飾る不可思議、（その如来が仏の三十二）相をすべて具える不可思議、（八十種）好が明瞭である不可思議、仏の威厳を自在に示す不可思議、仏の神変を自在に現じる不可思議、如来の色相が清浄である不可思議、その頭の頂を見ることができない〔無見頂相《むけんちょうそう》〕という不可思議、その舌が長大である〔広長舌相《こうちょうぜつそう》〕という不可思議を私は見た。仏の巧みな雄弁をみごとに揮う不可思議を聞いた。（仏の十）力が無量である不可思議、（その如来が説法に際して四種の）畏れなき自信〔無畏〕に満ちあふれて清浄である不可思議、（四種の）自在な弁才を示す不可思議を私は了解した。（その如来が）過去に諸種の菩薩行を達成した不可思議を私は思い起こした。菩提を得て神変を現じる不可思議を見た。

(その如来が正)法の雲から雷鳴を鳴り響かせる不可思議、(衆生たちに)普く(諸仏に)まみえ、(その境界を)顕現させる、すばらしい所依《しょえ》の不可思議を聞いた。左右に(その如来の)身体が分かれて無量である不可思議、(一切の)衆生に利益を与えるため身体を完成する不可思議を私は見た。

さて、その如来は、右手を伸ばして私の頭をなでると、普き眼〔普《ふ》眼《げん》〕という法門を私に説き明かされた。その法門は、一切の如来の境界と諸種の菩薩行を明らかにし、一切の法界の様々な地平を照らし出し、一切法の全体《マンダラ》が融合する有り様を照らし出し、一切の(仏)国土の輪《マンダラ》の清らかな状態に光を当て、一切の異教徒の師の集まりを霧散させ、一切の魔の悪行を粉砕し、一切の衆生界を喜ばせ、一切の衆生の心の奥底を照らし出し、一切の衆生を願いに応じて教化し、一切の衆生の機根の輪の回転を明らかにするものである。

私は、その普眼という法門を学習し、心にとどめて保持し、人々に説き広め、よく熟考した。その法門がこのような形で学習されて書写されるとき、大海の水の量に匹敵する大量の黒インクと、山々の王須弥山の頂上まで積み上げられるほど多数のペンが使い果たされたとしても、その法門の一々の章、一々の法戸、一々の法規、一々の法源、一々の法句《ほっく》の区別の中、(いずれをとっても書き)尽くすことはできない。あるいは、減少したり、滅尽したり、完結したり、究極に達したりすることはない。

善男子よ、このようにして実に満十二年間、私はその普眼法門を学習した。このような形で学習することにより、(一)聴聞したことを保持させる〔聞持《もんじ》〕陀羅尼の光明によって、私は一日のうちに(この法門の)阿僧祇数の章を暗記した。(二)(涅槃)寂静《じゃくじょう》への門〔寂静門〕という陀羅尼の光明によって、私は阿僧祇数の章に悟入した。(三)無限に旋回する〔無辺旋〕陀羅尼の光明によって、私は阿僧祇数の章に普入した。(四)(菩薩道の諸)地を考察し理解させる〔随地観察〕陀羅尼の光明によって、私は阿僧祇数の章を分析し、研究した。(五)威光を具備した〔具足威力〕陀羅尼の光明によって、私は阿僧祇数の章を完全に習得した。(六)蓮華の荘厳〔蓮華荘厳〕という陀羅尼の光明によって、私は阿僧祇数の章を成就した。(七)音声明瞭〔清浄言音〕という陀羅尼の光明によって、私は阿僧祇数の章を説き明かした。(八)虚空を内蔵する〔虚空蔵〕陀羅尼の光明によって、私は阿僧祇数の章を配分した。(九)天光の峰〔光聚山〕という陀羅尼の光明によって、私は阿僧祇数の章をさらに増広した。(一〇)大海を内蔵する〔海蔵〕陀羅尼の光明によって、私は阿僧祇数の章を正しい順序に整理した。

そして、いかなる衆生が群をなして私の所にやって来ても、東の方角の神々や神々の王たちにせよ、龍や龍王たちにせよ、ヤクシャやヤクシャ王たちにせよ、ガンダルヴァやガンダルヴァ王たちにせよ、アスラやアスラ王たちにせよ、ガルダやガルダ王たちにせよ、キンナラやキンナラ王たちにせよ、マホーラガやマホーラガ王たちにせよ、人間や人間の王たちにせよ、梵天や梵天王たちにせよ、彼ら全員を如来と菩薩の諸々の行を照らし出す、まさにこの普眼法門に導き入れ、それに心を集中させる。そして、普眼法門を彼ら全員に気に入らせ、解説し、解明し、説明し、提示し、分析し、増広し、宣揚し、注解し、解放し、顕示する。東の方角と同様に、南、西、北、北東、東南、南西、西北、下、上の諸方からいかなる衆生がやって来ても、――以下同じ。

善男子よ、私はこの(普眼)法門を知っているだけである。どうして私に、(他の)菩薩たちの行を知り、その功徳を語る事ができようか。というのは、(かの菩薩たちは)(一)清浄な誓願に随順するがゆえに、一切の菩薩行の海に悟入しているからである。(二)一切劫の間(諸仏と)一緒に生活し、途切れることがないゆえに、一切の(菩薩の)誓願の海に悟入しているからである。(三)(衆生の)願いに応じて(菩薩)行を順応させるために、一切衆生の輪廻(の海)に悟入しているからである。(四)十力の智の無礙の光明を生じさせるために、一切の世の衆生の心の海に悟入しているからである。(五)(衆生を)教化し、成熟させる時期を失しないために、一切衆生の機根の海に悟入しているからである。(六)一切の(仏)国土を浄化しようという誓願を成就するがゆえに、一切の(仏)国土の海に悟入しているからである。(七)(一切の)如来に恭敬し供養しようという誓願力を具えているがゆえに、一切の仏の海に悟入しているからである。(八)(仏の)智を(人々に)知らしめるがゆえに、一切の(正)法の海に悟入しているからである。(九)(菩薩の)修行に随順するがゆえに、一切の(仏の)功徳の海に悟入しているからである。(一〇)あらゆる言葉《マントラ》で法輪を転じることを成就するために、一切の世の衆生の言葉の海に悟入しているからである。

行け、善男子よ。まさにここ南の地方でここから六十ヨージャナ〔由旬《ゆじゅん》〕離れた所にサーガラ・ティーラ〔海岸〕という土地があり、ランカー島への渡り道に当る。そこにスプラティシュティタ〔善住《ぜんじゅう》〕という名の比丘が住んでおられる。彼の下を訪れて、菩薩摩訶薩はいかにして菩薩行を清らかに成就すべきであるか、尋ねよ」

そこで、善財は、サーガラメーガ比丘の両足に頂礼し、彼の周りを幾百千回となく右遶し、(比丘を)見つめた後、サーガラメーガ比丘の下を去った。

第三章　スプラティシュティタ比丘

そこで善財童子は次第に(南に下って)、ランカー島への途上〔楞伽《りょうが》道〕にあるサーガラ・ティーラに近づいたのだが、その間彼は、(一)善知識(サーガラメーガ比丘)のあの教誡と彼の説いた普眼法門を常に心にとどめ、(二)如来の神変の不可思議に思いをめぐらし、(三)法の句や音節の雲を記憶し、(四)法の門の海に悟入し、(五)法式に注意を払い、(六)法の渦〔漩澓《せんぷく》〕の真理《ナヤ》に巻き込まれ、(七)法の虚空に遍満し、(八)法の輪《マンダラ》を清め、(九)法の宝の洲に思いをはせていた。(サーガラ・ティーラに近づいた後、)彼は、スプラティシュティタ比丘にお会いしたくて、東の方を見渡した。同様に南の方、西の方、北の方、北東、東南、南西、西北、下方、上方を、かの比丘にお会いしたくて見渡した。すると、その比丘が百千阿僧祇数の神々に囲まれて天穹を散策されているのを彼は見た。またその天穹には、その比丘を供養するために、神々の王たちによって天上の華の雲が撒き散らされ、阿僧祇数の天上の楽器の雲が鳴り響き、阿僧祇数の絹布や幡が飾られているのが見えた。また龍王たちが雷鳴の轟きとともに天穹に不可思議なカーラーグル〔黒沈水香〕を雲のように立ち昇らせるのが見えた。その天穹から、キンナラの王たちが奏でる天上の美しい言説や比喩で讃嘆する阿僧祇数の天上の音楽や楽器や合唱の響きが聞こえた。マホーラガの王たちが、喜悦して、その比丘に憧れている顔つきで、不可思議数の極薄で透明な衣の雲を天穹に投げかけ張り渡しているのが見えた。アスラの王たちが、天穹に不可思議数の摩尼宝石の雲を示現し、不可思議な調和の光の条《すじ》で輝くのが見えた。不可思議数のガルダの王たちの群が、高貴な人間の容貌と力を具えた姿となり、ガルダの王の娘たちを引き連れ、害を加えないことに専心して天穹で合掌しているのが見えた。百千不可思議数のヤクシャの王たちが従者たちに従われて、身体は醜悪ながらもその比丘の慈愛に感化されて、天穹に来ているのが見えた。百千不可思議数のラークシャサの王たちが従者たちに従われて、天穹をその比丘の後について歩き、護衛をしているのが見えた。百千不可思議数の梵天の王たちが、天穹で、虚心合掌の姿勢をとり、親愛で心に適った言説や比喩で讃嘆し返答することに励んでいるのが見えた。また天穹では、天宮にいる百千不可思議数の浄居天に属する神々が、その比丘を供養するのが見られた。

そこで善財童子は、その比丘が天穹を散策されているのを見ると、満足し、勇躍し、歓喜し、歓楽し、大いに歓喜し、合掌してその比丘に頂礼して次のように語った。「聖者よ、私は既に無上正等覚に向けて発心いたしております。しかし、私にはまだ次のことがわかっておりません。つまり、(一)どのようにして菩薩は仏法を求めるべきなのか、(二)どのようにして菩薩は仏法を修得すべきなのか、(三)どのようにして菩薩は仏法を蓄積すべきなのか、(四)どのようにして菩薩は仏法に奉仕すべきなのか、(五)どのようにして菩薩は仏法を実現すべきなのか、(六)どのようにして菩薩は仏法に順応すべきなのか、(七)どのようにして菩薩は仏法を積み重ねるべきなのか、(八)どのようにして菩薩は仏法を充満させるべきなのか、(九)どのようにして菩薩のなすべきことを悉く達成するために、菩薩は仏法を清めるべきなのか、(一〇)どのようにして菩薩は仏法に通達すべきなのか、以上のことを私は知りません。そして、私は聖者たるあなたが菩薩たちが守るべき教訓および教誡を与えて下さると聞きました。

聖者よ、私にいかにして菩薩は仏法を勤修すべきかをお教え下さい。どのようにして仏法を勤修するならば、菩薩は、(一)真実から離反しないために、仏にまみえること〔見仏〕から離れずにいられるのか、(二)あらゆる菩薩の善根と同一になるために、菩薩にまみえることから離れずにいられるのか、(三)智に通達するために、仏法から離れずにいられるのか、(四)あらゆる菩薩のなすべきことを達成するために、あらゆる菩薩の誓願から離れずにいられるのか、（五）あらゆる劫に亘って〔衆生と〕ともに住んでも倦怠することのないために、菩薩行から離れずにいられるのか、（六）あらゆる世界を清めるために、あらゆる仏国土に遍満することから離れずにいられるのか、（七）あらゆる如来の神変の不可思議を知るために、仏の神変を見ることから離れずにいられるのか、（八）化現《けげん》されたかの如き菩薩行においてあらゆる生存の境遇に生まれ死ぬ感覚を自己の身体で体験するために、有為転変の中に住むことから離れずにいられるのか、（九）あらゆる如来の法の雲を受け取るために、法を聞くことから離れずにいられるのか、（一〇）三世の智に通達しそれに従うために、智の光明から離れずにいられるのか」

このように問われて、その比丘は善財童子に語った。「善いかな、善いかな、善男子よ。あなたが既に無上正等覚に向けて発心し、仏の諸法、一切智者性の諸法、自在者の諸法を尋ねるとは。私は、善男子よ、無礙の門という菩薩の解脱〔無《む》礙《げ》解脱門《げだつもん》〕(1)を獲得している。

善男子よ、その無礙の門という菩薩の解脱に没頭することによって、それを成就することによって、それに随順することによって、それを分析することによって、探求することによって、熟考することによって、眼前に現し出すことによって、無礙の究極〔究《く》竟無礙《きょうむげ》〕という名の智の光明を得たのである。それを得たがゆえに、私にはもう、（一）あらゆる衆生の心の動きを洞察するのに何の障礙《しょうげ》もなく、(三)あらゆる衆生の生死を悉く知るのに何の障礙もなく、(三)過去の生存を想起する門に入るのに何の障礙もなく、(四)未来劫が尽きるまであらゆる世の衆生とともに住むのに何の障礙もなく、(五)現世のあらゆる衆生を現し出すのに何の障礙もなく、(六)あらゆる衆生の言葉や音声や慣用記号を完全に知るのに何の障礙もなく、(七)あらゆる衆生の疑問を断ち切るのに何の障礙もなく、(八)あらゆる衆生の機根の違いを洞察するのに何の障礙もなく、(九)成熟させ教化するためにふさわしいときにあらゆる衆生に接近するのに何の障礙もなく、(一〇)刹那《せつな》、ラヴァ、ムフールタ、夜、昼(2)などの時間とよばれるものを洞察するのに何の障礙もなく、(一一)十方の仏国土に自己の身体で遍満するのに何の障礙もない。というのも、もはや無生起に安住して〔無住〕、もう業の蓄積のありえないこと〔無作《むさ》〕を修得しているからである。

私は、善男子よ、この業の蓄積がもはやありえないという神通の威力によって、この天穹を歩き、そこに立ち、あるいは座り、横になり、そして多種多様な威儀をなし得るのである。姿を消したり現したり、煙を立てたり焔を上げたりする。一身から多身に変じたり、多身から一身に変じたりする。現れたり、消えたりすることもできる。何の障礙もなく、壁をあたかも空中のように抜けたり通り抜けたりする。また空中を結跏趺坐の姿勢で、あたかも翼をもつ鳥のように進む。また大地から、あたかも水中のように出没する。また何の障礙もなく、水中をあたかも地上のように行く。あたかも大火の密集のように煙を立て、焔を上げる。また大地を震動させる。あのように大神通をもち、あのように大威力をもち、あのように大勢力をもつ太陽と月とを手で磨きあげる。梵天の世界〔梵宮〕にまで身体を届かせる。香煙の幕の雲で世界を覆い尽くして焔を上げる。あらゆる宝石の輝きの雲で世界を覆い尽くして、あらゆる世の衆生に似た姿が化現《けげん》した雲を放出する。

限りなき色彩の輝きの網の雲を放出しながら、私はあらゆる方向へと向かう。即ち、私は東に向かう。私は一々の心刹那に東の方向にある一世界を過ぎ行く。二世界、十世界、百世界、千世界、百千世界、コーティ世界、百コーティ世界、千コーティ世界、百千コーティ世界、百千コーティ・ナユタ世界、無量数の世界をも、無限数の、阿僧祇数の、不可思議数の、無比数の、不可量数の、無等辺数の、無辺数の、無辺際数の、不可説不可説数の世界をも過ぎ行く。南、西、北、北東、東南、南西、西北、下方、上方にもまた私は向かう。

それらの、(一)世界にいかに多くの仏世尊たちが住まわれ、身を保たれ、時をすごしておられようとも、その仏世尊たち(の一人一人)に、さらには(二)あらゆる世界海の[3]

一々に、㈢あらゆる世界出生の一々に、㈣あらゆる世界方処の一々に、㈤あらゆる世界旋転の一々に、㈥あらゆる世界普遍の一々に、㈦あらゆる世界変化の一々に、㈧あらゆる世界名字の一々に、㈨あらゆる世界法門の一々に、㈩あらゆる世界時劫の一々に、(一一)あらゆる世界微細の一々に、(一二)あらゆる世界菩提道場の一々に、(一三)あらゆる世界荘厳の一々に)、(一四)あらゆる世界大衆会の一々において、仏世尊たちが法を説かれているのだが、これら(無数の)如来たちの一人一人に、私は私の身体を無限の仏国土の微塵の数に等しいだけ多種多様化して、その多種多様な身体の一々でもって、無限の仏国土の微塵の数に等しい供養の雲を雨降らしながら、私は近づくのである。近づいて、私は休むことなく、あらゆる華、あらゆる香料、あらゆる華鬘、あらゆる塗香、あらゆる衣、あらゆる幢、あらゆる幡、あらゆる天幕、あらゆる網、あらゆる装飾でもって供養する。これらの仏世尊たちが語り、説き、宣言し、明示し、賞讃し、説明し、指図し、陳述し、実現すること、そのすべてを残らず私は理解し、把握している。これらの(無数の)仏世尊たちの仏国土の清浄さ、そのすべてを私はたえず心にとどめている。

東の方向においてと同様に、南、西、北、北東、東南、南西、西北、下方、上方の、それぞれの方向にある一世界を私は過ぎ行く。二世界、十世界、百世界から、不可説不可説数に至るまでの仏国土にある微塵の数に等しい世界をも、私は過ぎ行く。それらの世界にいかに多くの仏世尊たちが住まわれ、身を保たれ、時をすごしておられようとも、その仏世尊たち(のすべて)を、さらにはあらゆる世界海の一々に、あらゆる世界清浄(4)の一々において、乃至、あらゆる世界大衆会の一々において、仏世尊たちが法を説かれているのだが、それらの仏たちのすべてを私は眼前に見る。これらの如来たちに私は、あらゆる華でもって、乃至、あらゆる装飾でもって供養する。これらの仏世尊たちが語り、乃至、実現すること、そのすべてを残らず私は理解し、把握している。これらの仏世尊たちの仏国土の清浄さ、そのすべてを私はたえず心にとどめている。

また(これらの無数の世界で)、誰であれ、私を視界に入れる衆生たちがいれば、私が出会う衆生たちがいれば、そういう衆生たちのすべてが、無上正等覚に向かうよう確定される。また私の視界に入る衆生たちがいれば、その大小にかかわらず、優劣にかかわらず、幸不幸にかかわらず、そういう衆生たちすべてのために、彼らを成熟させ教化する時期を逸することがないように、と私の身体を彼らの大きさに合わせて化現する。また私に近づく衆生たちがいれば、そういう衆生たちのすべてを、(十方を)普く速やかに確実に闊歩することに到達するこの(無礙の門という)菩薩の解脱に導き入れる。

私は、善男子よ、（十方を）普く疾走し、如来を供養し奉仕することに専念し、あらゆる衆生を成熟させることに適切な無礙の門たるこの菩薩の解脱〔衆生無礙解脱門〕に精通している。しかし私は次のような菩薩摩訶薩たち、即ち、（一）大悲を習性〔戒〕とし、（二）大乗の実践を習性とし、（三）菩薩道から離れないことを習性とし、（四）執着しないこと〔無障礙〕を習性とし、（五）菩薩の志願で満たされ逸脱しないことを習性とし、（六）菩提心を捨てないことを習性とし、（七）仏法を把握することを習性とし、（八）一切智者性に留意し散漫ならざることを習性とし、（九）虚空の如き習性をもち、（一〇）あらゆる世間に依存しないことを習性とし、さらに（一一）その徳性〔戒〕は失われることなく、（一二）その徳性は傷つけられることなく、（一三）その徳性は壊れることなく、（一四）その徳性は裂かれることなく、（一五）その徳性には汚点がなく、（一六）その徳性にはしみがなく、（一七）その徳性は清らかであり、（一八）その徳性は離塵離垢《りじんりく》である、という以上のような菩薩たちの行については私は知らないし、また彼らの功徳については語ることもできない。

行け、善男子よ。ここ南の地方に、ヴァジュラプラ〔自在城《じざいじょう》〕という名のドラヴィダ人の町がある。そこにメーガ〔弥伽《みが》〕という名のドラヴィダ人が住んでいる。彼の下を訪れて、いかにして菩薩摩訶薩は菩薩行を学ぶべきか、いかにして修めるべきかを尋ねなさい」

58

そこで善財童子は、スプラティシュティタ比丘の両足に頂礼し、彼の周りを幾百千回も右遶した後に、その比丘の下を去った。

第四章　ドラヴィダ人メーガ

そこで善財童子は、（かの究竟無礙《くきょうむげ》なる）法の光明を思い起こしては法の浄信への衝動に引きよせられ、仏に随順せんとの思いに心を集中させ、（仏法僧の）三宝の系譜をたやさないように努め、さらには善知識たちを思い起こしては三世（を照らす）光明によって心が照らされ、偉大な誓願に通達することに心を集中し、あらゆる衆生界を救済するための方策に没頭し、心はいかなる有為転変《ういてんぺん》の享楽にも執着することなく、また離欲の系譜を宣言しつつ一切法の自性の瞑想に専念し、あらゆる世界を清めるという誓願から離脱することなく、あらゆる仏の説法会に依拠することなく居住していた。彼は次第に（南に下って）、ヴァジュラプラとよばれるドラヴィダ人の町に近づいた。彼はドラヴィダ人のメーガを探し求めながら、町の中を見た。すると、彼が法話のために十字路にある獅子座に座って、一万の衆生たちに、文字の車輪の旋回の荘厳(1)〔輪字荘厳《りんじしょうごん》〕という名の法門を説いているのを眼にした。

そこで善財童子は彼の両足に頂礼し、彼の周囲を幾百千回も右遶した後に、合掌して面前に立ち、以下のように語った。「聖者よ、私は既に無上正等覚に向けて発心いたしております。しかし、私にはまだ次のことがわかっておりません。つまり菩薩は、(一)いかにして菩薩行を学ぶべきなのか、(二)いかにして菩薩行を修めるべきなのか、(三)いかにすれば、いかなる生存の境遇にあっても、菩薩の発菩提心《ほつぼだいしん》が消滅しなくなるのか、(四)いかにすれば(菩薩の)志願は、倦怠なきことによって堅固になるのか、(五)いかにすれば卓越した志願は、打ち砕かれることなきことによって清められるのか、(六)いかにすれば大悲の力は、倦怠なきことによって生じるのか、(七)いかにすれば陀羅尼の力は、普門が清められることによって近づいてくるのか、(八)いかにすれば一切法を闇なく照らす智慧の光明は、あらゆる無知の暗幕を断ち切ることによって生じるのか、(九)いかにすれば無礙の弁才〔無礙解弁才〕の力は、法と義と辞と弁とを極めた巧妙さでもって音声の領域《マンダラ》を円満に成就するために近づいてくるのか、(一〇)いかにすれば念の力は、あらゆる仏の法輪を無区別に心に保つことによって近づいてくるのか、(一一)いかにすれば了《りょう》解《げ》の力は、あらゆる法の方角を了解する光明に通達することによって清められるのか、(一二)いかにすれば菩薩の三昧の力は、あらゆる法の意味の確定と分類に専念することによって完成されるのか、以上のことを私は知りません」

さてそこで、メーガは、菩薩を敬う心から獅子座を立ち、座を降りて、善財童子に五体投地の礼をした後、彼に山ほどの金色の華を散らした。また、とても高貴な摩尼宝石や高貴な栴檀の抹香を撒き散らした。また、多様な色彩に富んだ染料で染められた幾百千もの衣でもって彼を覆った。また多くの多様な色彩のすばらしく心喜ばせる香料や華を撒いては散らし、さらにその他にも多種多様な供養でもって供養し、尊敬し、尊重し、敬意を表した後に、善財童子に語った。「善いかな、善いかな、善男子よ。あなたが既に無上正等覚に向けて発心しているとは。善男子よ、もし人が無上正等覚に向けて発心しているならば、その人は、㈠あらゆる仏の系譜〔仏性〕に関してはそれをたやさないように努める人であり、㈡離欲の系譜〔離欲性〕に関してはそれを如実に知らしめようと専念する人であり、㈢あらゆる国土の系譜〔仏刹《ぶっせつ》性〕に関してはそれを完全に清めようと努める人であり、㈣あらゆる衆生の系譜〔衆生性〕に関してはそれを成熟させ教化するために出向いている人であり、㈤あらゆる法の系譜〔法性《ほっしょう》〕に関してはそれを如実に成就しようと励む人であり、㈥あらゆる業の系譜〔業性《ごっしょう》〕に関してはそれに抵触しないでいる人であり、㈦あらゆる菩薩行の系譜〔菩薩行性〕に関してはそれを円満に成就しようと励む人であり、㈧あらゆる誓願の系譜〔大願性〕に関してはそれから離れないように出発した人であり、㈨あらゆる三世の系譜〔三世一切法性〕に関してはそれに智でもって通達しようと努める人であり、(一〇)深信の系譜〔解脱性〕に関してはそれを堅固にしようと努力している人である。

さらに彼は、あらゆる如来の威神力によって支えられており、あらゆる仏によって守護〔護念〕されており、あらゆる菩薩たちとの平等性に通達しており、あらゆる聖者たちによって随喜され、あらゆる梵天の王たちによって喜ばれ、あらゆる神々の王たちによって供養され、あらゆるヤクシャの王たちによって尊敬され、あらゆるラークシャサの王たちによって讃えられ、あらゆる龍王たちによって歓迎され、あらゆるキンナラの王たちによって讃嘆され、あらゆる世間の王〔世間主〕たちによって賞讃されているのである。というのも、(そういう人が無上正等覚に向けて発心するのは)(一)あらゆる世界において(地獄、餓鬼、畜生という)三種の悪趣への道を根絶するためであり、(二)あらゆる不幸な悪趣への道に背を向けるためであり、(三)あらゆる貧窮への道を乗り越えるためであり、(四)神々や人間に生まれることを得るためであり、(五)善知識にまみえて親しむためであり、(六)高貴な仏法を聞いて不動となるためであり、(七)菩提心と志願とを浄化するためであり、(八)菩提心の原因が集まり合って生起するためであり、(九)菩薩道の輝きを獲得するためであり、(一〇)菩薩の智に通達するためであり、(一一)菩薩の位に安住するためである。

そういう人を、善男子よ、私は次のように考える。㈠菩薩はなし難いことをなす人たちであり、まみえることが得難い人たちが世の慰安として現れるのであり、㈡菩薩はあらゆる衆生にとって父母のようであり、㈢菩薩は神々や人間の世界の荘厳な飾りのようであり、㈣菩薩は苦しみ悩んでいる人たちの避難所のようであり、㈤菩薩はあらゆる衆生を守護するための休息所のようであり、㈥菩薩は種々の恐怖に襲われている人たちの生気のようであり、㈦菩薩は、あらゆる世間が三悪趣に落ちることを押しとどめるがゆえに風輪《ふうりん》(2)のようであり、㈧菩薩は、あらゆる衆生の善根を成育させるがゆえに大地のようであり、㈨菩薩は、無尽の福徳という宝庫を内蔵するがゆえに大海のようであり、㈩菩薩は、智の光明という輝きを産出するがゆえに太陽のようであり、(一一)菩薩は、善根によってそびえ立つがゆえに須弥山のようであり、(一二)菩薩は、菩提道場において智の月として昇るがゆえに月のようであり、(一三)菩薩は、あらゆる(誘惑の)魔の軍勢を壊滅させるがゆえに勇将のようであり、(一四)菩薩は、自在者の法という都城に到達するための勇敢な戦士のようであり、(一五)菩薩は、あらゆる衆生の我愛を枯渇させるがゆえに熱気のようであり、(一六)菩薩は、広大な法の雲を雨降らすがゆえに雲のようであり、(一七)菩薩は、衆生の深信を初めとする(信、勤、念、定、慧の五)根の芽を成長させるがゆえに雨のようであり、(一八)菩薩は、法という海の航路〔津済《しんさい》〕を明示するがゆえに船頭のようであり、(一九)菩薩は、あらゆる衆生を輪廻転生という海を越え渡らせるがゆえに橋梁のようであり、(二〇)菩薩は、あらゆる衆生が訪れるがゆえに沐浴場のようである」

こうして、メーガは、善財童子の面前で以上のような文言で菩薩たちを賞讃して、善財童子を「善いかな」という感嘆詞でほめたのだった。彼が菩薩たちを歓喜させるこのような言葉を発しているとき、彼の顔の正面〔面門《めんもん》〕から、それによって千世界〔三千大千世界〕が普く照明されるほどの大量の光線が流出した。そしてその輝きに気づいた衆生たちは、それが大神通の神々であれ神々であれ、大神通の龍たちであれ龍たちであれ、大神通のヤクシャたちであれヤクシャたちであれ、大神通のガンダルヴァたちであれガンダルヴァたちであれ、大神通のアスラたちであれアスラたちであれ、大神通のガルダたちであれガルダたちであれ、大神通のキンナラたちであれキンナラたちであれ、大神通のマホーラガたちであれマホーラガたちであれ、大神通の人間たちであれ人間たちであれ、大神通の鬼神たちであれ鬼神たちであれ、大神通の梵天たちであれ梵天たちであれ、彼らのすべてが、その輝きによって照らされた状態で、メーガの下に近づいていた。彼らは、その志願をメーガの威神力によって支えられ、虚心合掌の姿勢をとり、身心ともにさわやかとなり、高貴な歓喜で満たされ、大いなる敬意の念でその前に立ち、降魔《ごうま》の旗を掲げ、幻想や策略から遠く離れ、感官は澄明に落ち着いたものとなったが、そういう彼らのすべてに、メーガはほかならぬかの輪字荘厳という法門を詳しく明示し、知らしめ、その法門に導き入れ、導入し、通達させた。そしてその法門を聞いた衆生たちのすべてが、無上正等覚に向かうことから不退転となった。

彼は説法の座に再び座り、善財童子に以下のように語った。「私は既に、善男子よ、弁才陀羅尼の光明〔妙音陀羅尼光明《みょうおんだらにこうみょう》〕を獲得した。そういう私は、一（小千世界）、二（中千世界）、そして三千大千世界における神々の神々の言葉《マントラ》に精通している。同様に、龍たちの、ヤクシャたちの、ガンダルヴァたちの、アスラたちの、ガルダたちの、キンナラたちの、マホーラガたちの、人間たちの、鬼神たちの、そして梵天たちの梵天の言葉に精通している。私は神々の神々の言葉の多種性に精通している。同様に私は、龍たちの、ヤクシャたちの、ガンダルヴァたちの、アスラたちの、ガルダたちの、キンナラたちの、マホーラガたちの、人間たちの、鬼神たちの、梵天たちの梵天の言葉の多種性に精通している。

私は神々の神々の言葉の同一性に精通している。同様に私は、龍たちの、ヤクシャたちの、ガンダルヴァたちの、アスラたちの、ガルダたちの、キンナラたちの、マホーラガたちの、人間たちの、鬼神たちの、梵天たちの梵天の言葉の同一性に精通している。

私は神々の神々の言葉の変異に精通している。同様に私は、龍たちの、ヤクシャたちの、ガンダルヴァたちの、アスラたちの、ガルダたちの、キンナラたちの、マホーラガたちの、人間たちの、鬼神たちの、梵天たちの梵天の言葉の変異に精通している。私は、畜生の母胎に属する衆生たちの慣用法や言葉や名称のすべてに精通している。私は地獄に生まれた衆生たちの言葉や名称に精通している。

私はヤマの世界の衆生たちの言葉や名称に精通している。私は聖者たちの言葉や名称に精通している。私は俗人たちの言葉や名称に精通している。私は菩薩の言葉および衆生の願いや言語や方言に精通している。私は三世に及ぶ如来の音質や音声の海、それはあらゆる衆生たちの話や発音や言葉に対応するものであるが、その海に悟入しており、深く信じている。私が心刹那ごとに、この三千大千世界の衆生たちのあらゆる慣用法や方言や言葉や名称の海に悟入するように、同様にして東方の、百千コーティ・ナユタの、無量数の、阿僧祇数の、不可思議数の、無比数の、無等辺数の、無辺際数の、不可説不可説数もの世界において、また同様にして、南方の、西方の、北方の、北東の、東南の、南西の、西北の、下方の、上方のそれぞれの方向にある百千コーティ・ナユタの、乃至、不可説不可説数もの世界の衆生たちのあらゆる慣用法や方言や言葉や名称の海に悟入する。即ち、私は神々の神々の言葉に精通しており、乃至、梵天たちの梵天の言葉に至るまで精通しているのである。

　善男子よ、私は菩薩たちのこのような妙音陀羅尼光明（法門）に精通している。しかし、私は次のような菩薩たちの行については知らないし、また彼らの功徳を語ることもできない。そういう菩薩たちとは、即ち、（一）あらゆる世の衆生たちの種々雑多な名称の海に入っている菩薩たち、（二）あらゆる世の衆生たちの種々雑多な名称や言葉の海に入っている菩薩たち、（三）世の衆生たちの種々雑多な呼称や叙述の海に入っている菩薩たち、（四）あらゆる世の衆生たちの種々雑多な所説や仮説や慣用法の海に入っている菩薩たち、（五）あらゆる語句の適用性の海に入っている菩薩たち、（六）（意味よりも）語句にこだわる者たちの海に入っている菩薩たち、（七）三世に位置する認識の対象〔三世所縁〕を一つのもの〔一所縁〕で表現する慣用法の大海に入っている菩薩たち、（八）語句を積み重ねての叙述の海に入っている菩薩たち、（九）詩句を積み重ねての叙述の海に入っている菩薩たち、（一〇）語句の分析による教えの海に入っている菩薩たち、（一一）あらゆる法句の分類による教化のための叙述の海に入っている菩薩たち、（一二）あらゆる世の衆生たちの言葉の海に入っている菩薩たち、（一三）あらゆる音声の領域《マンダラ》の清らかさの荘厳に踏み込んでいる菩薩たち、（一四）車輪のように文字（を回転させること）の辺際〔字輪際〕を究めてその分類に通達している菩薩たちである。

行け、善男子よ。ここ南の地方にヴァナ・ヴァーシン〔住林《じゅうりん》〕という名の地がある。そこにムクタカ〔解脱《げだつ》〕という名の長者が住んでいる。彼の下を訪れて、いかにして菩薩は、菩薩行に専念すべきか、いかにして熟達すべきか、いかにして瞑想すべきかを尋ねなさい」

そこで善財童子は、メーガの両足に頂礼した後、法を尊重することによって落ち着きを得て、既に生じた信心の相を形に現し、善知識の通達した一切智者性を眼前に見て、顔に涙を流して泣きながら、かのメーガの周りを幾百千回も右遶した後に、何度も何度も別れを告げては礼拝して、彼の下を去った。

第五章　ムクタカ長者

そこで善財童子は、(一)(メーガの得た)菩薩の弁才陀羅尼の光明の荘厳〔無礙解陀羅尼光明荘厳門〕(1)に思いをめぐらし、(二)菩薩の言葉《マントラ》の方便〔門〕のかの海を洞察し、(三)菩薩の方便の微妙さへのかの悟入を思い起こし、(四)菩薩の心を清めるかの清らかさを思い起こし、(五)菩薩の善の潜在力〔善根〕の蓄えの成就を成就しつつ、(六)菩薩が〔衆生を〕成熟させるかの門を清めつつ、(七)衆生を摂取する菩薩たちのかの智を浄化しつつ、(八)菩薩の志願力のかの清らかさを堅固にし、(九)菩薩の卓越した志願のかの力を確立しつつ、(一〇)菩薩の深信のかの系譜をよく清めつつ、(一一)菩薩の志願の心のかの善性を発現しつつ、(一二)菩薩のかの偉大な決意を成就しつつ、さらに善財童子は、堅き誓いの誓願の心の倦怠なき持続で荘厳され、その精進は不退転にして勇猛であり、その心の決断は退転することなく、撤退することなき浄信の力を具足し、その心は金剛(のように堅固で)ナーラーヤナ〔那羅延〕(2)神によっても壊されることなく、あらゆる善知識たちの教誡を巧みに把握しており、その境界は損なわれることなき智慧であり、普門の清浄が現前しており、妨げられることなき智の清浄を活動領域とし、普眼の智の方便の光明をもち、普き位〔諸地〕の陀羅尼の輝きを獲得しており、その心には法界の地平の区分が現前しており、普き地平に安定して荘厳されており、清浄な自性が露になっており、無住処、無我所、無二〔不著我所無二〕を専らの活動領域とし、あらゆる観念を超越する智の門が清められており、法の方角と地平の区別の方角を観察することなく、世間の地平と方角の区別から退転することなく、法の地平と方角の区別から退転することなく、仏の方角と地平の区別を見て視覚に現すことに専心しており、〔三〕世の方角と地平の区別に通達した智をもち、輝かしい法輪によって蓄積された覚知をもち、その心は普く輝く智の三昧の光明によって照らされており、その身心は普く（あらゆる）境界と位に通達しており、如来の智のきらめく光明によって心が照らされ、一切智者性に向かう波浪の如き浄信への衝動を生じており、仏法の浄信の勢いから離れることなく、如来の威神力の勢いによって引きよせられ、あらゆる仏をわが心で証得する光明によって照らされ、あらゆる世界の網をわが身体で遍満しようとの誓願をいだき、あらゆる法界がわが身体に集合することの成就に専心しつつ、次第に（南に下ること）十二年にして、ヴァナ・ヴァーシンの地に到達した。

彼はムクタカ長者を探してついに見出した。見出した後に、彼はここでも全身でもって平伏し、それから彼の面前で合掌の姿勢で次のように述べた。「聖者よ、善知識のメーガに会うことを得たこの私は、大きな御利益を得ることができました。というのも、善知識たちは、実に、会い難く、現れ難く、訪問し難く、近づき難く、奉仕し難く、随伴し難く、供養し難く、随従し難い人たちなのです。そういう善知識のメーガに会うことができたのです。

聖者よ、私は既に無上正等覚に向けて発心いたしておりますが、それもあらゆる仏を供養するためであり、あらゆる仏を満足させるためであり、あらゆる仏にまみえるためであり、あらゆる仏を現しだすためであり、あらゆる仏の平等性に通達するためであり、あらゆる仏の誓願に通達するためであり、あらゆる仏の誓願を円満に成就するためであり、あらゆる仏の成就した智を注視するためであり、あらゆる仏をわが身体に実現するためであり、あらゆる仏の成就をわが行において実現するためであり、あらゆる仏の不可思議な神変を眼前に直観するためであり、あらゆる仏の力とひるむことのない自信〔無畏〕を清浄にするためであり、あらゆる仏の説法を倦むことなく聴聞するためであり、あらゆる仏の説法を聴聞して習得するためであり、あらゆる仏の説法を保持するためであり、あらゆる仏の説法を分類するためであり、あらゆる仏の教訓を保持するためであり、あらゆる菩薩との同一性を得るためであり、あらゆる菩薩との同類性を得るためであり、あらゆる菩薩行を清浄にするためであり、あらゆる菩薩の波羅蜜を円満に成就するためであり、あらゆる菩薩の誓願の成就を清浄にするためであり、あらゆる菩薩や仏の威神力の宝庫を得るためであり、あらゆる菩薩の法を貯蔵する宝庫の無尽の智の光明を得るためであり、あらゆる菩薩の三昧を貯蔵する宝庫に通達するためであり、あらゆる菩薩の無量の宝庫を実現するためであり、あらゆる菩薩の大悲心を貯蔵する宝庫でもって衆生を教化することの究極に至るためであり、あらゆる菩薩の神変を貯蔵する宝庫を現しだすためであり、あらゆる菩薩の自在力を貯蔵する宝庫でもって自分の心のままに無礙自在になるためであり、あらゆる菩薩の清浄さを貯蔵する宝庫でもってあらゆる種類の荘厳を得るためなのです。

聖者よ、このような心で私はここまでやってきました。このような目的をもって、このような願望をもって、このような喜びをもって、このような志願をもって、このような瞑想に耽って、このような活動領域をめざして、このような方便に通達することをめざして、このような清らかさに没頭して、このような荘厳を志向して、このような謙虚な心で、このような善行をめざして、感官をこのように向けて、ここまでやってきました。

そして聖者は菩薩が守るべき教訓や教誡を与えて下さる、と私は聞きました。聖者は方便を説き、それに通達することを明らかにし、道を指図し、横断路に連れて行き、法の門を開き、疑いを断ち切り、疑念を取り除き、疑惑の矢を抜き取り、疑惑の汚れを拭い去り、心の暗い深淵を明るく照らし、心の汚れを取り去り、心の流れを清らかにし、心の歪みを取り除き、心の苦悩を元気づけ、輪廻から心を引き戻し、不善から離れさせ、地獄から引き戻し、執着から解放し、固執から解放し、あらゆる障礙から自由にし、一切智者性を現前させ、法の都城に入るように導き、大悲に安住させ、大慈を担わせ、菩薩行に入らせ、三昧門の勤修に定着させ、通達の門に安住させ、(法の)自性の瞑想に安住させ、力を得て遍満し、あらゆる世の衆生の平等性に通達するために心を会得すると、聞きました。聖者よ、どうか私に語って下さい、いかに菩薩は菩薩行を学ぶべきなのか、いかに修行すべきなのか、いかに勤修すべきなのか、またいかに勤修すれば速やかにその菩薩行の輪《マンダラ》が清められるのかを」

そこでムクタカ長者は、そのとき、あらゆる仏国土が集まって融合する〔普摂一切仏刹〕という名の際限なく回転する陀羅尼門〔無辺旋陀羅尼《むへんせんだらに》〕を初めとする菩薩の三昧門へと心が定まっていったのだが、それも彼がこれまでに植えた善根の力を身につけていたからであり、また如来の威神力によってであり、さらに文殊師利法王子の護念によるのであり、そして文殊師利の智の光明が授けられたからなのであった。かの長者が三昧に入《にゅう》定《じょう》するやいなや彼の身体は以下のように清らかな状態となった。つまり、その清らかさによって、十方の十の仏国土にある微塵の数に等しい仏世尊たちが見られたのだが、それらの仏たちは、それぞれの仏国土の清浄さを具え、それぞれの仏国土の説法会を具え、それぞれの光明の清浄さを具え、それぞれが過去の修行のときの親交を具え、それぞれが仏の神変を具え、それぞれの誓願と資糧を具え、それぞれが修行の熟達の荘厳と清浄とともに、それぞれが正等覚の示現を具え、それぞれが法輪の照明を具え、それぞれが衆生を成熟させることを具え、それぞれが法の究極の頂点までを具えた仏たちであったが、それらの仏たちが彼の身体の悉くに含まれており、入り込んでいるのが見られたのである。

それらの仏たちは、互いに混交することなく、互いに妨げとならず、互いに截然《せつぜん》としており、それぞれがよく区分され、多種多様な様子でたたずんで、あるべきように現しだされており、多様な仏国土の荘厳を具え、多様な菩薩の説法会を飾りとし、多様な神変を演じているのが見られたのである。

また多様な乗物や方便〔乗道〕がそれぞれに区分されており、多様な誓願の門を説明するのが見られる。ある世界においては兜《と》率天宮《そつてんぐう》に生まれるのが見られる。あらゆる仏の所行〔仏事〕を行ないながら、ある世界においては兜率天宮から降臨して、ある母胎に宿って様々な神変を演じているのが見られ(3)、ある世界においては誕生してから幼児の遊戯を演じているのが見られ、ある世界においては後宮の中に入っているのが見られ、ある世界においては出家しているのが見られ、ある世界においては最高の菩提道場に座してこの偉大な荘厳と神変でもって魔の軍勢を降伏させているのが見られ、ある世界においては神々、龍、ヤクシャ、ガンダルヴァたちによって取り囲まれた中で梵天たちから法輪を転じるように勧請されているのが見られ、ある世界においては法輪を転じているのが見られ、ある世界においてはあらゆる衆生の邸宅に赴いており、ある世界においては完全な涅槃〔般涅槃〕に入ろうとするのが見られた。またある世界においては完全な涅槃に入った如来たちの遺骨が分割されるのが見られ、ある仏国土においては神々や人間たちが如来の塔廟を荘厳に飾るのが見られた。

またこれらの仏世尊たちが様々な衆生の集まりの中で語ること、即ち様々な衆生の世間において、その境遇が様々である衆生の中で、その生まれが様々である衆生の中で、その集合が様々である衆生の中で、その善根の品目が様々である衆生の中で、その境遇の品目が様々である衆生の中で、その志願の品目が様々である衆生の中で、その深信の品目が様々である衆生の中で、その機根の品目が様々である衆生の中で、その時間の品目が様々である衆生の中で、その業の分類が様々である衆生の中で、その業の異同が様々である衆生の中で、その世界の分布が様々である衆生の中で、その境遇と修行と遊行、そしてその方策も様々である衆生たちの中で、その志願の達成が様々である衆生たちの海の中で、その機根の違いによって様々に清められており、その煩悩の潜在力〔習《じっ》気《け》〕によって気質〔随眠《ずいみん》〕が様々である衆生たちの中で、（要するに）ある限りの衆生たちの中で、多種多様な仏の神変を演じることによって、様々な言説（を発すること）によって、様々な音質や音声を発することによって、様々な経典を方便として演説することによって、様々な陀羅尼門の品目によって、様々な無礙の弁才の卓越さによって、様々な真理とよばれるものの海〔聖諦海〕の品目によって、様々な仏の雄牛の獅子吼によって、様々な衆生に善根を教える奇蹟を演じることによって、様々な門で憶念を詳説する神変によって、様々な菩薩に予言する獅子吼によって、様々な如来の法輪の（獅子）奮迅によって、周辺も中央もない説法会が、無限に区別され、互いに位置しあい、様々に浄化された広大な説法会が、微細な説法会の中に集合する。

あるいは一ヨージャナの大きさあるいは十ヨージャナの大きさ、そして、乃至、不可説数の仏国土の微塵の数に等しい世界（と同じ）大きさの説法会が、微細な説法会の中に集合するのだが、そのような説法会の中で、かの仏たちがあらゆる音質や音声や美声でもって、如来の言葉でもって語る法、そのすべてを善財童子は聴聞し、領受し、保持し、瞑想し、考察するのである。またその神変を眼にし、菩薩たちの三昧の雄牛の如き威力を眼にするのである。

そこで入定から覚め、意識を取り戻したその長者は、この三昧から出ると、善財童子に次のように語った。「私は、善男子よ、無礙の荘厳〔無礙荘厳〕という名の如来の解脱に没頭し、それを成就している。善男子よ、そういう私は無礙の荘厳なる如来の解脱に没頭しそれを成就しているから、東方のジャーンブーナダ・プラバーサヴァティー世界〔閻浮檀光世界〕にはターレーシュヴァラ・ラージャ〔星宿王〕と号する如来・応供《おうぐ》・正等覚が、ヴァイローチャナ・ガルバ〔明浄蔵〕菩薩を首座とするあらゆる菩薩の説法会とともに、私の視界に現れる。南方のサルヴァ・バラ・ヴェーガヴァティー世界〔諸力世界〕にはサマンタ・ガンダ・ヴィターナ〔普香〕と号する如来・応供・正等覚が、チンターラージャ〔心王〕菩薩を首座とするあらゆる菩薩の説法会とともに、私の視界に現れる。西方のサルヴァ・ガンダ・プラバーサヴァティー世界〔香光世界〕にはメール・プラディーパ・ラージャ〔須弥燈王〕と号する如来・応供・正等覚が、アサンガ・チッタ〔無礙心〕菩薩を首座とするあらゆる菩薩の説法会とともに、私の視界に現れる。北方のカーシャーヤ・ドヴァジャー世界〔聖服幢世界〕にはヴァジュラ・プラマルダナ〔自在神力無有能壊〕と号する如来・応供・正等覚が、ヴァジュラパダ・ヴィクラーミン〔自在勢〕菩薩を首座とするあらゆる菩薩の説法会とともに、視界に現れる。

北東の方向のサルヴァ・ラトナ・ルチラー世界〔一切楽宝世界〕にはアニランバ・チャクシュル・ヴァイローチャナ〔無所得境界眼毘盧遮那〕と号する如来・応供・正等覚が、アニランバ・スニルミタ〔無所得妙変化〕菩薩に率いられたあらゆる菩薩の説法会とともに、視界に現れる。東南の方向のガンダールチッヒ・プラバースヴァラー世界〔香焔光世界〕にはガンダ・プラディーパ〔香燈〕と号する如来・応供・正等覚が、サルヴァ・ダルマダートゥ・タラベーダ・ケートゥラージャ[4]〔一切の法界の地平の区別を旗の王とする〕菩薩に率いられたあらゆる菩薩の説法会とともに、視界に現れる。南西の方向のスーリヤ・ケーサラ・ニルバーサー世界〔普照慧日世界〕には、サマンタムカ・ジュニャーナ・ヴィローチャナ・ゴーシャ〔毘盧遮那普智声〕と号する如来・応供・正等覚が、サマンタ・クスマールチッヒ・プラランバ・チューダ〔普焔垂髻変現香華光〕菩薩に率いられたあらゆる菩薩の説法会とともに、視界に現れる。

西北の方向のガンダーランカーラ・ルチラ・シュバガルバー世界〔普清浄妙香荘厳蔵世界〕にはアプラマーナ・グナサーガラ・プラバ〔無量功徳海幢円満光〕と号する如来・応供・正等覚が、アサンガ・カーヤ・ラシュミ・テージョー・マティ〔無礙威力身智幢王〕菩薩に率いられたあらゆる菩薩の説法会とともに、視界に現れる。下方のラトナ・シンハーヴァバーサ・ジュヴァラナー世界〔獅子勝焔解脱光明世界〕にはダルマダートゥ・ヴィドヨーティタ・ラシュミ〔無礙法界幢具足智慧焔光〕と号する如来・応供・正等覚が、ダルマダートゥヴァルチル・ヴァイローチャナ・サンバヴァマティ〔法界智焔光明遍照〕菩薩に率いられたあらゆる菩薩の説法会とともに、視界に現れる。上方のラクシャナ・ルチラ・ヴァイローチャナー世界〔光明遍照次第出現世界〕にはアプラティハタ・グナキールティ・ヴィモークシャ・プラバ・ラージャ〔名称無辺無礙智慧円満光幢〕と号する如来・応供・正等覚が、アサンガバラ・ヴィーリヤマティ〔無礙精進力法界智幢王〕菩薩に率いられたあらゆる菩薩の説法会とともに、視界に現れる。

このようにして、善男子よ、これらの十如来を初めとして、十方の十の仏国土の微塵の数に等しい如来・応供・正等覚を私は見るのである。しかし、かの如来たちがここに来るのでもなく、また私がそこに行くのでもない。さらに私がそう願えば、そのときにはスッカーヴァティー世界〔安楽世界〕にはアミターバ〔阿弥陀〕如来を私は見る。チャンダナヴァティー世界〔栴檀世界〕には、ヴァジュラーバ〔金剛光明〕如来を私は見る。ガンダヴァティー世界〔妙香世界〕には、ラトナーバ〔宝光明〕如来を私は見る。パドマヴァティー世界〔蓮華世界〕には、ラトナ・パドマーバ〔宝蓮華光明〕如来を私は見る。カナカヴァティー世界〔妙金世界〕には、シャーンターバ〔寂静光〕如来を私は見る。アビラティー世界〔妙楽世界〕には、アクショービヤ〔阿閦《あしゅく》〕如来を私は見る。スプラティシュター世界〔善住世界〕には、シンハ〔師子〕如来を私は見る。アーダルシャナ・マンダラ・ニルバーサー世界〔善現円満光明世界〕には、チャンドラ・ブッディ〔月慧〕如来を私は見る。ラトナ・シュリーハンサ・チトラー世界〔宝師子荘厳世界〕には、ヴァイローチャナ〔毘盧遮那〕如来を私は見る。

このようにして、善男子よ、あらゆる方向にあるあらゆる世界において、いかなる如来であれ、私が見たいと願うならば、まさにその如来を私は見るのである。あらゆる(三)世におけるあらゆる所在において、あらゆる前世での修行において、いかなる如来であれ私が見たいと願うならば、さらにまたそれぞれの如来がいかなる神変に従事しているときであれ、いかなる衆生の教化に従事しているときであれ、いかなる如来であれ、私が見たいと願うならば、まさにその如来を私は見るのである。しかし、かの如来たちがここに来るのでもなく、また私がそこに行くのでもない。この私は、善男子よ、如来たちは何処からもやって来ないものだと知っているし、わが身体は何処にも行かないものだと知っている。

私は、如来たちが夢の如くに現れることを知っており、夢が私の心と同一の心のはたらきとして現れることを知っており、また如来たちが影に等しく現れることを、私の心が澄んだ水の容器として現れることを知っており、また如来たちが魔術で作られた色形のように現れることを、私の心が幻に等しく現れることを知っており、また如来の音声がこだまや山びこの反響のように現れることを、私の心がこだまに等しく現れることを知っているがゆえに、私は次のように通達し、次のように記憶する。即ち、あらゆる仏の法は菩薩たちの自己の心の堅い決意を基盤とするのである、と。(5)

またあらゆる仏国土の清らかさは自己の心の堅い決意を基盤とするのであり、あらゆる菩薩行は自己の心の堅い決意を基盤とするのであり、あらゆる衆生を成熟させ教化するのは自己の心の堅い決意を基盤とするのであり、あらゆる菩薩の誓願の成就は自己の心の堅い決意を基盤とするのであり、一切智者性の都城に到達するのは自己の心の堅い決意を基盤とするのであり、菩薩の不可思議な解脱の遊戯《ゆげ》は自己の心の堅い決意を基盤とするのであり、仏の菩提を正しくさとるのは自己の心の堅い決意を基盤とするのであり、普く法界に融合する雄牛の威力の神変は自己の心の堅い決意を基盤とするのであり、あらゆる劫が微細に融合することを知るのは自己の心の堅い決意を基盤とするのである、と。

善男子よ、私は次のように考える。自己の心こそあらゆる善根でもって支えられねばならない。自己の心こそ法の雲によって潤されねばならない。自己の心こそ諸々の障礙の事物から清められねばならない。自己の心こそ精進によって堅固にされねばならない。自己の心こそ忍耐によって鎮められねばならない。自己の心こそ智の証得へと導かれねばならない。自己の心こそ智慧によって清められねばならない。自己の心こそ諸々の無礙自在に到達させられねばならない。自己の心こそ仏との平等性にまで広められねばならない。自己の心こそ如来の十力によって照らされねばならない。

このようにして、善男子よ、私は無礙荘厳という如来の解脱を知り、獲得し、成就している。しかし私は次のような菩薩たちの行については知らないし、また彼らの功徳を語ることもできない。そういう菩薩たちとは、即ち、(一)無礙の心を有し、(二)無礙の在り方の境界を有し、(三)現在のあらゆる仏の現前が定着した三昧〔安住観察現在諸仏三昧〕を得ており、(四)完全な涅槃に入らずに究極に達する菩提の門の三昧〔不住涅槃際三昧〕を得ており、(五)三世の平等性に到達しており、(六)普く平らな地平の区別の三昧の境地の処方を知っており〔善知平等三昧境界之地〕、(七)あらゆる仏国土に整然と配分される身体を有し、(八)仏の区別なき境界に住んでおり、(九)あらゆる方向が現前する境界を有し、(一〇)何物からも顔を背けない智の輪によって観察する、という菩薩たちである。彼ら自身においてあらゆる世界の破滅と生成とが現れるのだから、彼らには自己においてであれ世界においてであれ二の観念は生じない。

行け、善男子よ。ここ南の地方にミラスパラナとよばれるジャンブ州の先端〔荘厳閻浮《しょうごんえんぶ》提頂《だいちょう》〕がある。そこにサーラドヴァジャ〔海幢《かいどう》〕という名の比丘が住んでいる。彼の下を訪れて、いかにして菩薩は菩薩行を学ぶべきか、勤修すべきかを尋ねなさい」

そこで善財童子は、長者の両足に頂礼して、長者の周りを幾百千回も右遶した後に、何度も何度も別れを告げて、長者の無数の徳を讃嘆し、思いをめぐらし、愛情をいだき、別れ難く、涙を流し、悲しみながら、善知識への愛情を感じつつ、善知識に帰依し、善知識の供養を願いつつ、善知識の命令に逆らうことなく、一切智者性は善知識に依存するのだと考察しながら、善知識につき従うことを強く願い、善知識を虚偽の心なく尊敬し、善知識の考えに従順に従い、善知識たちを、あらゆる有害なものから遠ざけてくれるがゆえに母だと思い、善知識たちを、あらゆる善根を産み出してくれるから父だと思って、その長者の下を去った。

第六章　サーラドヴァジャ比丘

そこで善財童子は、ムクタカ長者のかの教誡に思いをめぐらし、長者の訓誡を修めながら、菩薩の不可思議な解脱をたえず心にとどめ、菩薩の不可思議な智の光明をたえず心にとどめ、法界に深入する不可思議な洞察に通達し、菩薩たちの不可思議な集合の仕方〔菩薩普入門〕を洞察し、如来の不可思議な神変を考察し、仏国土の不可思議な集合〔普入仏刹〕を深く信じ、仏の不可思議な威神力の荘厳を熟慮し、菩薩の三昧と解脱との他からの区別を確定する不可思議な雄牛の威力を信仰し、世界の区分の不可思議な無障礙〔不可思議世界究竟無礙〕に深く入り、菩薩の行為のかの不可思議な堅い志願を修め、菩薩の行為と誓願のかの不可思議な奔流について行きながら、次第に〔南に下って〕、ミラスパラナとよばれるジャンブ州の先端に近づいた。

近づいてから、サーラドヴァジャ比丘を探すと、彼がある経行所《きんひんしょ》の歩廊の端に座り、呼吸を調え、全く動揺することもなく、心が錯乱することもなく、身体をまっすぐに立てて、三昧に入っているのが見えた。(過去の)記憶が現前し、不可思議な三昧の神変によって奇蹟を演じており、左からも右からもあるいは上方においても、その頭頂が仰ぎ見られないほどの不可思議な無量で無限の大きさの身体を現し、心刹那ごとに多種の色彩をもつその身体が無限数の多様性に変化するのを示現しているのであった。

このようにして彼が、深く、静かに、何ごとにも着手せず、何の知覚にも捉われずに、身毛を喜びで逆立たせて、三昧に入っているとき、そのすべての毛孔から不可思議な菩薩の解脱の神変が展開するのが見られた。というのも、彼がその解脱門の神変によって心刹那ごとにあらゆる法界に遍満するのも、無限に多種多様な神変でもって、あらゆる衆生を成熟させるためであり、あらゆる如来を供養することに専念するためであり、あらゆる仏国土を清浄にするためであり、あらゆる衆生の苦の集まり〔苦蘊《くうん》〕を取り除くためであり、あらゆる悪趣への道を根絶するためであり、あらゆる衆生が善趣へ入る門を開くためであり、あらゆる衆生の煩悩による苦悩を鎮めるためであり、あらゆる衆生の無知という障害を吹き飛ばすためであり、あらゆる衆生を一切智者性に安立させるためである。

彼の両足下からは、阿僧祇数の仏国土の微塵の数に等しい長者の集団が、多様な供養のためにお側に仕え、あらゆる世界に所属するあらゆる長者の姿に似せて、あり余るほどの衣を身に着け、種々の装飾で身体を飾り、多彩な頭冠や頭を飾る宝冠を被り、若者の姿をした従者を伴って現れ出るのが見られた。また家住期《かじゅうき》の婆羅門たちが、あらゆる種類の食物や飲物でもって、あらゆる味の要素を用意して、あらゆる装飾で、あらゆる衣で、あらゆる華で、あらゆる華鬘で、あらゆる香料で、あらゆる塗香で、あらゆる望みを叶える用意をして、あらゆる宝石で、あらゆる器で、あらゆる種類の容器で、あらゆる種類の器具で、貧しい衆生たちを摂取しながら、苦しんでいる世の衆生を元気づけ、衆生の願いを満足させ、衆生の志願を清浄にし、衆生を菩提に向けて成熟させながら、十方に遍満して行くのが見られた。

両膝頭からは、王族《クシャトリヤ》の賢者たちの姿が、婆羅門の賢者たちの姿が、世間の賢者たちの姿が、種々の技芸の名人たちの姿が、人間の運命に熟達した人々の姿が、世間および出世間の流儀や知識に熟達した人々の姿が、世間によって指導者だと認められた賢者たちの姿が、多様なそれぞれのみなりで、多様な体形と装飾で現れ出でて、優しい言葉を発しながら悲しんでいる衆生たちを喜ばせ、法の財をもたぬ衆生たちを援助し、苦しんでいる衆生たちを幸福にし、苦に落ち込んでいる衆生たちを救い上げ、乗物や舟が壊れた衆生たちを回復させ、恐れおののいている衆生たちを保護しながら、善根の声を鳴り響かせ悪を断ずる声を発しながら、衆生たちを善き法へと誘導することに専念し、利他行〔利行《りぎょう》〕に衆生たちを安住させ、歓喜の勢いを生じさせ、慈愛の言葉を発したり、世間と苦楽をともにしたり〔同事〕して四摂事を宣言しながら、十方に遍満して行くのが見られた。

臍輪《さいりん》からは、あらゆる衆生の数に等しい聖仙の集団が、あらゆる世の衆生の身体の形をして、皮衣や樹皮の衣をまとい、木の杖と水瓶をもち、多様な容貌で、多様なみなりをして、落ち着いた動作で現れ出でて、上方の空中から仏を讃嘆する言葉を発し、法の声を響かせ、仏の音声を流布させ、菩薩の僧団を示現させて禁欲の生活〔梵行《ぼんぎょう》〕を叙述し、諸感官の抑制に衆生たちを結びつけ、無自性の意味を説き明かし、智の意味に世間を安住させ、世俗の法典の規則に導き、一切智者の智に熟達する道や方法を指示し、衆生たちを順序よく務めに安住させながら、十方に遍満して行くのが見られた。

両脇からは、あらゆる世間で通用する数の龍の娘たちが不可思議な多数の身体の形をして現れ出でて、龍の不可思議な神変を演じて、不可思議な芳香の雲の飾りを空中につくりだし、不可思議な華の雲の飾りでもってあらゆる天穹を飾りたて、不可思議な華鬘の雲の飾りでもってあらゆる虚空界を荘厳し、不可思議な宝石の傘蓋の雲の飾りでもってあらゆる法界を覆い尽くし、不可思議な宝石の幢の雲の飾りと、多彩な宝石の飾りものの雲と、不可思議な雨の飾りと、不可思議な無限に大きな摩尼宝石の雲を雨降らす飾りと、不可思議な宝石の瓔珞や多彩な華の雲を雨降らす飾りと、不可思議な宝石の座に結跏趺坐する菩薩が仏法の雲を雨降らす飾りと、不可思議な天上の宝石の装身具の雲をつけたアプサラス天女の群が法の美しい合唱の響きの雲を雨降らす飾りと、不可思議な真珠の網で飾られた宝石の蓮華の高く突きでた華糸があらゆる最上の宝石の王の華粉の雲を雨と撒き散らす飾りと、あらゆる摩尼宝石で飾り立てられた不可思議な宝石の冠の雲が無限の光線の雲を雨降らす飾りと、不可思議な神々の身体の雲が華と華鬘と傘蓋と幢と幡の(雲を雨降らす)飾りと、不可思議なアプサラス天女の雲が体を起こし掌を蓮華のつぼみの形に合掌〔虚心合掌〕してつぼみの覆いが開くようにその掌から金色の華を撒き散らしてあらゆる如来の功徳をほめ讃える雲の轟きを雨降らす飾り、これらの飾りを天穹に化現しながら、あらゆる宝石の色彩をもつ芳香の厚い雲でもって、また立ち昇る香煙の霞の雲でもって、あらゆる如来の説法会を覆い、あらゆる世界の果てまで荘厳し、あらゆる衆生を歓喜させ、あらゆる仏を供養しつつ、刹那刹那に、あらゆる法界に遍満するのを善財童子は見た。

胸の卍形の巻毛からは、阿僧祇数の仏国土の微塵の数に等しいアスラの王たちが現れ出でて、不可思議なアスラの魔術による神変を演じて、大海を揺り動かし、百千の世界を震動させ、あらゆる霊峰の王たちを互いに衝突させ、あらゆる神々の宮殿を震動させ、あらゆる魔の軍勢を失望させ、あらゆる魔の軍勢を打ち破り、あらゆる世間の慢心や高慢を打ち砕き、邪悪な心を捨てさせ純真たらしめ、傷害の心に背を向けさせ、衆生たちの悪法を鎮め、煩悩の山を引き裂き、争いや戦いを鎮めながら、多様なアスラの魔術による神変の遊戯でもって衆生たちを身震いさせ、悪を恐れさせ、輪廻を怖がらせ、あらゆる輪廻転生の境遇から解放し、執着のない状態に落ち着かせ、衆生たちを菩提心に安住させ、菩薩たちの菩薩行を清浄にさせ、菩薩たちを諸波羅蜜に安住させ、菩薩の諸地に悟入させ、多様な法の方便をそれぞれに区分することによって菩薩たちに仏法の方便の光明を生じさせながら、心刹那ごとに、法界に遍満するのを善財童子は見た。

背骨からは、阿僧祇数の仏国土の微塵の数に等しい声聞と独覚の集団が現れ出でて、声聞と独覚(の二乗)でもって教化されるべき衆生たちのために、我に執着する衆生たちには無我性と無衆生性を説き、常見に執着する衆生たちには諸行無常性を明らかにし、貪欲のままに行動する〔貪行〕衆生たちには不浄観を、瞋恚《しんに》のままに行動する〔瞋行〕衆生たちには慈悲を、愚妄のままに行動する〔痴行〕衆生たちには此縁性《しえんしょう》縁起を説き、平均的な煩悩によって行動する衆生〔等分行者〕たちには智の領域にふさわしい法の方便を示現し、感官の対象に愛着する衆生たちには無《む》所依《しょえ》を語り、寂静に定住することを願う衆生たちには殊勝な誓願に喜びをいだかせて、あらゆる方向を一巡する門において、あらゆる法の方便の海を一巡する門において、あらゆる衆生を利益することを示現しながら、法界に遍満するのを善財童子は見た。

両肩先からは、阿僧祇数の仏国土の微塵の数に等しいヤクシャ〔夜叉〕とラークシャサ〔羅刹〕の王たちが現れ出でて、多様な姿の異形の身体をもち、多様な色合と背丈と横幅を有し、多様な動作の姿勢を選んで、多様な乗物に乗り込み、多様な従者たちに取り囲まれて、衆生界の守護に専念し、多様な光明で輝くことに専念し、多様な音声や騒音を響かせながら、多様な方便を成就することによって混乱することなく無区別に普く四方八方の空中に遍満し、あらゆる善行の衆生を守護するために、あらゆる聖なる説法会を守護するために、あらゆる菩薩を護持するために、正しく帰依し正しく実践するあらゆる衆生たちを守護するために、執金剛神《しゅうこんごうしん》の業でもって、あらゆる仏への奉仕や供養を調えるために、悪に落ちた衆生たちをあらゆる悪趣から引き戻すために、あらゆる世間のあらゆる病気を初めとする不幸の恐れを鎮めるために専念しており、衆生を利益することと世間を保護することを切望し、福徳と智との資糧の車輪を充分に満たし、法輪を回転させ、異教の師の(法)輪を折伏しながら、あらゆる法界に遍満しているのを善財童子は見た。

腹部からは、阿僧祇数の仏国土の微塵の数に等しいキンナラの王たちが、百千阿僧祇数のキンナラ王の娘たちに囲まれて、さらに阿僧祇数の仏国土の微塵の数に等しいガンダルヴァの王たちが、百千阿僧祇数のガンダルヴァ王の娘たちに囲まれ現れ出でて、百千阿僧祇数の天上の楽器の合奏で奏でられる法の本質と結びついた仏の讃嘆を響かせ、菩提心を明らかにし、菩薩行を讃え、あらゆる完全な菩提の門を讃嘆し、あらゆる法輪の門に深入し、あらゆる神変の門を楽しませ、あらゆる完全な涅槃の門を明らかにし、あらゆる仏の教訓の門を受け入れ、あらゆる衆生の門を喜ばせ、あらゆる仏国土の門を清浄にし、あらゆる法の門を明示し、あらゆる障害の門を離れさせ、あらゆる善根の門を生じさせながら、法界に遍満しているのを善財童子は見た。

口からは、阿僧祇数の仏国土の微塵の数に等しい転輪聖王たちが、七宝を具えた四軍に囲まれ現れ出でて、とても大きな施しの光線の荘厳を解き放ち、あらゆる宝石の山を投げ与え、あらゆる摩尼宝石の山を分け与え、貧者たちを裕福にし、世間を殺生から離れさせ、衆生たちを慈悲の心に安定させ、与えられないものを取ることをやめさせ、百千コーティ・ナユタ・阿僧祇数の美しく飾りたてた娘〔采女〕たちを捨施して邪淫を断ち、禁欲に安住させ、さらにまた妄語から離れさせ、約束を破らぬことを命じ、悪口から離れさせ、他との和解にふさわしい語を語らせ、世間を粗暴な言葉から離れさせ、心に適った柔和な言葉を語らせ、無益で法に適わない気ままな饒舌から衆生たちを離れさせ、深遠な意味の語句の分析と確定に結びつけ、世間をあらゆる言葉の過失から離れさせ、哀憐と結びついた言葉を語らせ、さらにまた世間における心の汚れを取り除かせ、衆生たちに少欲で満足することを命じ、世間を悪意から離れさせ、他人の心を澄明にすることに結びつけ、世間からあらゆる邪見の網を引き上げ、あらゆる疑念の壁を粉砕し、あらゆる疑惑の山を倒し、あらゆる疑いやためらいの闇を取り除き、法の探求を世間に課し、此縁性縁起を説き、自性の真実《サテイヤ》の方便《ナヤ》に衆生たちを結びつけ、あらゆる障害から離れさせ、障害なき道に悟入させ、仏の有益な道を明らかにしながら、十方の法界に遍満しているのを善財童子は見た。

両眼からは、阿僧祇数の仏国土の微塵の数に等しい数の百千倍もの日輪が現れ出でて、あらゆる大地獄を照らし出し、世間の大闇黒を取り除き、衆生たちの迷妄という闇を取り除き、寒冷地獄の不幸に落ちた衆生たちの寒冷の苦しみを鎮め、泥から成る国土〔垢《く》濁国土《じょくこくど》〕に純白色の光明を解き放ち、黄金から成る国土に瑠璃色の光明を解き放ち、瑠璃から成る国土に黄金色の光明を解き放ち、白銀から成る国土に黄金色の光明を解き放ち、黄金から成る国土に玻璃色の光明を解き放ち、玻璃から成る国土に黄金色の光明を解き放ち、黄金から成る国土に硨磲《しゃこ》色の光明を解き放ち、硨磲から成る国土に黄金色の光明を解き放ち、赤珠から成る国土に黄金色の光明を解き放ち、黄金から成る国土に赤

72

珠色の光明を解き放ち、瑪瑙から成る国土に黄金色の光明を解き放ち、黄金から成る国土に瑪瑙色の光明を解き放ち、帝青から成る国土に日蔵摩尼王色の光明を解き放ち、日蔵摩尼王でできた国土に帝青摩尼王色の光明を解き放ち、赤珠から成る国土に月光網蔵摩尼王色の光明を解き放ち、月光網蔵摩尼王でできた国土に赤珠色の光明を解き放ち、一つの宝石から成る国土に多様な宝石の色の光明を解き放ち、多様な宝石から成る国土に一つの宝石の色の光明を解き放ちながら、このようにしてあらゆる菩薩の説法会における無量の衆生たちを利益することに努めている日輪が、あらゆる法界に遍満しているのを善財童子は見た。

眉間の白毫からは、阿僧祇数の仏国土の微塵の数に等しい月の群が現れ出でて、あらゆる神々の王たちを圧倒し、あらゆる世界において愛欲にふけることから離れさせ、仏にまみえる喜びに向かわせながら、無量の衆生たちの教化に努めながら十方の法界に遍満しているのを見た。

額からは、阿僧祇数の仏国土の微塵の数に等しい大梵天たちが現れ出でて、威儀は寂《じゃく》静《じょう》にして梵音を発し、あらゆる仏に(説法を)勧請し、あらゆる仏を讃嘆し、あらゆる菩薩を喜ばせながら、無量の衆生たちを利益することに努めながら十方のあらゆる法界に遍満しているのを善財童子は見た。

頭からは、阿僧祇数の仏国土の微塵の数に等しい菩薩たちが現れ出でて、多様な色彩と形で装飾された身体を示現し、微細な随好によって変化に富んだ身肢を示し、周辺も中央もない光明の輪《マンダラ》の雲を解き放って、あらゆる仏たちの前世での菩薩行に関して、即ち種々の喜捨の方法による施主、受者、施物の雲をあらゆる毛孔から出現させ、種々の波羅蜜に励んでいる前世での修行の海を示し、世間に布施行を讃嘆し、慳貪《けんどん》という不浄から離れさせ、衆生たちにあらゆる執着を捨てるように命じ、威神力でもって世間を多様なあらゆる宝石の飾りで荘厳し、衆生たちを施波羅蜜に安住させて財自在(1)を確立させながら、あらゆる(仏の)相と徳を讃嘆し、仏の相の出現の原因を説いているのを見た。

さらにまた、阿僧祇数の仏国土の微塵の数に等しい菩薩たちが現れ出でて、戒波羅蜜を讃嘆し、あらゆる毛孔から(光明を放って)あらゆる仏たちが戒波羅蜜に励んでいる前世での修行の海を示し、あらゆる衆生たちにあらゆる世間の生存の境界から顔をそむけて如来の境界に顔を向けさせ、愛欲の世間を厭離《おんり》し、世間の誤謬を引き起こす眼病の膜を粉砕し、迷妄の分別を鎮めて菩薩の戒に安定させ、大悲の戒を讃嘆して如来の戒を取得させるために衆生たちを仏の道を修める戒に安住させ、生存の境涯が夢の如きものであると衆生たちに説き明かし、それが夢のようだと通達させるために、対象への執着と煩悩に対する自在に衆生たちを安住させているのを見た。

さらにまた、阿僧祇数の仏国土の微塵の数に等しい菩薩たちが現れ出でて、黄金の肌を世間に輝かせ、怒りなく悩みなく一切の邪悪が消滅した無礙なる心に衆生たちを安住させ、あらゆる畜生の境遇に落ちることを断ち切るために、あらゆる毛孔から(光明を放って)忍辱《にんにく》波羅蜜に励んでいる如来の前世での修行の雲を出現させ、忍辱力に衆生たちを安住させ、法自在に向けて衆生たちを照らしているのを見た。

さらにまた、阿僧祇数の仏国土の微塵の数に等しい菩薩たちが現れ出でて、無限の菩薩の精進力を示し、一切智者性が発揮する不退転の力によってあらゆる衆生が聞法《もんぼう》の海を求め続けて飽きないことを讃嘆し、あらゆる如来を供養し奉仕するよう衆生たちに命じ、あらゆる苦しみの集まりから離れるために大精進の努力に衆生たちを安住させ、あらゆる身体(の毛孔)から精進波羅蜜に励んでいる前世での修行の雲を出現させ、菩薩の精進波羅蜜の修行を示し、衆生たちの怠惰の山を粉砕し、衆生たちを精進波羅蜜に安住させ、世間を業自在に安定させ、威神力を揮っているのを見た。

さらにまた、阿僧祇数の仏国土の微塵の数に等しい菩薩たちが現れ出でて、衆生たちを菩薩の憶念の道に安住させ、あらゆる障害や妨げの暗闇を吹き飛ばし、衆生たちをあらゆる放逸や放埒《ほうらつ》から離れさせ、無放埒の法に安住させ、尊大や横柄や高慢の旗を引き倒し、仏の禅定の支分の海を説き、禅定波羅蜜を世間の人々に讃嘆し、あらゆる毛孔から禅定波羅蜜に励んでいる前世での修行の雲を出現させ、衆生たちを心自在に安住させながら、刹那刹那に法界に遍満しているのを見た。

さらにまた、阿僧祇数の仏国土の微塵の数に等しい菩薩たちが現れ出でて、あらゆる毛孔から仏法を求めることに励んでいる前世での修行の雲を出現させ、あらゆる音質の海の大音声で般若波羅蜜の雲を轟かせ、正しい見解の雷光を放ち、法の本質を咆哮する音声を響かせ、衆生たちの自我ありとの見解〔我見〕の山々を打ち砕き、あらゆる誤った見解の毒矢を引き抜き、疑惑や疑念や逡巡の暗闇を吹き飛ばし、信解自在を讃嘆しながら、心刹那ごとに法界に遍満しているのを見た。

さらにまた、阿僧祇数の仏国土の微塵の数に等しい菩薩たちが現れ出でて、あらゆる仏の巧みな方便の門の輪《マンダラ》を説き明かし、あらゆる毛孔から巧みな方便に励んでいる前世での修行の雲を出現させ、巧みな方便のための修行を世間に説き明かし、大乗の巧妙さを明示し、あらゆる仏の輪を讃嘆し、輪廻と涅槃とを区別しない菩薩行を示し、衆生たちを菩薩の巧みな方便の波羅蜜に安住させ、あらゆる菩薩の生自在の輪を世間に示しながら、発心(の刹那ごと)に法界に遍満しているのを見た。

さらにまた、阿僧祇数の仏国土の微塵の数に等しい菩薩たちが現れ出でて、あらゆる毛孔からあらゆる如来の名号の海の雲を轟かせ、あらゆる毛孔の輪からあらゆる菩薩の誓願波羅蜜の浄化に励んでいる前世での修行の雲を解き放ち、誓願波羅蜜を讃嘆し、あらゆる菩薩の諸々の自在に衆生たちを安住させ、未来の果てまで回転し続ける偉大な誓願の車輪があらゆる法を追い求め、あらゆる煩悩から離れ無明の山を粉砕することを世間に説き明かし、多様な誓願の神変によって心刹那ごとに法界に遍満しているのを見た。

さらにまた、阿僧祇数の仏国土の微塵の数に等しい菩薩たちが現れ出でて、菩薩の力を照らし出し、菩薩の力の完成を告げる大音声を放ち、力波羅蜜の完成を生じさせた前世での修行の雲をあらゆる毛孔の輪から出現させ、あらゆる魔や異教の師によって征服されない力を示し、あらゆる鉄囲山《てっちせん》と金剛の山が身体を踏みつけても壊されない力を説き明かし、あらゆる劫火災《ごうかさい》の火の海にとどまっても身体が傷つかない力を示し、空中にあらゆる世界の無辺の広がりを掌で支える力を所有することを示し、衆生たちを神通自在に安住させながら、心刹那ごとに法界に遍満して止むことがないのを見た。

さらにまた、阿僧祇数の仏国土の微塵の数に等しい菩薩たちが現れ出でて、衆生たちに智の輪《マンダラ》を明示し、智波羅蜜の浄化に励んでいる前世での修行の雲をあらゆる毛孔から解き放ち、あらゆる仏の功徳と智と神通力を具えた智の位を世間に説き明かし、あらゆる仏たることの標《しるし》である神通力を具えた智の位を示し、あらゆる誓願の成就を想起する神通力を具えた智の位を明らかにし、あらゆる衆生を摂取するという誓願の成就を知る神通力を具えた智の位を知らしめ、あらゆる衆生を無我と無自性へ悟入させる神通力を具えた智の位を知らしめ、あらゆる衆生の心の海を観察する神通力を具えた智の位を明らかにし、あらゆる衆生の機根を区別して知る神通力を具えた位を区別し、あらゆる衆生の道心と信仰を観察して知る神通力を具えた智の位を讃嘆し、あらゆる衆生の業の海を洞察する神通力を具えた智の位を開示し、あらゆる衆生の誓願の海を洞察して知る神通力を具えた智の位を示しながら、衆生たちを智波羅蜜に安住させながら、心刹那ごとに法界に遍満しているのを善財童子は見た。

頭頂の肉髻《にっけい》の間からは、阿僧祇数の仏国土の微塵の数に等しい如来の身体が〔現れ出でて〕、秀でた相好の清浄さによって飾られ、あたかも精錬されたジャンブ河産の黄金の山のようであり、無量の光り輝く光明の輪《マンダラ》はあらゆる十方を照らし出し、法界の真理に遍満する音声を発し、周辺も中央もない仏の神変を演じ、あらゆる世の衆生に無区別に法の雲を雨降らせる。

即ち、最高の菩提道場に座した菩薩たちには平等現前智という名の法の雲の雨を雨降らせ、灌頂位《かんじょうい》の菩薩たちには普門法界という名の法の雲の雨を雨降らせ、偉大な法の太子に即位した〔法王子《ほうおうじ》位《い》〕菩薩たちには入諸菩薩普荘厳門という名の法の雲の雨を雨降らせ、童子〔童真位《どうしんに》〕の菩薩たちには住堅固山大法智雲という名の法の雲の雨を雨降らせ、不退転〔不退位《ふたいい》〕の菩薩たちには普遍荘厳平等海蔵という名の法の雲の雨を雨降らせ、浄心〔成就正心位《じょうじゅしょうしんに》〕の菩薩たちには以金剛智普照境界という名の法の雲の雨を雨降らせ、方便具足位《ほうべんぐそくい》の菩薩たちには普摂衆生自性荘厳門という名の法の雲の雨を雨降らせ、生貴位《しょうきい》の菩薩たちには如来円満随順世間という名の法の雲の雨を雨降らせ、修行相応位《しゅぎょうそうおうい》の菩薩たちには演法本際悲愍世間という名の法の雲の雨を雨降らせ、初学〔治地位《じちい》〕の菩薩たちには積集法蔵《しゃくじゅうほうぞう》という名の法の雲の雨を雨降らせ、初発心《しょほっしん》の菩薩たちには普摂衆生平等荘厳という名の法の雲の雨を雨降らせ、広大信解の菩薩たちには如来願蔵無尽解脱という名の法の雲の雨を雨降らせ、色界に住む衆生たちには普門智無尽蔵という名の法の雲の雨を雨降らせ、梵衆天《ぼんしゅてん》の神たちには無量教声普門智蔵という名の法の雲の雨を雨降らせ、自在天の神たちには能生法力資具無尽蔵という名の法の雲の雨を雨降らせ、魔衆天《ましゅてん》の神たちには種種心幢勤求一切智という名の法の雲の雨を雨降らせ、化楽天《けらくてん》の神たちには浄念智宝住種種善軛という名の法の雲の雨を雨降らせ、兜率天の神たちには菩薩生意種種願宝幢という名の法の雲の雨を雨降らせ、夜摩天《やまてん》の神たちには随順如来浄念歓喜蔵という名の法の雲の雨を雨降らせ、神々の王シャクラたちの宮殿においては疾見如来出生荘厳愛楽蔵という名の法の雲の雨を雨降らせ、ヤクシャの王たちの宮殿においては見仏歓喜普遍法界如来神変蔵という名の法の雲の雨を雨降らせ、ガンダルヴァの王たちの宮殿においては一切如来集法音声《おんじょう》雲という名の法の雲の雨を雨降らせ、アスラの王たちの宮殿においては金剛智輪大法境界という名の法の雲の雨を雨降らせ、ガルダの王たちの宮殿においては無辺光明出生一切如来方便という名の法の雲の雨を雨降らせ、キンナラの王たちの宮殿においては一切如来饒益《にょうやく》世間殊勝智雲という名の法の雲の雨を雨降らせ、龍王たちの宮殿においては出生菩薩厭離龍趣種種神変歓喜幢という名の法の雲の雨を雨降らせ、マホーラガの王たちの宮殿においては愛楽《あいぎょう》速疾増長法という名の法の雲の雨を雨降らせ、人間の世界においては得一切衆生勝智慧法という名の法の雲の雨を雨降らせ、地獄の世界においては寂静音声生念荘厳という名の法の雲の雨を雨降らせ、畜生たちには随順如来具智慧蔵無悪業道声という名の法の雲の雨を雨降らせ、ヤマの世界の住人たちには不捨衆生出生如来波羅蜜声という名の法の雲の雨を雨降らせ、災難に落ちた衆生たちには寂静音声普遍安慰悉令衆生永離憂苦という名の法の雲の雨を雨降らせながら、あらゆる法界に遍満しているのを善財童子は見た。

さらにまた、あらゆる毛孔の一々からは阿僧祇数の仏国土の微塵の数に等しい光線の網の輪《マンダラ》が現れ出でて、(一々の光線の網が)阿僧祇バラ数もの色相の渦で荘厳され、阿僧祇数の種々の所作を現前させて、十方の法界に遍満しているのを見た。即ち、ある毛孔の光線の網の輪からは、無垢の布施の行のためにあらゆる自分のものを捨て去る神変を見た。ある毛孔の光線の網の輪からは、三世のあらゆる菩薩の持戒と禁制を遵守する様子の輪の神変を見た。ある毛孔の光線の網の輪からは、菩薩のあらゆる忍辱の行で特徴づけられた三世に亘る菩薩たちの、手や足や頭を切断されても耐える神変、身体を拳骨や棒で殴られ刀で切られても耐える神変、全身を裂かれ心臓や眼をえぐりとられても耐える神変を見た。また他の菩薩たちは、三世に亘る菩薩の種々に選択された肉体でもって、一切智者の法を求めるために、身体的、心理的苦しみやあらゆる肢体と身体の部分の切断さえも、大慈の心に抑制されて、忍耐し、怨念を鎮め、それを無視するのだが、このようなあらゆる菩薩の忍辱の行の神変が影像のように現れるのを見た。

ある毛孔の光線の網の輪からはあらゆる菩薩の精進の行の序列に従って配列された形で、過去、未来、現在の菩薩の神変を、即ち世界を震動させ、海を震わせ、衆生を興奮させ、あらゆる異教徒を恐れさせ、魔の軍勢を敗走させ、法の方位〔法界〕を照らし出す偉大な菩薩の勇猛な神変を見た。

ある毛孔の光線の網の輪からはあらゆる菩薩の遍歴修行のある限りの列挙を、即ち自己の身体的存在を得ること、（高貴な）家系に生まれることを得ること、色身を完成すること、善知識の教えを実践することに専念すること、如来の禅定に必要な要因を完成すること、ふさわしい精舎と宮殿と楼閣と国土と山の洞窟、三禅定に必要な要因を完成した聖者の身体、王としての君臨、出離をめざすこと、持戒を遵守する様子と威儀、これらのすべてを善財童子は見た。

ある毛孔の光線の網の輪からは〔菩薩たちが〕般若波羅蜜の行の境界にあって、あらゆる法の探求に励むための身体を獲得するのを見た。それらの身体でもって、一々の法句が、あらゆる衆生たちの下では一切の所有物を放棄することによって探求され、あらゆる善知識たちの下ではあらゆる奉仕や供養によって探求され、如来たちの下では深信と尊敬の念でもって身体を屈めることによって探求され、一つの法句においてと同様に般若波羅蜜と結びつくあらゆる法句が、あらゆる世間に生を受けて現れるあらゆる身体でもって探求される。これらのすべてを、善財童子は一々の毛孔の光線の網の輪から見た。

ある毛孔の光線の網の輪からはあらゆる菩薩たちが教化のための方便として衆生の種々なる境涯の海に遍満して、あらゆる衆生の摂取に励むのを見た。即ち、彼らは前世での〔衆生の〕身体をとることによって、あらゆる衆生に類似した身体で現れる接近の仕方でもって方便の巧みさを発揮しつつ、衆生の一人一人を摂取しているのを、一々の毛孔の光線の網の輪から見た。

ある毛孔の光線の網の輪からは過去の世尊の一切劫に亘る誓願を成就する行〔願波羅蜜〕、即ちあらゆる衆生の教化という誓願を成就しようとする行、あらゆる国土の浄化という誓願を成就しようとする行、そしてあらゆる誓願成就の輪《マンダラ》が如来たちのそれぞれの足下で成就されて、あらゆる輪廻の過失の一々の過失がすべて断ち切られること、これらのすべてを善財童子は一々の毛孔の光線の網の輪から見た。

ある毛孔の光線の網の輪からはあらゆる力波羅蜜の行に励んでいる前世での修行の海を見た。

ある毛孔の光線の網の輪からは智(波羅蜜の)行のためにあらゆる遍歴修行に励み、その身体は無知の眠りを眠っている衆生たちを目覚めさせている前世での修行の海を見た。

さて善財童子は、このようにして三昧に入って深く瞑想しているサーラドヴァジャ比丘を観察しながら、このような三昧の解脱の輪《マンダラ》を心にとどめ、その不可思議な菩薩の三昧の威力に思いをめぐらし、その不可思議な衆生利益の方便の海に悟入し、その不可思議な普き流れに直面する(無)作用の門〔不思議無作妙《みようゆう》用普荘厳門〕を心にとどめ、深く信じ、その法界の荘厳の清浄の智の門〔不思議荘厳法界清浄智〕に悟入し、その仏の不可思議な威神力を受け、智を完成し、菩薩の自在力を産み出し、菩薩の誓願力を堅固にし、菩薩の行の力を広大にしながら、サーラドヴァジャ比丘の面前で一昼夜をすごし、さらに二昼夜を、七昼夜を、半月を、二カ月をすごし、ついに六カ月と六昼夜を面前ですごした。その六カ月と六昼夜が経過した後、サーラドヴァジャ比丘はその三昧から出定《しゅつじょう》した。

た。

善財童子は語った。「これはなんとすばらしいことでしょうか。聖者よ、この三昧はかくも深遠であり、かくも広大であり、かくも量り知れない境界をもち、かくも不可思議な神変の荘厳をもち、かくも比類なき光明をもち、かくも無数の荘厳をもち、かくも克服し難き領域をもち、かくも区別なき境界をもち、かくも普く十方を照らす光明をもち、そしてこの三昧は衆生のためにかくも無量の利益をもたらします。なぜならこの三昧は、あらゆる衆生たちの無量の苦の集まりを鎮めるために現前します、つまり貧困と苦の集まりを鎮めるために現前するのであり、地獄の境遇を断ち切るために、畜生の境遇から救済するために、あらゆる不幸な境遇への門戸を閉鎖するために、天の境遇へ導くために、神と人間の喜びや幸福を産み出すために、禅定の境界の喜びを体験するために、有為転変の領域に属する幸福を助長するために、そして三界から出離する門を教えるために現前します。菩提心を引き起こす因を明らかにするために現前します。福徳と智の資糧を産み出す因を増大させるために、広大な大悲の勢いを増大させるために、大誓願の力を産み出すために、菩薩道の光明を獲得するために、偉大なるために、大乗への殊勝な悟入を成就するために、普賢(菩薩)の行と智を眼前に見るために、菩薩の地と智の光明を獲得するために、あらゆる菩薩の誓願と行とを成就する能力の荘厳と清浄に到達するために、一切智者の境界に踏み込む威神力のために現前しています。

聖者よ、この三昧の名は何と言うのでしょうか」

答えて言う。「善男子よ、般若波羅蜜は普眼の平等心を得る〔普眼捨得《ふげんしゃとく》〕とよばれ、この三昧は、その光明であり、普門清浄の荘厳〔清浄荘厳普門《しょうじょうしょうごんふもん》〕という名である。善男子よ、この普眼捨得なる般若波羅蜜の光明によって生じる清浄荘厳普門という名の三昧をよく修得することによって、清浄荘厳普門を初めとする十百千阿僧祇数にも満つる三昧が生じるのである」

問うて言う。「聖者よ、この三昧の境界の卓越性はそれだけなのでしょうか」

答えて言う。「善男子よ、この三昧に入定した者は、世界を識別する〔了知十方一切世界〕のに無礙自在であり(2)、世界に入り込む〔往詣十方一切世界〕のに無礙自在であり、世界を闊歩する〔入出十方一切世界〕のに無礙自在であり、世界を荘厳する〔荘厳十方一切世界〕のに無礙自在であり、世界を整える〔修治十方一切世界〕のに無礙自在であり、世界を浄化する〔厳浄十方一切世界〕のに無礙自在であり、仏にまみえて識別すること〔見一切仏普遍十方〕において無礙自在であり、仏の広大な威徳を考察する〔観一切仏広大威徳〕のに無礙自在であり、仏の神変を知る〔知一切仏遊戯神通〕のに無礙自在であり、仏の力に悟入し証得する

〔証一切仏甚深智力〕のに無礙自在であり、仏の徳の海に入る〔入一切仏大功徳海〕のに無礙自在であり、仏の法の雲を受け入れる〔受一切仏無量法雲〕のに無礙自在であり、あらゆる仏の法輪を転じる区別なき智を証得する〔知一切仏転妙法輪平等智性〕のに無礙自在であり、仏の説法会の海に悟入し深入する〔入一切仏道場衆海現神通力〕のに無礙自在であり、十方の世界に入って随順する〔随順十方一切諸仏所起妙行〕のに無礙自在であり、仏の説法を観察する〔観察十方一切諸仏演説妙法〕のに無礙自在であり、仏の方位を観察する〔普入十方一切仏刹咸起神通〕のに無礙自在であり、大悲によって十方を見捨てないこと〔大悲摂受十方衆生令其出苦〕において無礙自在であり、大慈によって十方に遍満する〔常起大慈充満十方興衆生楽〕のに無礙自在であり、仏にまみえるために十方に入って飽きることがない〔普見十方一切諸仏心無厭足〕のに無礙自在であり、あらゆる衆生の海に入り接近する〔普入十方一切衆生種種解海〕のに無礙自在であり、あらゆる衆生の機根の海を知り接近する〔普知十方一切衆生種種根海〕のに無礙自在であり、あらゆる衆生の能力の差異を知る〔普知十方一切衆生種種業海〕のに無礙自在である。

善男子よ、私はこの般若波羅蜜の境地は知っている。しかし私は、次のような菩薩たちの行については知らないし、彼らの功徳を語ることもできないし、彼らの境界を示すこともできないし、彼らの境界を現し出すこともできないし、彼らの偉大な誓願の力を讃嘆することもできないし、彼らの熟達の門を照らし出すこともできないし、彼らが成就したものを明示することもできないし、彼らの道を明らかにすることもできないし、彼らの三昧の流れに随順することもできないし、彼らの心の領域を知ることもできないし、彼らの智とその平等性を了解することもできない。そういう菩薩たちとは、般若波羅蜜の境地の海に入った菩薩たちであり、法界の領域にある覚知が浄化され、あらゆる法に赴くこと〔法趣〕に随順する智をもち、広大な覚知は無量の対象に遍満し、偉大な陀羅尼の光明を得て無礙自在であり、あらゆる三昧の輪の光明によって浄化され、神通による神変の威力を自在に発揮し、無尽の無礙智の海に入っており、大地が育む甘美な音声をもち、あらゆる世の衆生の帰依の対象となっている、このような菩薩たちである。

行け、善男子よ。ここ南の地方にサムドラ・ヴェーターディー〔海潮《かいちょう》〕とよばれる地方がある。そこにあるマハープラバ〔円満光〕という都城の東にサマンタ・ヴューハ〔普荘《ふしょう》厳《ごん》〕という名の園林がある。そこにスプラバ王〔妙円光王《みょうえんこうおう》〕の夫人で、アーシャー〔休捨《くしゃ》〕という名の優婆夷が住んでいる。その女性を訪れて、いかにして菩薩は、菩薩行を学ぶべきか、いかにして専念すべきかを尋ねなさい」

そこで善財童子は、サーラドヴァジャ比丘の面前で満足し、心高まり、狂喜し、歓喜し、欣喜と愉悦を生じて、堅固となり、法を生きる糧とし、三昧の領域に悟入し、光明を獲得して智は光り輝き、三昧の輝きを獲得し、深信の清らかさに通達して心は法の真理の光明に通達し、清浄門に通達した光明を有し、十方に充満する光明の智を得て、サーラドヴァジャ比丘の両足に頂礼して、幾百千回も右遶した後に、比丘に別れを告げて再び頂礼し、何度も何度も別れを告げては頭を地につけ、平伏し、手を合わせ、頭を垂れ、心を集中し、心に思い、瞑想し、修得し、感嘆の言葉を発し、讃嘆の言葉を発し、諸々の功徳を眼前に思い浮かべ、それに通達し、随順し、記憶し、堅固にし、捨て去ることなく、心に思い、離れることなく、誓願に悟入し、まみえることを願い、発言されたことを受持し、それを記憶しながら、心は陀羅尼に通達し、彼の名を記憶し、その顔色や容姿を思い起こしながら、彼の智の領域に思いをめぐらし、三昧の領域に悟入し、誓願の領域から逸脱することなく、修行の領域を考察し、智の光明を受けながら、その比丘の下を去った。

第七章　アーシャー優婆夷

そこで善財童子は、善知識の功徳を喜び、善知識に励まされ、善知識にお会いしたいという熱意に燃え、善知識の教えを理解し、善知識の言葉を思い起こし、善知識への敬愛に満ち、善知識こそ諸仏にお会いする根源であると考え、善知識は諸仏の法を説き明かす方であるとみなし、善知識は一切智者性の諸法における師であると認め、善知識は諸仏(が法界)の天空を(飾るのを)眺めるための眼になる方であると思いながら、次第にサムドラ・ヴェーターディー地方の普荘厳園にやって来た。

彼が見た普荘厳園は、あらゆる宝石から成る牆壁に囲まれていた。あらゆる宝石の木々が列をなして植えられているのがみごとであり、あらゆる宝石の並木から美しく微細な華粉が舞い降りていた。あらゆる宝石の木々に飾られ、あらゆる宝石の木々の華がすばらしい飾り華となって辺り一面を覆っていた。あらゆる香木の並木が芳香を普く十方に放ち、あらゆる宝石の華鬘(の実)が実る木々の宝庫からは、その垂れ下がる様々な宝石の華鬘が雨のように降り注いでいた。すべての摩尼王の木々から降った摩尼宝石製のすばらしい線条がちりばめられ、地面を飾っていた。すべての華開く如意樹から様々な色の衣が垂れ下がり、辺りを覆い、園内をほどよく分割していた。すべての音楽の木々から天上のものに優る楽器が風に吹かれて甘い音色を響かせていた。大地にでこぼこがなく平坦な地面が続いていた。あらゆる装身具が実る木々の宝庫から装身具がすばらしい雨垂れに変化して滴り落ちて、(園林を)みごとに飾り立てていた。

さらに、その普荘厳園には、十百千コーティもの高楼が建ち並び、あらゆる大きな摩尼宝石に飾られた尖塔がみごとであった。十百千の楼閣が建ち、その頂をジャンブ河産の黄金の覆いが覆っていた。十百千の宮殿が建ち、その内奥には毘盧遮那摩尼宝石が輝いていた。十百千の浴池があり、あらゆる種類の宝石からできていた。一面に宝石の煉瓦が敷き詰められ、七宝から成るすばらしい階段を具え、種々の摩尼宝石から成る欄楯に取り囲まれていた。(これらの浴池は)天上の栴檀の水から流れ出るような芳香を放ち、底面には黄金の砂が敷き詰められ、十種の妙なる摩尼宝石がちりばめられていた。四方に均整のとれた階段が付けられていた。(甘、冷、軟、軽など)八種の功徳を具えた水[1]が充満し、ハンサ、帝釈鴫《たいしゃくしぎ》、孔雀、郭公、カラヴィンカ、クナーラ鳥が(群れ集まり)甘い鳴声を鳴り響かせていた。(浴池は)宝石のターラ樹の並木に取り囲まれていた。上を覆う黄金の鈴の網が風に揺られて心地よい音色を響かせていた。その上には大きな摩尼宝石の天蓋が広げられていた。種々の宝石の木々が植えられた庭園に囲まれていた。高々と掲げられた傘蓋、幢、摩尼宝石の網が(浴池を)輝かせていた。また、十百千の池があり、カーラーヌサーリンという栴檀の泥が底に敷き詰められ、あらゆる宝石から成るすばらしい色彩の蓮華が水面を覆い、大きな摩尼宝石の蓮華が汚れのない水に映えていた。

そして、その園林の中央にヴィチトラ・ドヴァジャ〔荘厳幢〕という大宮殿があった。(その宮殿は)海蔵摩尼宝石の地面に(美しい)姿を現し、瑠璃摩尼宝石の柱に飾られ、頂はジャンブ河産の黄金の網に覆われ、表面には毘盧遮那蔵摩尼宝石が荘厳さを加え、床には無数の摩尼宝石が光り輝いていた。アジターヴァティ〔最勝〕という香中の摩尼王が辺り一面にたちこめており、アヌラチタという香中の摩尼王が薫香を放ち、ヴィボーダナ〔覚悟〕という香中の摩尼王が鋭い感官の持主のため残り香を撒き散らしていた。そして、その荘厳幢という大宮殿の中には、数え切れないほど多数の蓮華台の座がしつらえられていた。即ち、十方照耀摩尼宝石の蓮華台(の座)、毘盧遮那摩尼宝石の蓮華台(の座)、世間照耀摩尼宝石の蓮華台(の座)、妙蔵摩尼宝石の蓮華台(の座)、獅子の檻〔師子蔵）という摩尼宝石の蓮華台（の座）、離垢摩尼宝石の蓮華台（の座）、摩尼宝石に飾られた蓮華台（の座）、普門摩尼宝石の蓮華台（の座）、光厳《こうごん》摩尼宝石の蓮華台（の座）、安住大海蔵清浄摩尼宝石に飾られ、普く光線が照り輝く摩尼王の蓮華台（の座）、金剛師子摩尼宝石の蓮華台（の座）であった。

そして、その荘厳幢という大宮殿には、不可思議なほど多数の宝石ででき、すばらしい宝石に飾られ、不可思議なほど多色の光を放ち、喜ばしい形をした多くの尖塔があった。

そして、その普荘厳園の上は、十百千の大きな天蓋が覆っていた。即ち、衣の天蓋、木の蔓の天蓋、華の天蓋、華鬘の天蓋、香料の天蓋、摩尼宝石の天蓋、黄金の天蓋、装身具の天蓋、金剛光摩尼宝石の天蓋、アイラーヴァナという龍王の神変によって現された アプサラス天女たちの天蓋、インドラ神が身に着けた摩尼宝石の天蓋であった。これら十百千の天蓋が覆っていた。

また、十百千の大きな宝石の網が覆っていた。即ち、宝石をちりばめた鈴の網、宝石の傘蓋の網、宝石の円盤の網、海蔵真珠網、紺瑠璃摩尼宝石の網、獅子の蔓草（という宝石）の網、月長石（月光）摩尼宝石の網、香料の像の網、宝石の冠の網、宝石の瓔珞の網であった。これら十百千の大きな摩尼宝石の網が覆っていた。

また、十百千の大きな(宝石の)輝きに照らし出されていた。即ち、焔光摩尼宝石の輝き、日蔵摩尼宝石の輝き、月幢摩尼宝石の輝き、香焔摩尼宝石の輝き、勝蔵摩尼宝石の輝き、蓮華蔵摩尼宝石の輝き、焔幢摩尼宝石の輝き、大燈摩尼宝石の輝き、普照十方摩尼宝石の輝き、大きな薫香の雲から放出された稲妻の輪という摩尼宝石の輝きであった。これら十百千の大きな摩尼宝石の輝きによって、その大園林は常に照らし出されていた。

また、その大園林には、十百千の大きな装身具の雲から装飾品が雨のように降っていた。十百千のカーラーヌサーリンという栴檀の雲が妙なる音を鳴り響かせ、天上のものに優る十百千の大きな華鬘や紐の雲が美しく垂れ下がり、天上のものに優る十百千の様々な色のみごとな衣の雲から(すばらしい衣が)雨のように降り、天上のものに優る十百千の装身具の雲が美しく飾り、十百千の天子たちが(アーシャーに)まみえようとして、(雲から)頭を垂れ、身を屈めながら雨のように舞い降り、過去に修行をともにした十百千のアプサラス天女たちがそれぞれ自分の肉体を捨てながら、雲から雨のように舞い降り、十百千の菩薩たちが法を聴聞したいと渇望し、(アーシャーの所に)詣でるため、雲からその大園林に雨のように舞い降りた。

アーシャー優婆夷は、黄金をちりばめ、大きくてすばらしい座に座っていた。彼女は海蔵真珠網に飾られた冠をかぶり、天上のものに優る黄金の腕輪がその腕を飾り、吉祥なる身体の輝きという摩尼宝石が腕に輝き、紺青色で無垢の摩尼宝石の耳輪が耳から垂れ、大きな宝石の網が頭を美しく覆い、師子口摩尼宝石の耳あてをし、如意王摩尼宝石の瓔珞が首に掛かり、あらゆる宝石の網に覆われて、彼女の身体は光り輝いていた。百千コーティ・ニユタの生物が身を屈めて（彼女に）恭敬していた。

そこアーシャー優婆夷のもとに、無量の衆生たちが東の方からやって来る。即ち、（色界の初禅の）大梵天《だいぼんてん》、梵輔《ぼんほ》天《てん》、梵衆天、あるいは（欲界の）他化自在天《たけじざいてん》とその眷属、化楽天とその眷属、兜率天とその眷属、夜摩天とその眷属、神々の王（インドラ）と（その眷属である）三十三天（忉利《とうり》天《てん》）、あるいはヤクシャ王とヤクシャたち、ガンダルヴァ王とガンダルヴァたち、クンバーンダ王とクンバーンダたち、龍王と龍たち、アスラ王とアスラたち、ガルダ王とガルダたち、キンナラ王とキンナラたち、マホーラガ王とマホーラガたち、ヤマとヤマの娘たち、（罪障が軽くなり）神通力ある餓鬼と普通の餓鬼たち、人間の王と人間たちである。同様に、南、西、北、北東、東南、南西、西北、上、あるいは下の方角から（無量の衆生たちが）やって来る。即ち、大梵天、梵輔天、梵衆天、あるいは他化自在天とその眷属、乃至、人間の王と人間たちがやって来る。

彼らは、種々の病苦に冒され、種々の煩悩につきまとわれ、様々な邪見に執着し、業の障礙に満ちているが、アーシャー優婆夷を見るや否や、すべての病苦は治癒し、煩悩の汚れは心からなくなり、邪見の刺は抜け落ち、すべての(業の)障礙の山は崩壊し、無礙にして清浄な領域《マンダラ》に入るのである。そして、その清浄な領域において、あらゆる善根が温められ、あらゆる機根の芽が成長し、一切智者の智慧に通じるすべての海が一つに融合し、陀羅尼門に通じるすべての海が展開し、三昧門に通じるすべての海が現前し、一切(諸仏の)誓願門が生じ、一切(菩薩の)修行門が現れ、一切(如来の)功徳の成就門が清められる。彼らの心は広大となり、あらゆる神通力を用いて活動する。身体は無礙となり、あらゆる所に至ることができるのである。

さて、善財童子は普荘厳園に入り、辺り一面を眺めて、アーシャー優婆夷がすばらしい座に座っているのを見つけた。彼は、アーシャー優婆夷のいる所に赴いた。近づくと、優婆夷の両足に頂礼し、その周りを幾百千回となく右遶した後、次のように言った。「聖者よ、私は既に無上正等覚に向けて発心いたしております。しかし、そもそも菩薩はいかにして菩薩行を学ぶべきか、いかにしてそれを修めるべきか知りません。一方、聖者は菩薩たちに教訓と教誡を授けられると私は聞いております。どうぞ私に、いかにして菩薩は菩薩行を学ぶべきか、いかにしてそれを修めるべきかお教え下さい」

彼女は答えた。「善男子よ、私は、ただ憂いなき平安の旗印〔離憂安穏幢《りうあんのんどう》〕という菩薩の解脱を獲得しているだけです。善男子よ、私を見ることは虚しくありません。私(の教え)を聞くことは虚しくありません。私に奉仕供養することは虚しくありません。私と同じ所に住むことは虚しくありません。私を憶念することは虚しくありません。(しかし)善男子よ、未だ善根を植えず、善知識に扶助されず、正しいさとりに目覚めた(諸仏)に護念されない衆生たちの眼に、私は見えることも顕現することもありません。善男子よ、(私を)見るや否や、衆生たちは無上正等覚から不退転となります。

ところで、善男子よ、東方にいる如来たちがやって来て、この宝座に座り、私に法をお説きになります。東方と同様に、十方から(如来たちがやって来て、法をお説きになります)。(したがって)善男子よ、私は常に如来とまみえ、常にその法を聞き、常に菩薩と出会っています。善男子よ、この普荘厳園には八百四十万コーティ・ニユタの生物が住んでいますが、そのすべてが無上正等覚から不退転であり、私と修行をともにしています。善男子よ、また他の衆生たちもここに住んでいますが、彼らもみな無上正等覚から不退転であります。私と修行をともにする菩薩たちは、不退転者の集団《サンガ》に一緒に入る人々です」

〔善財は〕尋ねた。「聖者よ、あなたが無上正等覚に向けて発心されたのは、どれほど以前のことですか」

〔アーシャーは〕答えた。「善男子よ、私が過去世のことを憶念しますに、㈠ディーパンカラ〔然燈仏〕という如来・応供・正等覚がおられました。その如来の下で、私は禁欲の修行生活〔梵行〕を修めました。そして、私はその如来に供養し、彼から説法を受けました。㈡その後、ヴィマラ〔離垢〕という如来が出現されました。私は彼の教えの下に出家し、法輪を護持しました。㈢その後、ケートゥ〔妙幢〕という如来が出現されました。私は、彼にお仕えいたしました。㈣その後、メールシュリー〔勝須弥〕という如来が出現されました。㈤その後、パドマガルバ〔蓮華徳蔵〕という如来が出現されました。㈥その後、ヴァイローチャナ〔毘盧遮那〕という如来が出現されました。㈦その後、サマンタ・チャクシュス〔普眼〕という如来が出現されました。㈧その後、ブラフマ・シュッダ〔梵寿〕という如来が出現されました。㈨その後、ヴァジュラ・ナービ〔金剛臍〕という如来が出現されました。㈩その後、ヴァルナ・デーヴァ〔水天〕という如来が出現されました。善男子よ、このようにして、幾生涯もかけて、幾劫にも亘り、たえることなく次々と出現された諸仏に悟入し、諸々の如来・応供たちを憶念いたしますに、その次第相続のたえまがないゆえに、三十六流のガンジス河〔恒河〕の砂の数に等しい如来たちを私は思い起こすことができます。私はその如来たちにお仕えし、奉仕し、供養し、崇拝しました。彼らから説法を聞き、彼らの教えの下に禁欲の修行生活を修めたのでありますが。(しかし)善男子よ、このうえさらにどれくらいの数の如来たちに私がお仕えしたかは、如来たち(のみ)がごぞんじであります。

というのは、(一)善男子よ、菩薩の数は無量であり、(ある者は)ただ最初の発心だけによって、法界全体に遍満することができるほどです。(二)善男子よ、菩薩の数は無量であり、(ある者は)大悲心によって、すべての世の衆生の間に入りこむことができるほどです。(三)善男子よ、菩薩の数は無量であり、(ある者は)大誓願によって法界の地平の十方の極限にまで近づくことができるほどです。(四)善男子よ、菩薩の数は無量であり、(ある者は)大慈心によって、すべての世の衆生に遍満することができるほどです。(五)善男子よ、菩薩の数は無量であり、(ある者は)菩薩行によって、一切の国土に、一切の劫の間、普入することができるほどです。(六)善男子よ、菩薩の数は無量であり、(ある者は)三昧力によって、菩薩道から不退転となることができるほどです。(七)善男子よ、菩薩の数は無量であり、(ある者は)陀羅尼力によって、すべての世の衆生を護持する陀羅尼法に随順することができるほどです。(八)善男子よ、菩薩の数は無量であり、

（ある者は）智の光明の力によって、三世の智の道に随順することができるほどです。㈨善男子よ、菩薩の数は無量であり、（ある者は）神通力によって、一切の国土において、衆生たちの願いのままに、彼らが喜ぶ光の網の輪を出現させることができるほどです。㈩善男子よ、菩薩の数は無量であり、（ある者は）自由な弁才によって、一言話すだけですべての世の衆生を満足させることができるほどです。㈩一善男子よ、菩薩の数は無量であり、清浄な身体によって、一切の仏国土に自らの身体を遍満させることができるほどです」

善財は尋ねた。「聖者よ、あなたが無上正等覚をおさとりになるのは、どれほど先のことでありましょうか」

（アーシャーは）答えた。「善男子よ、菩薩というものは、一人の衆生を対象として、彼を教化し、成熟させるために菩提心を起こすのではありません。百人の衆生のために（菩薩心を起こすの）ではありません。千人の衆生、百千人の衆生、コーティ数の衆生、百コーティ数の衆生、千コーティ数の衆生、百千コーティ数の衆生、百千コーティ・ニユタ数の衆生のために菩提心を起こすのではありません(2)。

カンカラ数の衆生、ビンビラ数の衆生、プラヴァラ数の衆生、パラマ数の衆生、アヴァラ数の衆生、アシーナ数の衆生、アナウパミヤ数の衆生、ネーマ数の衆生、ヴィパーサ数の衆生、ムリガヴァ数の衆生、ヴィナーハ数の衆生、ヴィラーガ数の衆生、アヴァガマ数の衆生、ヴィヴァガ数の衆生、サンクラマ数の衆生、ヴィサラ数の衆生、ヴィジャンガ数の衆生、ヴィスロータス数の衆生、ヴィヴァーハ数の衆生、ヴィバクティ数の衆生、ヴィグダンタ数の衆生、トゥラナ数の衆生、アトゥラ数の衆生、ヴァラナ数の衆生、ヴィヴァラナ数の衆生、ヴァナ数の衆生、ヴィヴァルナ数の衆生、サーミヤ数の衆生、ナヴァラナ数の衆生、ヴィチャーラ数の衆生、ヴィサーラ数の衆生、ヴィアティアスタ数の衆生、アビウドガタ数の衆生、ヴィスリシュタ数の衆生、デーヴァラ数の衆生、パリベーダ数の衆生、ヴィクショーバ数の衆生、パリグンジャ数の衆生、ハリタ数の衆生、アーローカ数の衆生、インドリヤ数の衆生、ヘールカ数の衆生、ドゥルブダ数の衆生、ハルナ数の衆生、マールタ(māluta)数の衆生、マイルタ数の衆生、クシャヤ数の衆生、アクシャヤムクタ数の衆生、エーラター数の衆生、マールター数の衆生、マンドゥマー数の衆生、ヴィシャマター数の衆生、サマター数の衆生、プラマンター数の衆生、プラマルター数の衆生、アマントラー数の衆生、アンナマントラー数の衆生、サンガマントラー数の衆生、ヴィマントラー数の衆生、ヒマントラー数の衆生、パラマントラー数の衆生、シヴァマントラー数の衆生、エーラー数の衆生、ヴェーラー数の衆生、テーラー数の衆生、シャイラー数の衆生、ケーラー数の衆生、シラー数の衆生、シュヴェーラー数の衆生、ネーラー数の衆生、ベーラー数の衆生、セーラー数の衆生、ペーラー数の衆生、ヘーラー数の衆生、メーラー数の衆生、サラダ数の衆生、マールタ(māruta)数の衆生、メールタ数の衆生、ケールタ数の衆生、マールタ(māluta)数の衆生、ムルタ数の衆生、アジャヴァ数の衆生、カマラ(kamala)数の衆生、カマラ(kamara)数の衆生、アタラ数の衆生、ヘールヴァ数の衆生、ヴェールヴァ数の衆生、ジャーヴァカ数の衆生、ハヴァ数の衆生、ハヴァラ数の衆生、ビンバラ数の衆生、ビンバフラ数の衆生、チャラナ数の衆生、チャラマ数の衆生、パラヴァ数の衆生、ダヴァラ数の衆生、プラマダ数の衆生、ヴィガマ数の衆生、ウドヴァルタナ数の衆生、ニルデーシャ数の衆生、クシャヤ数の衆生、サンブータ数の衆生、ママ数の衆生、ヴァダ数の衆生、ウトパラ数の衆生、パドマ数の衆生、サンキャー数の衆生、ウパーガマ数の衆生、ガティ数の衆生のために(菩提心を起こすの)ではありません。

阿僧祇数の衆生、阿僧祇数の二乗《パリヴァルタ》の衆生、無量数の衆生、無量数の二乗の衆生、無辺数の衆生、無辺数の二乗の衆生、無限数の衆生、無限数の二乗の衆生、不可数の衆生、不可数の二乗の衆生、無比数の衆生、無比数の二乗の衆生、不可思議数の衆生、不可思議数の二乗の衆生、無辺数の衆生、無辺数の二乗の衆生、不可量数の衆生、不可量数の二乗の衆生、不可説数の衆生、不可説数の二乗の衆生、不可説不可説数の衆生、不可説不可説数の二乗の衆生のために(菩提心を起こすの)ではありません。

一世界に属する衆生たちのために、乃至、不可説不可説数の世界に属する衆生たちのために、四大州から成る世界の微塵の数に等しい世界に属する衆生たちのために、一千世界の微塵の数に等しい世界に属する衆生たちのために、二千世界の微塵の数に等しい世界に属する衆生たちのために、三千大千世界の微塵の数に属する衆生たちのために、乃至、不可説不可説数の三千大千世界の微塵の数に等しい世界に属する衆生たちのために、彼らを教化し、成熟させるために、菩薩は菩提心を起こすのではありません。そうではなくて、残りなく、余りなきすべての世界に属するすべての衆生たちのために、彼らを教化し、成熟させるために、菩薩は菩提心を起こすのです。

菩薩というものは、一仏にお仕えするために、即ち、お仕えし、知遇を得、供養し、奉仕するために菩提心を起こすのではありません。十仏にお仕えし、知遇を得、供養し、奉仕するために、乃至、不可説不可説数の世界の微塵の数に等しい仏にお仕えし、知遇を得、供養し、奉仕するために、菩薩は菩提心を起こすのではありません。一世界に属する仏の一族にお仕えし、知遇を得、供養し、奉仕するために、乃至、不可説不可説数の仏国土の微塵の数に等しい世界に属する如来の一族にお仕えし、知遇を得、供養し、奉仕するために、菩薩は菩提心を起こすのではありません。

一仏国土を清めるために、乃至、不可説不可説数の世界の微塵の数に等しい仏国土を清めるために、菩薩は菩提心を起こすのではありません。一如来の教えを護持するために、乃至、不可説不可説数の仏国土の微塵の数に等しい如来の教えを護持するために、菩薩は菩提心を起こすのではありません。一仏の(菩提に)出で立つ誓願の種々相に悟入するために、乃至、不可説不可説数の仏国土の微塵の数に等しい仏の(菩提に)出で立つ誓願の種々相に悟入するために、菩薩は菩提心を起こすのではありません。一如来の仏国土の荘厳に悟入するために、乃至、不可説不可説数の仏国土の微塵の数に等しい如来の仏国土の荘厳に悟入するために、菩薩は菩提心を起こすのではありません。一仏の説法会の広がりに悟入するために、乃至、不可説不可説数の仏国土の微塵の数に等しい仏の説法会の広がりに悟入するために、菩薩は菩提心を起こすのではありません。一如来の法輪を護持するために、乃至、不可説不可説数の仏国土の微塵の数に等しい如来の法輪を護持するために、菩薩は菩提心を起こすのではありません。

一衆生の心の海に悟入するために、乃至、不可説不可説数の仏国土の微塵の数に等しい衆生の心の海に悟入するために、菩薩は菩提心を起こすのではありません。一衆生の機根の輪を遍智するために、乃至、不可説不可説数の仏国土の微塵の数に等しい衆生の機根(の輪)を遍智するために、菩薩は菩提心を起こすのではありません。一衆生の機根の海に悟入するために、乃至、不可説不可説数の仏国土の微塵の数に等しい衆生の機根の海に悟入するために、菩薩は菩提心を起こすのではありません。

一世界における(成、住、壊、空の四)劫の次第に悟入するために、乃至、不可説不可説数の仏国土の微塵の数に等しい世界における(四)劫の次第に悟入するために、菩薩は菩提心を起こすのではありません。一世界に属するすべての衆生の所行の習性の帰趨に悟入するために、乃至、不可説不可説数の仏国土の微塵の数に等しい世界に属するすべての衆生の所行の習性の帰趨に悟入するために、菩薩は菩提心を起こすのではありません。一世界に属するすべての衆生の煩悩の海に悟入するために、乃至、不可説不可説数の仏国土の微塵の数に等しい世界に属するすべての衆生のすべての煩悩の海に悟入するために、菩薩は菩提心を起こすのではありません。一世界に属するすべての衆生のすべての業の海に悟入するために、乃至、不可説不可説数の仏国土の微塵の数に等しい世界に属するすべての衆生のすべての業の海に悟入するために、菩薩は菩提心を起こすのではありません。一世界に属するすべての衆生のすべての所行の海に悟入するために、乃至、不可説不可説数の仏国土の微塵の数に等しい世界に属するすべての衆生のすべての所行の海に悟入するために、菩薩は菩提心を起こすのではありません。

そうではなくて、残りなく、余りなきすべての衆生界を教化し、成熟させるために、菩薩は菩提心を起こすのです。すべての仏に残りなくお仕えし、知遇を得、供養し、奉仕するために、菩薩は菩提心を起こします。すべての世界に属するすべての仏の一族に残りなくお仕えし、知遇を得、供養し、奉仕するために、菩薩は(衆生済度の)誓願の意欲を生じます。すべての仏国土を残りなく清めるために、菩薩は求道心を堅固にします。すべての仏の教えを残りなく護持するために、菩薩は精進努力します。すべての如来の(菩提に)出で立つ誓願の種々相に残りなく随順するために、菩薩は逸《はや》る心を起こします。すべての如来のすべての仏国土の功徳の荘厳に残りなく悟入するために、菩薩は決意します。すべての如来の説法会の海に残りなく悟入するために、菩薩は意欲を生じます。すべての世の衆生の心の海に残りなく没入するために、菩薩は希求心を起こします。すべての衆生の機根の輪を残りなく遍智するために、菩薩は熱望します。すべての衆生の機根の海に残りなく悟入するために、菩薩は熱意を生じます。すべての世界における(四)劫の次第に残りなく悟入するために、菩薩は願望を生じます。すべての衆生の煩悩の習性の帰趨を残りなく断ずるために、菩薩は勇気を奮い起こします。すべての衆生の業と煩悩の海を涸れ干させるために、菩薩に大きな智の太陽が昇ります。すべての衆生の所行を残りなく遍智するために、菩薩に智慧の光明が出現します。すべての衆生の苦火の集まりを残りなく鎮めるために、菩薩には大きな慈悲の雲が起こるのです。

善男子よ、略していうと、これら十百千阿僧祇数もある菩薩行の方便の門を菩薩たるものは成就しなければなりません。また、善男子よ、(一切法の)智に随順するため、菩薩行は一切法と融合します。(一切の仏国土を)清めるため、菩薩行は一切の(仏)国土と融合します。善男子よ、私は次のような誓願をいだいております。欲界の浄化が成就して初めて、私の誓願は成就すべし。世界の浄化が成就して初めて、私の誓願は成就すべし。すべての衆生の煩悩の習性の帰趨と傾向性が尽きて初めて、私の誓願は成就すべし」

(善財は)尋ねた。「聖者よ、(あなたの)この解脱は何とよばれますか」

(アーシャーは)答えた。「善男子よ、これは離憂安穏幢という(菩薩の)解脱であります。善男子よ、私はこの菩薩の解脱一つを知るだけであります。どうして私に諸菩薩方の行を知り、功徳を語ることができましょうか。また、不可思議なる菩薩の学を明らかにし、広大無辺なる菩薩の諸種の誓願を示すことができましょうか。

というのも、かの菩薩方は、(一)海のように広い心をもち、一切の仏法を受け入れるからです。㈢須弥山のように、不動の優れた求道心をもつからです。㈢薬中の王スダルシャナのように、すべての衆生を煩悩の病苦から解放するからです。㈣太陽のように、すべての衆生の無明の闇を破るからです。㈤大地のように堅固な心をもち、すべての衆生が頼りとする依り所になるからです。㈥風のように、すべての世の衆生の利益をなすからです。㈦燈火のように、すべての衆生に智の光明を照らすからです。㈧雲のように、静かな声で適切な法を雨降らせるからです。㈨月のように、功徳の光の網を放つからです。㈩シャクラのように、すべての世間の人々の守護に従事しているからです。

行きなさい、善男子よ。まさにこの南の地方の海潮《かいちょう》地方にナーラユス〔那羅素《ならそ》〕という国があります。そこにビーシュモーッタラ・ニルゴーシャ〔毘目瞿沙《びもくくしゃ》〕という名の仙人が住んでおられます。善男子よ、その方があなたに菩薩行についてお教え下さるでありましょう」

そこで、善財童子は、アーシャー優婆夷の両足に頂礼し、彼女の周りを幾百千回となく右遶し、繰り返し(優婆夷を)見つめては、礼拝した。そして、㈠菩提の甚だ得難いことを思い、㈡善知識に仕える機会の得難いことを思い、㈢優れた人の知遇の得難いことを思い、㈣菩薩の機根の獲得に到達し難いことを思い、㈤菩薩の清浄な求道心の得難いことを思い、㈥修行をともにする友にめぐり会い難いことを思い、㈦正しく菩提に直面する心による瞑想のなし難いことを思い、㈧公正な法に導く教誡を実践し難いことを思い、㈨不壊の善心の実修し難いことを思い、㈩一切智者性への衝動を増大させる法の光明の甚だ得難いことを思い、涙を流して泣きながら、アーシャー優婆夷の下を去った。

第八章　ビーシュモーッタラ・ニルゴーシャ仙

そこで善財童子は、(アーシャー優婆夷の説かれた)菩薩の教誡に心を随順させ、菩薩行の浄化に心を随順させ、菩薩の功徳力を増大させようという心をもち、諸仏にお会いしたいという衝動に心を照らされ、法の秘宝を獲得したいという衝動を心に生じ、大いなる誓願を成就したいという衝動を心中に増大させ、一切法の方角に心を向け、諸法の本性(の光)に心を照らされ、一切の障害を取り除こうという心をもち、闇黒なき法界を観察しようという心をもち、ナーラーヤナ神の金剛宝によっても打ち砕くことができないほど(堅固で)無垢なる道心をもち、一切の魔の軍勢をもってしても近寄り難く、征服し難い(強固な)心をもちながら、次第にナーラユス国に近づいて、ビーシュモーッタラ・ニルゴーシャ(毘目瞿沙)仙を探し求めた。

さて、そのとき、毘目瞿沙仙《びもくくしゃせん》は、とある苦行者の森に滞在していた。そこは阿僧祇数の種々の木や蔓草の森ゆえに好ましく、様々な木の葉で覆われ、常に開華している種々の華樹が繁り、常に果実を実らせる果樹が茂り、様々な宝樹から(落ちた)大きな摩尼の果実が地上に撒き散らされていた。梅檀の大樹が美しく点在し、常に香りを放つ美しい沈香《じんこう》の木が彩りを添え、四方に点在する香(樹)が彩りを添え、四方に点在するパータリー樹が装飾をなしていた。榕樹の樹形は美しく、常に果実を実らせるジャンブ〔閻浮檀《えんぶだん》〕樹は(その実を)雨降らせ、咲きたての蓮池の黄蓮華、青蓮華、紅蓮華が彩りを添えていた。

善財童子は、毘目瞿沙仙が、一万人の(幼い)仙人たちに取り囲まれ、梅檀で屋根を葺いた庵の中に、結髪《けっぱつ》を頭上に載せ、毛皮とダルバ草の上衣と樹皮の下衣を身にまとい、草の敷物の上に座っているのを見つけた。見つけると、さらに毘目瞿沙仙のいる所に近づいた。

真実の善知識を得たいという願いをもって近づき、(一)善知識は真実道に導かれるから、一切智者性を生じる門であると考え、(二)善知識が一切智者性の位に導かれるから、一切智者性は彼の教えに依存すると考え、(三)善知識という船乗りが十力(を具えた仏)の智の宝島に導かれるから、一切智者性は彼に依存すると考え、(四)善知識は十力の智の光明を生じさせるから、一切智者性を照らし出す炬火《かがりび》であると考え、(五)善知識は不滅の一切智者性の城に到達させるから、一切智者性への道であると考え、(六)善知識は正邪を示されるから、一切智者性を照らす燈火であると考え、(七)善知識は一切の難所に対する恐怖を取り除かれるから、一切智者性への橋であると考え、(八)善知識は大慈の力の喜びを生じさせるから、一切智者性の傘蓋であると考え、(九)善知識は大悲を起こさせるから、一切智者性へかきたてる衝動であると考え、(一〇)善知識は法の本性への道《ナヤ》を照らし出されるから、一切智者性との出会いを増すのは彼に依存すると考え、(善財は)全身で(五体投地の)礼をした後、立ち上がった。

そして、毘目瞿沙仙の周りを幾百千回となく右遶した後、合掌して前に立ち、礼儀作法も快く、魅力的な言葉を発して、次のように言った。「聖者よ、私は既に無上正等覚に向けて発心いたしております。しかし、そもそも菩薩はいかにして菩薩行を学ぶべきか、いかにしてそれを修めるべきか知りません。一方、聖者は菩薩たちに教訓と教誡を授けられると私は聞いております。どうぞ私に、いかにして菩薩は菩薩行を学ぶべきか、いかにしてそれを修めるべきかお教え下さい」

そこで、毘目瞿沙仙は、(周りを取り囲む)一万人の童仙たちを見まわして、次のように言った。「童仙たちよ、この善男子は既に無上正等覚に向けて発心している。そして、すべての衆生を恐れをいだかせることなく呼び集めている。この善男子は、一切の衆生の利益と安楽のために奉仕し、智の海に直面している。一切の如来の法の雲のおかげを被ることを欲し、一切の法門の海に(衆生を)没入させようと欲し、大いなる智の光明の中にとどまることを欲し、大悲の雲を(衆生に)もたらそうと欲し、大いなる法の雨を降らせることを欲し、大いなる智の光明の月を世間に出現させ、一切の煩悩の熱悩を鎮めようと欲し、一切の衆生の善根を増大させようと欲している」

するとかの一万人の童仙たちは、様々な色をして大変美しく香りのよい華々を、善財童子の上に振り撒き、振りかけて、挨拶し、合掌し、五体投地して礼拝し、(善財の周りを)右遶した後、次のように述べた。「この方は救護者となり、一切の衆生の一切の地獄の苦しみを鎮めるでありましょう。一切の(衆生の)畜生道に生まれるのを断ち切り、一切の(衆生の)ヤマの世界へ進むのを連れ戻し、(八つの)不運な生まれ〔難処〕すべてに至る門扉を閉じ、渇愛の海を干上がらせ、渇愛の束縛を断絶し、苦しみの集まり〔苦蘊〕を押し戻し、無明の闇黒を破り、功徳の鉄囲山を立てて世間を囲み、智の宝石の鉱脈を指し示し、智の太陽を昇らせ、法の眼を洗い清め、正邪を世間のために明らかにするでありましょう」

すると、毘目瞿沙仙は、童仙たちに次のように語った。「童仙たちよ、およそ無上正等覚に向けて発心した人は、菩薩行を実践して、すべての衆生に安楽を生じ、やがては一切智者性を体得するものである。童仙たちよ、この善男子は既に無上正等覚に向けて発心している。(だから)仏の徳のすべての位〔仏功徳地〕を浄化するであろう」

そこで、毘目瞿沙仙は、善財に次のように語った。「善男子よ、私は無敵の旗印〔無壊《むえ》幢《どう》〕という菩薩の解脱を体得しているだけである」

善財は尋ねた。「聖者よ、その無壊幢という菩薩の解脱の境界はいかなるものでしょうか」

すると、毘目瞿沙仙は、右手を伸ばして善財童子を撫で、(彼の)右手をとった。善財童子は、毘目瞿沙仙に右手をとられるや否や、直ちに十方にある十百千の仏国土の微塵の数に等しい仏国土を見た。そして、そこで十百千の仏国土の微塵の数に等しい如来方の足下に自分がいるのを知った。その仏国土が阿僧祇数の様相により清らかに荘厳されているのを見た。そこの如来方の説法会の海が、様々な色で種々に荘厳されているのを見た。その説法会の海の中に如来方の身体が(三十二)相や(八十種)好により輝き、増大しているのを見た。さらに、(自分は)彼らの説く法を一語一字も疎かにせず聞き、それら如来方の法輪を互いに混同することなく受持し、様々な衆生の願いの中にそれらの法雲から(教えを)雨降らせることを望み、その如来方の種々の信解力に浄化された往昔の誓願の海に悟入しており、種々の誓願の海に浄化された仏(道)成就の海に悟入している(のを知った)。一方、一切の衆生をそれぞれの願いに応じて満足させるために示現する諸仏の姿〔色相〕を見た。その諸仏の光網から成り、様々な離欲のゆえに清らかな荘厳の輪《マンダラ》を見た。そして、(自分は)無礙の智の光明に随順して、諸仏の力に悟入している(のを知った)。

彼(善財)は、ある如来の足下に一昼夜いるのを知る。ある(如来の足下)には七昼夜、ある所には半月間、ある所には一カ月間、ある所には一年間、ある所には百年間、ある所には千年間、ある所には百千年間、ある所にはコーティ年間、ある所には百コーティ年間、ある所には千コーティ年間、ある所には百千コーティ年間、ある所にはコーティ・アユタ年間、ある所にはコーティ・ニユタ年間(いるのを知る)。ある所には半劫の間いるのを知る。ある所には一劫、ある所には百劫、ある所には千劫、ある所には百千劫、ある所にはコーティ劫、ある所には百コーティ劫、ある所には千コーティ劫、ある所には百千コーティ劫、ある所には百千コーティ・ニユタ劫、乃至、ある如来の足下には不可説不可説数劫の間いるのを知る。ある如来の足下には、ジャンブ州の微塵の数に等しい劫の間いるのを知る。乃至、ある所には不可説不可説数の仏国土の微塵の数に等しい劫の間いるのを知った。

(そのとき、善財は)無壊幢という菩薩の解脱の智〔無壊幢智慧法門〕に照らされ、普く照らす光の蔵という三昧〔毘盧遮那蔵三昧〕の光明を体得していた。無尽の智慧という解脱の三昧〔無尽智解脱三昧〕に伴われ、普き方角を捉える籠という陀羅尼門〔普摂諸方陀羅尼〕の光明を体得していた。金剛輪《マンダラ》という陀羅尼門〔金剛輪陀羅尼〕に心を照らされ、みごとに飾られた智の楼閣を対象とする三昧〔分別智慧楼閣三昧〕に住することを体得していた。普き地平を荘厳する道である般若波羅蜜〔普門際境界荘厳蔵般若波羅蜜〕に住することを目的とし、仏の虚空蔵の輪という三昧〔仏虚空蔵輪三昧〕の光明に包まれていた。一切の仏の法輪の縁という三昧〔一切仏法輪三昧〕に心を照らされて、三世の智の宝石の無尽の輪という三昧の光明〔三世無尽智三昧光明〕を体得していた。

そのとき、毘目瞿沙仙が善財童子の手を放すと、彼（善財）は再びまた毘目瞿沙仙の前に自分が立っているのに気づいた。彼に、毘目瞿沙仙は尋ねた。「善男子よ、覚えているか」

（善財は）答えた。「善知識の威神力により、覚えております」

（仙人は）語った。「善男子よ、私はただ無壊幢という菩薩の解脱を知るだけである。どうして私に、一切の世の衆生を優れた智と神通力とに悟入させる三昧を体得し、一切の時間の輪を自在に回転させ、仏の相と智とを実現するのに巧みであり、如来が入胎されるの日の顕現により荘厳され、三世の境界と一刹那の智のうちに融合し、一切の世界に身体がみごとに配分されており、一切の法界において照り輝く智を身体とし、一切の衆生の眼前にそれぞれの願いに応じて立ち現れ、それぞれの願いに応じたその所行の観察に従って衆生たちをもてなし、普く喜ばしい光を放ち、無垢にして広大に光り輝く智の輪により清浄である菩薩方の行を知り、その功徳を語ることができようか。その優れた誓願を示し、(彼らの仏)国土の形成を知り、その智の境界に没入し、その三昧の領域に到達し、その神通による変現に悟入し、その解脱の威力と遊戯神通に随行し、その身体の変化の諸相を把握し、その音声の輪《マンダラ》の浄化を現出させ、その智の光明を示現することができようか。

行け、善男子よ。まさにここ南の地方にイーシャーナ〔伊沙那《いしゃな》〕という国がある。そこにジャヨーシュマーヤタナ〔勝熱《しょうねつ》〕という婆羅門が住んでいる。彼の下を訪れて、菩薩はいかにして菩薩行を学ぶべきか、いかにしてそれを修めるべきか、尋ねよ」

そこで、善財童子は、満足し、感動し、喜び、歓喜し、喜悦と満足を生じ、毘目瞿沙仙の両足に頂礼し、彼の周りを幾百千回となく右遶し、繰り返し(仙人を)見つめた後、毘目瞿沙仙の下を去った。

第九章　ジャヨーシュマーヤタナ婆羅門

そこで善財童子は、(毘目瞿沙仙の説かれた)無壊幢という菩薩の解脱の智に照らされ、不可思議なる仏の境界の神変を直接知り、不可思議なる菩薩の解脱を神通力により直接知り、不可思議なる菩薩の三昧の智に心を照らし出され、一切の時に普入する三昧の智の輝きを獲得し、一切の観念と密接に融合する三昧の境界に照らし出され、一切の世の衆生の卓越した智の光明を獲得し、一切処《いっさいしょ》に随順する境界における活動に直面し、二者の弁別を離れ、(一切は)平等であると説く最高の智をもち、一切の対象に遍満する智の光明を有し、既に聴聞した一切(の法)に関する清らかな忍智に対する深信の宝庫によく通じており、諸法の本質に関する決定的な忍智を伴う智の光明を獲得し、一切処に随順し遍智する菩薩行の本質を修習《しゅじゅう》することから心が離れることはなく、一切智者性へ向かう強い衝動から心は不退転であり、十力(を具えた仏)の智の電光の輝きを獲得し、法界の妙音を追い求めて心が飽きることはなく、一切智者性に住する境界に悟入するための修行を心中に行ない、無限の菩薩行の荘厳を心中に成就し、無限の菩薩の大誓願の輪《マンダラ》を浄化する心をもち、無辺の世界の尽きることのない網に随順する智に心が直面し、無限の衆生海の教化と成熟から心がひるむことはなかった。

無限の菩薩行の境界を見、無限の世界における種々の境遇を見、無限の世界の種々の分布を見、無限の世界における微細なあるいは粗大な対象の内奥を見、無限の世界の基盤となる種々なる名称の網を見、無限の世界における言説、概念、通念の種々性を見、無限の衆生の種々の信解を見、無限の衆生の種々の分布を見、無限の衆生の教化と成熟に対する随順を見、無限の衆生のもつ方角と時間に関する名称の種々性を見、善知識たちに心を向けながら、次第にイーシャーナ国の中のジャヨーシュマーヤタナ〔勝熱〕婆羅門のいる所に近づいて行った。

さて、そのとき、勝熱婆羅門《しょうねつばらもん》は、一切智者性を対象として激しい苦行を行なっていた。彼の四囲には大きな火聚《かじゅ》が山ほど高く燃えあがっていた。(そして、傍には)刀の刃のように険しい道を具えたそびえたつ大山の断崖絶壁が見られた。

そこで善財は、勝熱婆羅門の両足に頂礼し、その前に合掌して立ち、次のように言った。「聖者よ、私は既に無上正等覚に向けて発心いたしております。しかし、そもそも菩薩はいかにして菩薩行を学ぶべきか、いかにしてそれを修めるべきか私は知りません。

ところで、聖者は菩薩たちに教訓と教誡を授けられるとお聞きしております。聖者よ、どうか私に、いかにして菩薩は菩薩行を学ぶべきか、いかにしてそれを修めるべきかお説き下さい」

(婆羅門は)答えた。「善男子よ、この刀の刃のように険しい道を具えた山に登り、この火坑《かきょう》に身を投げよ。そうすれば、汝の菩薩行は浄化されるであろう」

そこで善財は次のように考えた。(長寿天等の)八つの不運な生まれを逃れることはむずかしい。人身を得ることはむずかしい。(しかも、仏の出現する中原の地に)生まれる幸運〔無難〕をみごとに成就することはむずかしい。仏の出現に会うことはむずかしい。完全無欠の感官を具えることはむずかしい。仏法を聞く機会は得難い。優れた人の知遇を得ることはむずかしい。真の善知識は得難い。真理に適った教えを受けることはむずかしい。人間界において正しく生活することはむずかしい。法を教え通りに実践すること〔随法行〕はむずかしい。

どうか、この方が、私の善根を妨げるために行動を起こし、私の生命を断つために現れた魔ではないように。魔に支配された者、魔の眷属、善知識を装う者、あるいは偽りの菩薩でないように。私が一切智者性に向かって(修行するのを)妨げようとする者ではないように。私を邪《よこしま》な道に導こうとする者ではないように。私が仏法を証得するために法門を(学ぶのを)妨げようとする者ではないように。

彼がこのように一心に熟考しているとき、一万の梵天が真上の空中に立って、次のように言った。「善男子よ、そのような考えを固めるな。善男子よ、この聖者は、金剛焔《こんごうえん》三昧《ざんまい》の光明を獲得し、精進努力して不退転であり、多くの対象の済度《さいど》に取り組んでおり、一切の世の衆生から欲望を除去するために出現し、一切の邪見の網を引き裂くために努力し、一切の煩悩と業の薪を焼き尽くすために立ち上がり、一切の不運な生まれに対する無知の深い森を照らし出すために努め、一切の衆生が生死の断崖絶壁に対していだく恐怖を取り除くために心を固め、三世の闇黒を打ち破るために努力し、一切の法の光を放つために活動しているのである。

善男子よ、彼が(四方と上空との)五火の苦行(1)を行なうとき、(われわれ)種々の邪見に捉われ、自らを(世界の)創造主であり、支配者(自在天)であり、一切の世の衆生の中の最上者であると考える梵天たちはおよそみな、彼が立てた比類なく激しい苦行と禁戒の誓いの威力のゆえに、各自の宮殿にいて心楽しまず、(色界の初)禅定の喜びを味わうこともできず、この(婆羅門の)下へやって来るのである。

やって来たわれわれを神通力によって圧倒した後、この(婆羅門)は、激しい苦行と禁戒によって一切の邪見をわれわれから取り除き、一切の慢心と放逸とをわれわれから断滅するために法を説くのである。(われわれをして)一切の世の衆生に大慈と大悲を遍満させるために、菩提に向かう求道心を堅固にさせるために、広大なる菩提心を起こさせるために、一切諸仏を示現することに立ち向かわせるために、諸仏の音声の輪《マンダラ》を完全に獲得させるために、あらゆる所に鳴り響く諸仏の妙声を(聞くのに)障りなく無礙にさせるために法を説くのである」

また、一万の魔が真上の空中に立って、天上の宝石を(かの婆羅門の上に)振りかけた後、次のように言った。「善男子よ、彼が五火の苦行を行なうとき、この焔の塊から彼が光明を放つと、われわれの宮殿も身体を飾る装飾具もその輝きを奪われてしまう。(そこで)われわれはあわてふためき、従者たちを引き連れて、この(婆羅門の)下へやって来るのである。すると、彼は、やって来たわれわれに法を説いて、平常心を取り戻させ、菩提心を起こさせ、無上正等覚においてわれわれを不退転にするのである」

また、一万の(欲界の他化)自在天の王たちが天上の華々を(その婆羅門の上に)振りかけた後、次のように言った。「善男子よ、彼が五火の苦行を行なうとき、われわれは自分の宮殿にいて心の喜びを覚えない。(そこで)自分の一族や従者を引き連れて、この(婆羅門の)下へやって来るのである。彼は、やって来たわれわれが平常心を自在に支配し得るように法を説くのである。一切の煩悩を自在に支配し得るように、願いの通りの境遇に自在に生を受け得るように、一切の業の障害を自在にきれいに除去し得るように、一切の三昧に自在に入り得るように、(様々な)資具を自在に支配する力をみごとに完成するように、願いの通りの寿命を自在に得ることができるように法を説くのである」

また、一万の化楽天の王たちが真上の中空に立って、天上の音楽の器具を力強く、甘く鳴り響かせて(この婆羅門に)供養した後、次のように言った。「善男子よ、彼が五火の苦行を行なうとき、これらの火の頂から、その(火の頂の)形をした光明を放つと、われわれの天宮は熱せられ、清められ、一層明るく輝くようになる。われわれの装飾具も、アプサラス天女たちも同じである。天子やアプサラス天女の群に取り囲まれたわれわれも、今や五欲の対象において心の喜びを覚えない。欲望の楽しみに満足を覚えない。(だから)われわれは、身心ともに爽快な気分でこの(婆羅門)の下にやって来るのである。

彼は、やって来たわれわれの心を清らかにするために法を説く。心を光り輝かせるために、心を善良にするために、心を軽やかにするために、心に喜びを生じさせるために、十力の智をみごとに獲得させるために、偉大な法の威力を増大させるために身体を浄化し、無量の仏身を産み出すために言葉を浄化し、如来の妙声を獲得させるために心を浄化し、一切智者性を獲得させるために法を説くのである」

また、一万の兜率天の王たちが、天子やアプサラス天女の群に取り囲まれ、真上の中空に立って一切の香料や抹香を雲から雨降らせて、(この婆羅門に)供養し、礼拝した後、次のように言った。「善男子よ、彼が五火の苦行を行なうとき、われわれは自分の宮殿にいて心喜ばない。(だから)われわれは心楽しくないので、彼の下へやって来る。すると、彼はやって来たわれわれが一切の対象に無頓着になるように法を説くのである。心満足するように、善根を生じさせるように、菩提心を起こし得るように、乃至、一切の仏法を満たすように法を説くのである」

また、一万の夜摩天の王たちが、天子やアプサラス天女の群に取り囲まれ、天上のマーンダーラヴァの華〔曼陀羅華《まんだらげ》〕を(この婆羅門の上に)雨降らせた後、次のように言った。「善男子よ、彼が五火の苦行を行なうとき、われわれは天上の音楽の集いにいて、心喜ばない。(だから)われわれは心楽しくないので、彼の下へやって来る。すると、彼はやって来たわれわれが一切の欲望と快楽とを捨て去るように、乃至、一切の仏法を体得するように法を説くのである」

また、神々の王である十百千のシャクラ〔帝釈天〕が、それぞれ天子やアプサラス天女の群に取り囲まれた三十二人の神々たちとともに、天上の衣、宝石、装飾品、華を雲から(この婆羅門の上に)雨降らせた後、次のように言った。「善男子よ、彼が五火の苦行を行なうとき、われわれは自らの帝釈天宮《たいしゃくてんぐう》、遊園や遊林で、天上の楽器を打ち鳴らして音楽の集いを楽しむときでも、心喜ばない。（だから）われわれは心楽しくないので、彼の下へやって来る。すると、彼はやって来たわれわれの一切の欲望と快楽とを断つために法を説き、この一切は無常であり、変り易く、滅を本質とする、と言う。一切の慢心と放逸を断つために、無上の菩提に対する願いを増大させるために法を説くのである。

善男子よ、ところで、彼が見つめると、これら須弥山の頂は、すべて震動する。われわれは心が動揺し、恐れおののき、一切智者性に対する発心を堅固にするから、一切智者性を究めようという誓願を成就するのである」

また、アイラーヴァナ、ナンダ、ウパナンダ等の龍王を初めとする一万の龍たちが、真上の中空に来て、龍の娘たちが音楽を力強く、甘く鳴り響かせ、天上の香水が流れをなして放出される天上のカーラーヌサーリンという栴檀の雲によって、(天上の香水をこの婆羅門の上に)雨降らせた後、次のように言った。「善男子よ、彼が五火の苦行を行なうとき、この大きな火聚から放出された光明が、一切の龍の宮殿を照らし出し、砂の雨とスパルニン(2)〔金翅鳥《こんじちょう》〕の恐怖を取り除く。また、われわれが起こす怒りの心を鎮め、身体を爽快にし、清らかな信心を起こさせるのである。そこでこの(婆羅門)は、浄信を起こしたわれわれが劣悪な龍の境遇〔龍趣〕を嫌悪し、障害となる業をすべて断つように法を説く。(われわれの)過誤を説き示して、無上正等覚に向けて発心させ、一切智者性において確立させるのである」

また、一万のヤクシャの王たちが空中に立って、種々の供養によって、勝熱婆羅門と善財童子とに供養した後、次のように言った。「善男子よ、彼が五火の苦行を行なうとき、われわれの一族の者たちには、人間に対する慈悲心が生じる。また、一切のヤクシャ、ラークシャサ、クンバーンダたちも慈悲心を生じる。慈悲心をいだき、他人を傷つけ悩ますことのなくなった彼らは、われわれの下にやって来る。われわれもまた、今や慈悲心の力に圧倒されて、各自の宮殿にいて心の喜びを見出さない。（だから）われわれは、自分の従者たちに取り囲まれながら、この（婆羅門の）下へやって来るのである。すると、彼の身体から放出された光明が、やって来たわれわれを照らし出し、全身を心地よく包む。彼は多数のヤクシャ、ラークシャサ、クンバーンダ、カタプータナ〔極臭鬼〕が菩提心を起こすように、身心ともに快適なわれわれに法を説くのである」

また、一万のガンダルヴァの王たちが、真上の中空に立って、次のように言った。「善男子よ、われわれもまた自分の宮殿で暮らしていると、彼が五火の苦行を行ない、これらの火の頂から光明を放ち、われわれの宮殿を照らし出す。われわれはその光明に触れると、不可思議な快感に満たされて、彼の下へやって来るのである。（すると）この（婆羅門）は、やって来たわれわれが無上正等覚から不退転になるように法を説くのである」

また、一万のアスラの王たちが大海から現れ出て、空中に右膝をついて、合掌礼拝しながら、次のように言った。「善男子よ、彼が五火の苦行を行なうとき、われわれのアスラ世界は、すべて海も山も大地も震動する。そこで、われわれはみな、慢心、放逸、尊大な心を克服し、(彼の)禁戒と苦行に圧倒されて、彼の下にやって来る。(すると)彼は、やって来たわれわれが、すべての詭計《きけい》、奸計《かんけい》を捨てるように、深遠な法の忍智に悟入するように、不動の法性を確立するように、十力の智慧を完成するように法を説くのである」

また、マハーヴェーガ・ダーリン〔大力勇持〕というガルダ王を初めとする一万のガルダの王たちが、広大な男の子の姿をつくり出した後、次のように言った。「善男子よ、この(婆羅門)が五火の苦行を行なうとき、この火聚から光明を放って、われわれの宮殿を照らし出し、震動させる。われわれは不安と恐怖で心中恐れおののきながら、彼の下へやって来るのである。善男子よ、(すると)彼は法を説いて、われわれに大慈心を修めさせる。大慈心を授け、生死輪廻の海に没入させ、五欲の泥の中に沈んでいる衆生たちを救い出させ、菩提を願う求道心《ぐどうしん》の門の浄化に努めさせ、鋭い智慧と方便を修めさせ、熟達の度合に応じて、衆生の教化と成熟に努めさせるのである」

また、一万のキンナラが、真上の中空に立って、次のように言った。「善男子よ、この(婆羅門)が五火の苦行を行なうとき、風に揺られて、われわれの宮殿にあるターラ樹の並木から、鈴の網と宝石の帯紐に覆われた楽器の木々から、あらゆる楽器や器具、宝石の装飾品に満ちた住居の中の財物から、仏の声が流れ出る。法の声、不退転の菩薩たちの集団〔僧《サンガ》〕の声、(未学の)菩薩たちの(菩提に)出で立つ誓願の声が流れ出る。即ち、何某という世界と数えられる所で、何某という菩薩が菩提に向けて誓願を立てる。何某という世界と数えられる所で、何某という菩薩が困難な苦行を捨てる。何某という世界と数えられる所で、何某という菩薩が一切智者性の智の輪を清らかにする。何某という世界と数えられる所で、何某という菩薩が(菩提樹下の)菩提道場へやって来る。何某という世界と数えられる所で、何某という菩薩が軍勢を率いた魔を打ち破り、無上正等覚をさとる。何某という世界と数えられる所で、何某という如来が法輪を転じる。何某という世界と数えられる所で、何某という如来が仏のなすべき仕事を残りなくなしとげた後、(肉体という依り所も滅した)無余依涅槃界《むよえねはんかい》に完全に入る、と(いう声が)。

善男子よ、ジャンブ州にある草木、枝葉、華弁をすべて極微の大きさにまで砕いても、(その数に)限りはあるが、われわれの宮殿にあるターラ樹の並木から、乃至、あらゆる楽器や器具、宝石の装飾品に満ちた住居の中の財物から流れ出て、こだまし、耳に顕現する如来方の名称、菩薩たちの誓願、菩薩行をめざす優れた出立には(限りが)ない。

善男子よ、われわれは、仏、(法、菩薩の)集団〔僧〕(の声)、菩薩たちの出立の誓願、修行、名称の響きのゆえに、大いなる喜びの興奮で歓喜し、この(婆羅門の)下へやって来るのである。(すると)彼は、われわれの眷属のうちの多数の衆生が無上正等覚から不退転になるように、やって来たわれわれに法を説くのである」

また、とてもすばらしい容貌をした幾千無量の欲界の天子たちが、空中に立って、心的な供養によって(この婆羅門に)供養した後、次のように言った。「善男子よ、彼が五火の苦行を行なうとき、これらの火の頂から、そのような形をした光明を放つ。その光明は、アヴィーチ〔阿鼻《あび》〕(地獄)に至るまでのすべての地獄を照らし出して、地獄にいるすべての衆生の苦しみを終らせる。まさにその光明によって、彼はわれわれの眼に見えるようになるのである。われわれは彼に対して清らかな信心を起こした後、欲界の卓越した神々の集まりの間に生まれる。われわれは彼に恩義を感じるから、彼を見るだけでは飽き足らず、すべての欲望と快楽を打ち捨てて、彼の下にやって来る。すると彼は、無量の衆生が菩提に向けて誓願を立てるよう、やって来たわれわれに法を説くのである」

そこで、善財童子は、以上のようにこの法門を聞いて、歓喜踊躍し、狂喜し、満足し、楽しく愉快になって、勝熱婆羅門は真の善知識であると考えて、かの婆羅門の両足に頂礼した後、次のように言った。「聖者よ、善知識の命令に背いた私は、罪を罪として認めますので、お許し下さい」

そこで、勝熱婆羅門は、善財に次のような詩頌で話しかけた。

教えられた通りに、（師の周りを敬意を表して）右遶し、ひとえに心を傾けて、師の言葉を疑わない菩薩には、それゆえ、また、すべての吉祥なる事柄も成就する。そして、めでたく仏智を菩提（樹）の根元でさとる。

そこで善財童子は、その山の断崖絶壁にある刀の刃のように険しい道を登って行き、（山頂から）その大きな火聚に身を投げた。そして、彼が身を投げると、よく確立された〔善住〕という菩薩の三昧を獲得した。そして、火に触れると、寂静なる楽に通じた〔寂静神通《じゃくじょうじんずう》〕という菩薩の三昧を獲得した。（そこで）彼は次のように言った。「聖者よ、この火聚、そして、この山の断崖絶壁にある刀の刃のように険しい道に触れると快感を生じるとは、なんと不可思議なことでしょう」

彼（勝熱婆羅門）は、答えた。「善男子よ、私は無尽の輪《マンダラ》〔無尽輪《むじんりん》〕という菩薩の解脱を獲得している。善男子よ、私は無尽輪という菩薩の解脱を知っている。（しかし）火焰のように、すべての人々の煩悩と邪見とを焼き尽くそうという誓願を立て、不退転の旗印を立て、心は無尽であって、下劣でも臆病でもない菩薩たち、金剛から成るナーラーヤナ〔金剛蔵那羅延〕神のように、大きな対象を済度することに心がひるまず、しっかりと修行する（菩薩たち）、（須弥山世界を根底で支える）風輪のように、すべての人々の利
95
益のために努め、不退転の精進努力をし、不退転の鎧冑《よろいかぶと》を身にまとう（菩薩たちの）行をどうして私が知ることができようか。また、その功徳をどうして語ることができようか。行け、善男子よ。まさにここ南の地方にシンハ・ヴィジュリンビタ〔師子奮迅《ししふんじん》〕という都城がある。そこにマイトラーヤニー〔慈行《じぎょう》〕という乙女、シンハ・ケートゥ王の娘が五百人の娘に囲まれている。彼女の所に行って、尋ねよ。いかにして菩薩は菩薩行を学び、いかにしてそれを修めるべきかを」

そこで、善財は、勝熱婆羅門の両足に頂礼し、彼の周りを幾百千回となく右遶した後、勝熱婆羅門の下を去った。

第十章　マイトラーヤニー童女

そこで善財童子は、善知識の不可思議な境界に通暁し、広大な深信によって清められ、大乗に向かい、仏智を求め、仏徳〔法〕を集め、善知識への不断の随順を願い、法の境界を観察し、無礙の智に向かい、究極の真実をよく決定し、智の究極に開かれた境界にあり、三世の刹那の究極をさとり、虚空の究極に不二《ふに》に現前し、不二の究極の決定に至り、法界の究極を分別せずに暮らし、無礙の究極において教化されるべき者の洞察に入り、業の究極との無矛盾に専念し、如来の究極を無究極と究め、あらゆる仏の究極を分別しないで暮らし、あらゆる衆生の想念の網を破る智に専念し、あらゆる国土への執着を離れ、すべての仏の説法会において心に愛着なく、すべての清浄な仏国土において住しないで暮らし、あらゆる衆生において自我なく衆生なしとの想念をいだき、あらゆる音声を言語道の如しとさとり、すべての色形を色形の影像と知ることに専念し、次第にシンハ・ヴィジュリンビタという都城に近づき、マイトラーヤニー童女を捜し求めているとき、シンハ・ケートゥ王の娘のかのマイトラーヤニー童女が五百人の娘に囲遶され、ヴァイローチャナ・ガルバ〔毘盧遮那蔵〕宮殿の屋上に登り、ウラガサーラ〔龍勝〕栴檀製の脚がつき、金線の網で覆われ、天上の衣が敷かれた吉祥な座席に座って教えを説かれる、と聞いた。聞くと、さらにシンハ・ヴィジュリンビタ都城に入り、シンハ・ケートゥ王の住いに近づき、外の門の門口にマイトラーヤニー童女にお会いしたいと思いながら、立ちどまった。彼はそこへ幾百の人々、幾千の人々、幾百千の人々が入って行くのを見た。見て、彼は尋ねた。「あなた方はどこに行き、どこに来るのですか」

彼らは答えた。「マイトラーヤニーの下に、教えを聞くために行くのです」

ここに入っても誰も押し戻されはしない、とこう考えて彼は入って行った。入ると、彼は、ヴァイローチャナ・ガルバ宮殿が表面に水晶を敷きつめた地面に(建立され)ているのを見た。柱は瑠璃でき、壁は金剛から成り、ジャンブ河産の黄金でできた百千の楼上の尖塔の飾りを具え、無数の摩尼宝石で彩られた千宝蔵摩尼宝石の円鏡〔千宝蔵摩尼宝鏡〕がはめこまれ、人々に喜びをもたらす摩尼宝石で飾られ、無数の宝石の網で包まれ、百千の黄金の鈴が奏でる快い音色のする不思議な荘厳で飾られていた。また紺青の目をし、紺青の髪で黄金色の肌をしたかのマイトラーヤニー童女をも見た。

彼は彼女の両足に頂礼し、幾百千回となく右遶したうえで、合掌して立ち、次のように言った。「聖者よ、私は既に無上正等覚に向かって発心いたしておりますが、どのように菩薩は菩薩行を学ぶべきか、どのように修行すべきかわかりません。私は聖者が菩薩たちに教訓と教誡を授けられると聞きました。聖者よ、どうぞ私にどのように菩薩は菩薩行を学ぶべきか、どのように修行すべきか、お教え下さい」

（マイトラーヤニーは）答えた。「善男子よ、私の宮殿の荘厳をごらんなさい」

そこで彼はくまなく観察して、一つ一つの壁、一つ一つの柱、一つ一つの円鏡、一つ一つの形像、一つ一つの形態、一つ一つの摩尼宝石、一つ一つの黄金の鈴、一つ一つの宝樹、一つ一つの毛孔、一つ一つの宝石の瓔珞に、影像のあり方で法界にいる如来——初発心《しょほっしん》を発し、（菩薩）行と誓願の境界を現し、出離の荘厳を現し、正等覚の神変を現し、法輪を転じ、涅槃を示現している如来たちを見た。しかも一つの事物に（如来たちを見た）ように、同じようにすべての事物に（如来たちを見た）。たとえば、透明で澄み渡り、波の立っていない湖に、日月を含み、きらめく星群がちりばめられた虚空が影像として映るように、それとまったく同じように、毘盧遮那蔵宮殿の一つ一つの事物に、法界にいる如来たちが影像として映っていた。いうまでもなく、マイトラーヤニー童女の過去の善根から流れ出た結果として現れたのである。彼は観察して、その仏の顕現の荘厳の瑞相を心にとどめたまま、合掌してマイトラーヤニー童女の口元を見つめていた。

彼女は語った。「善男子よ、私は普き荘厳という般若波羅蜜の(法)門〔般若波羅蜜普荘厳法門《はんにゃはらみつふしょうごんほうもん》〕の転回を心得ています。そして、私はこの普き荘厳という般若波羅蜜の(法)門の転回を三十六のガンジス河の砂の数にも等しい如来方の下に求めてきました。それらの如来方は私にこの普荘厳という般若波羅蜜の(法)門の転回を、いろいろな(法)門へ導き入れることによって、理解させて下さいました。しかも、一人(の如来)が説かれた(方法)が第二(の如来)によって(説かれるといったこと)はありませんでした」

(善財は)問う。「聖者よ、この普荘厳という般若波羅蜜門の転回の境界はどのようなものでしょうか」

(マイトラーヤニーは)答える。「善男子よ、私がこの普荘厳という般若波羅蜜門の転回に向かい、思索し、追求し、考察し、省察し、様相化し、保持し、整理し、実現し、飾り上げ、探求しているとき、普門という名の陀羅尼〔普門陀羅尼〕が生じました。その陀羅尼の輪の中で、十百千阿僧祇数の法門が回転し、集まり、現前し、入り込み、とどまりました。

即ち、(一)仏国土の門、(二)仏の門、(三)法の門、(四)すべての衆生の門、(五)過去の門、

(六)未来の門、(七)現在の門、(八)究極に安住した〔常住際〕門、(九)福徳の門、(一〇)福徳の資糧の門、(一一)智の門、(一二)智の資糧の門、(一三)誓願の門、(一四)誓願の分別の門、(一五)行の門、(一六)行の清浄の門、(一七)行の集起の門、(一八)行の成就の門、(一九)業の門、(二〇)業と無矛盾の門、(二一)業の奔流の門、(二二)造業の門、(二三)業の対象の門、(二四)悪業を捨てる門、(二五)正業を行なう門、(二六)業の自在力の門、(二七)善行の門、(二八)善行に鼓舞する門、(二九)三昧の門、(三〇)三昧に随順する門、(三一)三昧の考察の門、(三二)三昧の境界の門、(三三)三昧から出で立つ門、(三四)神通の門、(三五)心の海の門、(三六)心の(種々の)考え方の門、(三七)心の蔓の浄化の門、(三八)心の闇黒を照らす門、(三九)心の湖を清澄にする門、(四〇)心の生起の門、(四一)心の考察の門、(四二)衆生の雑染《ぞうぜん》行の門、(四三)煩悩の薫習の門、(四四)煩悩の現行の門、(四五)深信の門、(四六)衆生の行ないの門、(四七)衆生の行ないの多様性の門、(四八)世間の生起の門、(四九)衆生の願いの門、(五〇)衆生の思いの門、(五一)方位の門、(五二)法の方位の門、(五三)大悲の門、(五四)大慈の門、(五五)寂静の門、(五六)言語道の門、(五七)真理《ナヤ》の門、(五八)証悟の門、(五九)分散の門、(六〇)合入の門、(六一)妨げられない究極の門、(六二)普門、(六三)仏法の門、(六四)菩薩法の門、(六五)声聞法の門、(六六)独覚法の門、(六七)世間法の門、(六八)世間の生成法の門、(六九)世間の消滅法の門、(七〇)世間の存続法の門、(七一)世界の清浄の門、(七二)汚染された世界の門、(七三)汚染されかつ清浄な世界の門、

(七四)清浄でかつ汚染された世界の門、(七五)完全に汚染された世界の門、(七六)完全に清浄にされた世界の門、(七七)世界の平坦な地表に随順する門、(七八)転倒した〔不平坦〕世界の門、(七九)逆倒した〔覆〕世界の門、(八〇)幻術〔帝釈網《たいしゃくもう》〕に入る門、(八一)世界の転回の門、(八二)安住の想念をいだく門、(八三)微細なものを粗大なものとさとる門、(八四)粗大なものを微細なものに入れる門、(八五)仏にまみえる門、(八六)仏身が多種である門、(八七)仏の光の網が多様である門、(八八)仏の音声の輪《マンダラ》の区分の門、(八九)仏の法輪を完成する門、(九〇)仏の無区別の法輪の門、(九一)仏の法輪を解釈する門、(九二)仏の法輪の転回を回転する門、(九三)仏の業をなす門、(九四)仏の説法会の門、(九五)仏の説法会の区分の門、(九六)仏の説法会の海に入る門、(九七)仏の力の照明の門、(九八)仏の三昧の門、(九九)仏の三昧による神変の門、(一〇〇)仏の暮らしの門、(一〇一)仏の威神力の門、(一〇二)仏の変化の門、(一〇三)仏が他の衆生の心を知る門、(一〇四)仏の神通による神変の門、(一〇五)兜率天の宮殿での居住の門を初めとし、涅槃を示現するに至るまでの門、(一〇六)無量の衆生の利益をなす門、(一〇七)深遠な法の真理の門、(一〇八)多彩な法の真理の門、(一〇九)菩提心の法という形の門、(一一〇)菩提心の生起という形の法門、(一一一)菩提心の資糧という形の門、(一一二)誓願という形の門、(一一三)行という形の門、(一一四)神通という形の門、(一一五)出離という形の門、(一一六)陀羅尼の清浄という形の門、(一一七)智の輪の清浄という形の門、(一一八)智慧の清浄という形の門、（二一九）菩提の無量という形の門、（二二〇）憶念の清浄という形の門です。

善男子よ、私はこの憶念による普荘厳という般若波羅蜜門の転回を知っています。しかし、菩薩方は、（一）心は虚空界と等しく、（二）智慧は法界のように広く、（三）（身心の）相続は福徳の資糧に支えられ、（四）出世間の道を行じ、（五）世間の法を行なわず、（六）眼病〔眼翳《がんえい》〕のない智の光明の眼を獲得し、（七）闇のないすべての法界を見通し、（八）覚知は虚空のように無量であり、（九）眼はあらゆる対象に注がれ、（一〇）無礙位の光明の蔵を具え、（一一）あらゆる法の意味と言葉の解明に通暁し、（一二）すべての世間の人々に圧倒されることなく、（一三）世間の行為の規則を考察し、（一四）すべての世間の境遇にいて過失なく、（一五）すべての世間の人々の利得のための行為に専念し、（一六）すべての世の衆生の庇護の場所であり、（一七）すべての世の衆生の言葉の表現法の規則を知り、（一八）すべての世（界）に居住することを願い、（一九）（衆生の）願いにあった教示を示し、（二〇）すべての時に（法）輪を自在に（回転）しています。（そのような菩薩方の）行を知り、功徳を語ることが私にどうしてできましょう。

行きなさい、善男子よ。この同じ南の地方にトリナヤナ〔三眼《さんげん》〕という名の国があり、そこにスダルシャナ〔善見《ぜんけん》〕という名の比丘が住んでいます。彼の下に行って尋ねなさい。菩薩は菩薩行をどのように学ぶべきか、どのように修行すべきかを」

そこで善財童子はマイトラーヤニー童女の両足に頂礼し、その童女の周りを幾百千回となく右遶して、何度も童女を仰ぎ見て、その童女の下を去った。

第十一章　スダルシャナ比丘

そこで善財童子は、深遠な菩薩智の考察に沈潜し、深遠な法界の基底の証悟に沈潜し、深遠な衆生の玄妙な智に沈潜し、世間の思いの深遠さに沈潜し、(業を)つくらない基底の深遠さに沈潜し、心の流れの基底の深遠さに沈潜し、縁起の基底の深遠さに沈潜し、本性としての真理《サテイヤ》の基底の深遠さに沈潜し、すべての人々の慣用の真理《サテイヤ》の基底の深遠さに沈潜し、法界を飾る荘厳の基底の深遠さに沈潜し、身体の機構の勢いによる流転の基底の深遠さに沈潜し、業によって多彩な世間の基底の深遠さに沈潜して、次第にトリナヤナ国に近づくと、国中を尋ねまわり、都城を尋ねまわり、都市を尋ねまわり、町中を尋ねまわり、村落を尋ねまわり、牧場を尋ねまわり、隠者の隠棲地を尋ねまわり、そここの場所を尋ねまわり、水路に沿って尋ねまわり、峡谷をたどって尋ねまわり、大森林の中を尋ねまわって、スダルシャナ比丘を探していたとき、彼はスダルシャナ比丘が、とある林の中で経行しているのを見つけた。

（その比丘は）若々しく、潑溂《はつらつ》とし、端正で、気品があり、見て快く、(一)髪は紺青色で右に渦巻き、(二)頭頂は傘蓋のようであり、(三)頭頂に肉髻があり、(四)額は広く、(五)眼は紺青色で切れ長で睫毛は牛のように（長く）、(六)鼻筋は魅力的で高く美しく通っており、(七)唇は朱のように色鮮やかで固く結ばれ、(八)歯は均等で隙間なく純白で四十本がみなそろい、(九)顎は獅子のようであり、(一〇)頬は豊かにふくらみ、(一一)眉は弓のように長く大変美しく、(一二)ティラカ(1)は月の色の白毫でできており、(一三)耳は長く豊かに垂れ下がり、(一四)顔は満月のように明るく、(一五)首は渦を巻いた貝のように美しく、(一六)胸は（ヴィシュヌ神のように）卍形の巻毛で飾られ、(一七)上半身は獅子のように（堂々とし）、(一八)両肩の間は厚く張り、(一九)肩先は充分に丸く盛り上がり、(二〇)腕は（長く）垂れ下がり、(二一)指は網で接合され、(二二)手足は（千輻《せんぷく》）輪《りん》の印をもち、(二三)手足は柔らかくしなやかで肉づきがよく、(二四)（両手、両足、両肩、首の）七個所に隆起があり、(二五)腰は金剛に似、(二六)身体は高くて姿勢がよく、(二七)腿はみごとに丸く張り、(二八)陰部は内部に隠され、(二九)脛は黒羚羊のように（しまり）、(三〇)指は長く、(三一)足の踵が大きく、(三二)（身体は）一尋の円光を（常に放ち）、(三三)皮膚は黄金色をし、(三四)身毛は一本ごとに右巻きに旋回し、(三五)（身体の周囲は）榕樹の王のように円（柱形）をし、(三六)身体は（その他の）相好を具備し、(三七)眼差しはまばたくことなく凝視し、(三八)平静な心を保ち、(三九)山の王なるヒマラヤのように、種々の草、森、薬草、蔓草で飾られ、(四〇)博識で、(四一)智の境界において(心が)惑わされることなく、(四二)音声の輪《マンダラ》の荘厳は大海のようで、(四三)心は動揺、慢心、妄想、戯論《けろん》をすべて離れ、(四四)智の境界は混じり合わず、(四五)広大な仏智の境界の照明を得、(四六)すべての衆生の成熟と教化の願いは中断されることなく、(四七)広大な大悲の輪《マンダラ》を生じ、(四八)すべての如来の法の指導法を保持するために、あらゆる衆生に智の光明を生じるために、如来の道に思いをこらし、すべての人々のために経行に入っており、早すぎもせず遅すぎもせず静かに堂々たる姿勢で経行しており、浄居天の神々のような衣をまとい、神々、龍、ヤクシャ、ガンダルヴァ、アスラ、ガルダ、キンナラ、マホーラガ、帝釈(天)、梵天、護世(神)、人と鬼神によって囲遶されていた。

さらに、そのスダルシャナ比丘が経行《きんひん》しているとき、(一)進行方向で回転する方位神は方位の輪《マンダラ》に従って回転し、(二)足を頂く神は順に下ろす(足)を宝石の蓮華で受けとめ、(三)無尽の光明の(光)輪に点火する神は闇や闇黒を払い、(四)ジャンブ州の森林神はおびただしい華の雨を降らせ、(五)不動の胎をもつ地神は宝石の鉱山を現しだし、(六)普く照明する光明の光輝をもつ虚空神は天穹を飾り、(七)女神シュリーから生じた海神は大きな摩尼宝石を振り撒き、(八)無垢の胎をもつ須弥山神は合掌して礼拝し、(九)妨げられることのない力をもつ風神は香料、薫香、華で満たされた風を吹かせ、(一〇)身体を美しく飾ったヴァーサンティー〔春和〕という夜の女神は身を屈めて礼拝し、(一一)常にめざめさせる(日)輪という(主)昼神は、光を生じるために(十)方を照らす摩尼宝石の幢を手にして、天穹に立っていた。

そこで善財童子は、スダルシャナ比丘(のいる方)に近づき、その比丘の両足の裏に額をつけ、その比丘の両足の裏に熱烈に口づけし、満遍なく口で触れたうえで、面前で合掌して立ち、次のように言った。「聖者よ、私は無上正等覚に向けて進み出て、菩薩行を探求しておりますが、私は聖者が菩薩たちに教訓と教誡を授けられると聞きました。菩薩はどのように菩薩行を学ぶべきか、どのように修行すべきか、それを聖者は私にお教え下さい」

か(の比丘)は答えた。「善男子よ、私は生まれの点では年少であり、出家としても初心者です。善男子よ、そんな私ですが、この一生をかけて三十八のガンジス河の砂に等しい(数の)如来の下で禁欲の修行を行ないました。私はある如来に仕えて一昼夜、禁欲の修行を行ない、ある(如来の下で)七昼夜、ある(如来の下で)半月、ある(如来の下で)一月、ある(如来の下で)一年、ある(如来の下で)百年、ある(如来の下で)千年、ある(如来の下で)百千年、ある(如来の下で)コーティ年、ある(如来の下で)コーティ・ニユ夕年、乃至、ある(如来の下で)不可説不可説数の年月、ある(如来の下で)中劫、ある(如来の下で)半劫、ある(如来の下で)一劫、乃至、私はある如来の下で不可説不可説数の劫の間、禁欲の修行を行ない、(各々の如来の下で)この同じ劫数をかけて、(一)すべての如来から説法を聴聞し、(二)教訓と教誡を受け、(三)誓願の荘厳を清浄にし、(四)成就された境界に入り、(五)(菩薩)行の輪《マンダラ》を清め、(六)波羅蜜の海を満たし、(七)菩提の神変を知り、(八)それらの(如来の)法輪の転回を相互に混同しないで保持し、(九)それらの(如来の)力の平等性に悟入し、彼らの教えを、正法《しょうぼう》の滅尽の果ての果てまで保持し、(一〇)私は自分の仏国土を清めるために、誓願の輪の三昧を実現する力によって、それらの如来すべての往昔の誓願を実現し、(一一)私は自分の行を清めるためにすべての行に入る三昧によって得た力によって、それらの如来すべての過去の菩薩行を実現し、(一二)私は、それらすべての如来の波羅蜜の清浄を普賢行による出離力によって実現しました。

善男子よ、さらにまた、このように経行しているとき、私には、(一)あらゆる方位の流れの門が智の門を充分に観察したことによってめぐってき、(二)あらゆる世界の流れの門が、不可説不可説数の世界を超出し清浄にするために、いうまでもなく大誓願を成就する力によって一発心のうちにめぐってき、(三)心の一刹那に、不可説不可説数の衆生の行ないの真理の門が十力の智を満たすために、普賢菩薩行の誓願を成就する力によって現前にめぐってき、㈣一発心のうちに、不可説不可説数の仏国土の清浄な光景が、不可説不可説数の仏国土の微塵の数に等しい如来に供養し、尊崇し、奉仕するために、前後の如来の供養の誓願を成就する力によって現前にめぐってき、㈤一発心のうちに、無数の法の理法をさとるために、法輪を保持する陀羅尼と誓願を成就する力によって、不可説不可説数の如来の法雲(の雨)を(自分の)志願の中に降らせ、㈥一発心のうちに、不可説不可説数の菩薩行の海があらゆる行の輪《マンダラ》を清浄にするために、幻術〔因陀羅網〕のような菩薩行を完成する誓願を成就する力によって現前にめぐってき、㈦一発心のうちに、すべての三昧の輪を清浄にするために、(各々の)一個の三昧の門とすべての三昧の門の合一の誓願を成就する力によって、不可説不可説数の三昧の海が現前にめぐってき、㈧一発心のうちに、あらゆる能力の輪と時の輪に随順するために憶念を究極とする能力の獲得の誓願を成就する力によって、不可説不可説数の能力〔根〕の海が現前にめぐってき、㈨一発心のうちに、あらゆる時に法輪を転じるために、終りのない衆生を尽くす誓願を成就する力によって、不可説不可説数の時の輪が現前にめぐってき、㈩一発心のうちに、あらゆる世界における(過去、現在、未来の)三世の区別のために、(区別を)証悟する智の光明の(獲得の)誓願を成就する力によって、不可説不可説数のすべての三世の海が現前にめぐってきました。

善男子よ、私は消えることのない智の燈火〔無尽燈《むじんとう》〕というこの菩薩の解脱を知っていますが、菩薩方は、(一)金剛のような志願をもち、(二)すべての如来の家という良き家柄に生まれ、(三)生命〔命根《みょうこん》〕をおびやかされず、(四)智の燈火は消えることなく、(五)身体は切断されもせず裂かれもせず、(六)幻のような色形を現し、(七)身体は縁(起)の法に等しい四肢や小部分から成り、(八)願い通りに人々に身体を知らしめ、(九)身体をすべての生物と同じ形、身、色、形態、身長、体格で示現し、(一〇)身体は火焔や毒や剣によって損なわれることなく、(一一)身体は金剛の如く堅く、鉄囲山のように破壊されず、(一二)すべての魔や対論者の力を無力にし、(一三)ジャンブ河産の黄金の山にも似ており、(一四)身体はすべての衆生(のそれ)を凌駕し、(一五)すべての衆生に知らしめる身体を具え、(一六)普門において(自らを)見せて聞き、(一七)あらゆる人々に顔を仰ぎ見られ、(一八)あらゆる教えの雲の源泉となり、(一九)普く(十)方を照らし、(二〇)あらゆる障害の山を砕くので見て快く、(二一)あらゆる不善根を完全に除去しているので最高の勇士として現れ、(二二)広大な善根から流れ出た結果であるので、(人々に)会うことを望まれ、(二三)最高に得難い出現であるから優曇波羅華《うどんはらげ》のような方々です。(その菩薩たちの)行を知り、功徳を語ることがどうして私にできましょう。

行きなさい、善男子よ。この同じ南の地方にあるシュラマナ・マンダラ〔円満多聞《えんまんたもん》〕国にスムカ〔妙門《みょうもん》〕という名の都城があり、そこにインドリエーシュヴァラ〔根自在主《こんじざいしゅ》〕という名の童子が住んでいます。彼の下に行って、問いなさい。菩薩は菩薩行をどのように学習したらよいか、どのように修行したらよいかを」

そこで善財童子は菩薩の勇往邁進する行道の浄化に専念し、菩薩の力の光明で心が照明され、敵によって征服されない菩薩の無敵(で堅固)な心を具え、菩薩の堅い誓願の甲《かっ》冑《ちゅう》のおかげで心は畏縮することなく、菩薩の志願を堅く守り、増強することに没頭し、菩薩行の雲の保持と維持を願い、菩薩の法雲(を求めて身心の)相続が飽きることなく、あらゆる菩薩の功徳の悟入に向かう誓願を保ち、自己を捧げてすべての生あるものの調御者、摂取者たろうと願い、あらゆる人々を大きな輪廻の森林、荒野を通過させようと願い、善知識にまみえ、聴聞し、奉仕することに倦むことなく、無量の法に対する尊崇心を生じ、スダルシャナ比丘の両足に頂礼し、彼の周りを幾百千回となく右遶して、何度も仰ぎ見て、彼の下を去った。

第十二章　インドリエーシュヴァラ童子

そこで善財童子は、スダルシャナ比丘のかの教誡を熟考し、専念し、傾倒し、探求し、開顕し、修習し、讃美し、明示し、洞察し、接近し、崇敬し、その教えの真理を考察し、没入し、入り、転回し、結合し、開示し、顕示し、見究めながら、神々、龍、ヤクシャ、ガンダルヴァの従者を伴い、次第にシュラマナ・マンダラ国のスムカ都城に近づき、インドリエーシュヴァラ童子を探しまわっていると、彼の頭上で中空にいる神、龍、ヤクシャ、ガンダルヴァが告げた。

「善男子よ、インドリエーシュヴァラ童子は河の合流点近くで、一万人ほどの童子に囲まれて砂遊びで遊んでいます」

そこで善財童子は、スムカ都城の河の合流点近くに近づき、彼はインドリエーシュヴァラ童子が一万人ほどの童子に囲まれて砂遊びで遊んでいるのを見た。見て、さらにインドリエーシュヴァラ童子の下に近づき、その童子の両足に頂礼し、童子の周りを幾百千回となく右遶して、童子の面前に合掌して立ち、次のように言った。「聖者よ、私は無上正等覚に発心いたしておりますが、菩薩は菩薩行をどのように学ぶべきか、どのようにに修行すべきかわかりません。私は聖者が菩薩に教訓と教誡を授けて下さると聞きました。聖者は菩薩が菩薩行をどのように学ぶべきか、どのように修行すべきか、それを私にお教え下さい」

(童子は)答えた。「善男子よ、私は法王子である文殊師利が書き方、数、計算、枚挙の方法を教えて下さいましたので、あらゆる技術の神通という智の門〔一切工功神通智門〕に入りました。ですから私は、善男子よ、世間における文字、名称、数、枚挙、計算、解法の知識、種々の技術の知識、生理学、毒を消す方法、肺病、癲癇《てんかん》、悪霊や餓鬼の憑依の除去法、村落、都城、町、都市、遊園、苦行林、居住地の造営の知識、異なった壁、露台、丸窓、屋上の部屋の設計の知識、種々の機械の働きや馬車の扱い方の知識、安穏、難儀、危険、安全の前兆の知識、農耕の営みや商売の業務の方法の知識、衆生の四肢の動きや各細部の副次的な動きや表情の微細な動きの知識、善趣と悪趣への業の道の浄化に適合した知識、善と不善の法と教団への供養についての知識、善趣と悪趣の資糧の知識、声聞(乗)と独覚乗の資糧の知識、如来の位〔如来地〕の資糧の知識、原因や作用や適用の取扱いの知識、それらのすべてを私は知っています。そして、私はそれら(の知識)

を衆生たちにわからせ、さとらせ、与え、学習させ、実践させ、確実にさせ、確固とさせ、成就させ、実現させ、完遂させ、卓越させ、増大させ、特徴づけさせ、究めさせ、浄化させ、無垢にさせ、清浄にさせ、清く輝かせ、広大にさせます。ですから、私は、善男子よ、菩薩の算法を知っています。

それはどのようなものかというと、百千の百(倍)はコーティ、コーティのコーティ(倍)はアユタ、アユタの二乗はニユタ、ニユタの二乗はビンバラ、ビンバラの二乗はキンカラ、キンカラの二乗はアガラ、アガラの二乗はプラヴァラ、プラヴァラの二乗はマパラ、マパラの二乗はタパラ、タパラの二乗はシーマ、シーマの二乗はヤーマ、ヤーマの二乗はネーマ、ネーマの二乗はアヴァガ、アヴァガの二乗はムリガヴァ、ムリガヴァの二乗はヴィラーガ、ヴィラーガの二乗はヴィガヴァ、ヴィガヴァの二乗はサンクラマ、サンクラマの二乗はヴィサラ、ヴィサラの二乗はヴィバジャ、ヴィバジャの二乗はヴィジャンダ、ヴィジャンダの二乗はヴィショーダ、ヴィショーダの二乗はヴィヴァーハ、ヴィヴァーハの二乗はヴィバクタ、ヴィバクタの二乗はヴィカタ、ヴィカタの二乗はダラナ、ダラナの二乗はアヴァナ、アヴァナの二乗はタヴァナ、タヴァナの二乗はヴィパリヤ、ヴィパリヤの二乗はサマヤ、サマヤの二乗はヴィトゥールナ、ヴィトゥールナの二乗はヘートゥラ、ヘートゥラの二乗はヴィチャーラ、ヴィチャーラの二乗はヴィアティアスタ、ヴィアティアスタの二乗はアビウドガタ、アビウドガタの二乗はヴィシシュタ、ヴィシシュタの二乗はニランバ、ニランバの二乗はハリタ、ハリタの二乗はヴィクショーバ、ヴィクショーバの二乗はハリタ、ハリタの二乗はハリ、ハリの二乗はアーローカ、アーローカの二乗はドリシュトヴァーンタ、ドリシュトヴァーンタの二乗はヘートゥナ、ヘートゥナの二乗はエーラ、エーラの二乗はドゥメーラ、ドゥメーラの二乗はクシェーム、クシェームの二乗はエールダ、エールダの二乗はバールダ、バールダの二乗はサマター、サマターの二乗はヴィサダ、ヴィサダの二乗はプラマートラ、プラマートラの二乗はアマントラ、アマントラの二乗はバラマントラ、バラマントラの二乗はガマントラ、ガマントラの二乗はナマントラ、ナマントラの二乗はナヒマントラ、ナヒマントラの二乗はヴィマントラ、ヴィマントラの二乗はパラマントラ、パラマントラの二乗はシヴァマントラ、シヴァマントラの二乗はデール、デールの二乗はヴェール、ヴェールの二乗はゲール、ゲールの二乗はケール、ケールの二乗はネール、ネールの二乗はベール、ベールの二乗はケール、ケールの二乗はセール、セールの二乗はペール、ペールの二乗はメール、メールの二乗はサラダ、サラダの二乗はベールドゥ、ベールドゥの二乗はケールドゥ、ケールドゥの二乗はマールドゥ、マールドゥの二乗はサムラ、サムラの二乗はアタヴァ、アタヴァの二乗はカマラ、カマラの二乗はアガヴァ、アガヴァの二乗はアタル、アタルの二乗はヘールヴァ、ヘールヴァの二乗はミラフ、ミラフの二乗はチャラナ、チャラナの二乗はダマナ、ダマナの二乗はプラマダ、プラマダの二乗はニガマ、ニガマの二乗はウパヴァルタ、ウパヴァルタの二乗はニルデーシャ、ニルデーシャの二乗はアクシャヤ、アクシャヤの二乗はサンブータ、サンブータの二乗はマママ、ママママの二乗はアヴァダ、アヴァダの二乗はウトパラ、ウトパラの二乗はパドマ、パドマの二乗はサンキャー、サンキャーの二乗はガティ、ガティの二乗はウパガ、ウパガの二乗はアウパミヤ、アウパミヤの二乗は阿僧祇《アサンキェーヤ》、阿僧祇の二乗は阿僧祇転《パリヴァルタ》、阿僧祇転の二乗は無数量《アプラマーナ》、無数量の二乗は無量《アパリマーナ》、無量の二乗は無量転、無量転の二乗は無辺《アパリアンタ》、無辺の二乗は無辺転、無辺転の二乗は無等《アサマンタ》、無等の二乗は無等転、無等転の二乗は不可数《アガナニーヤ》、不可数の二乗は不可数転、不可数転の二乗は無比《アトゥリヤ》、無比の二乗は無比転、無比転の二乗は不可思議《アチンティヤ》、不可思議の二乗は不可思議転、不可思議転の二乗は不可量《アマーピヤ》、不可量の二乗は不可量転、不可量転の二乗は不可説《アナビラーピヤ》、不可説の二乗は不可説転、不可説転の二乗は不可説不可説、不可説不可説の二乗は不可説不可説転です」

彼の前に多くのヨージャナ量の大量の砂の山があり、彼はその砂の山をこの砂粒はこれほどである、乃至、この不可説転の砂粒はこれほどである、と数え、量り、振り撒いて数を決めた。彼はその砂の山を数を表す記号の表示で示してこう言った。「善男子よ、この菩薩の算法は世界の継起に用いられ、この算法によって菩薩は東方にある世界の広がりを数え、同じく南、西、北、北東、東南、南西、西北、下、上の方角においても菩薩はこの算法によって世界の広がりを数えます。

善男子よ、菩薩のこの算法は十方の世界の名称の世代順の表示においても使用され、菩薩たちはこの算法によって十方の世界の名称を世代順に数え上げるのです。世界の名称の世代順の表示の場合のように、そのように十方における劫の名称の年代順の表示や、仏の名称の歴代順の表示や、教えの名の世代順の表示、衆生の名称の歴代順の表示、業の名称の世代順の表示に(用いられます)。菩薩のこの同じ算法が十方におけるすべての名称の世代順の表示にまでも用いられ、この算法で菩薩は十方におけるすべての名称を年代順に数え上げます。

善男子よ、私はこの、あらゆる法の知識である技術の神通を具えた菩薩の智の光明〔一切工功大神通智光明法門《いっさいくぎょうだいじんずうちこうみょうほうもん》〕を知っていますが、菩薩方はすべての世(界)の数を熟知し、すべての法の規則の数を熟知し、三世の数を熟知し、あらゆる衆生の数を知悉し、あらゆる法の集まり〔蘊《うん》〕の数を熟知し、あらゆる仏と菩薩の数を熟知し、あらゆる教えの名称の総数に自在な方(ですから、そのような菩薩方)の行を知り、功徳を語り、境界を説き、対象を説示し、力を讃え、志願を説明し、資糧を解説し、誓願を教示し、行を示し、波羅蜜の清浄を明らかにし、（菩提の）証得の清浄を解明し、殊勝の三昧を語り、智の光明をさとることがどうして私にできましょう。

行きなさい、善男子よ。この同じ南の地方にサムドラ・プラティスターナ〔海住《かいじゅう》〕という名の都城があり、そこにプラブーター〔具足《ぐそく》〕という名の優婆夷が住んでいます。彼女の下に行って、菩薩は菩薩行をどのように学ぶべきか、どのように修めるべきかを尋ねなさい」

そこで善財童子は善知識の言葉を聞いて、（喜びで）身毛を逆立て、大きな歓喜がこみあげてき、心が喜びにあふれ、宝石のような得難い希有の志願を獲得し、多数の人々の利益を願う心や心作用を生じ、仏の出現の継起に自在に悟入し、清浄な教えの輪《マンダラ》の智解に専念し、あらゆる所に適った様々な智による出離を示現することに専念し、三世の地平と無区別の仏の境界に遊び、心は無尽の福徳の海から生じ、大きな智の光明を自在に統御し、三界〔有〕の城を閉ざした門扉を開き、インドリエーシュヴァラ童子の両足に頂礼し、その童子の周りを幾百千回となく右遶して、何度も何度も仰ぎ見て、その童子の下を去った。

第十三章　プラブーター優婆夷

そこで善財童子は、善知識の教誡の雲をこうむり、(一)大海が巨大な雲の雨によって(満ちあふれることがない)ように飽くことなく、(二)太陽のような善知識の智の光によって成熟する善(根)の地表から機根〔根〕の芽が萌え出で、(三)満月のような善知識の教誡という月光の網によって身心が爽快になり、(四)夏の太陽の光に苦しめられた野獣の群が冷たい流れ出る水を(貪り飲む)ように、善知識の教誡の水を飲もうと欲し、(五)蜂の群が開華した蓮華に群がっている蓮池のように、善知識の教誡によって心の白蓮が開華し、(六)多種の宝石で覆われた宝島のように、善知識の教誡という宝石の増強された輝きによって心が輝かされ、(七)華や果実で飾られた大ジャンブ樹のように、善知識の教誡の福徳と智の集積を具え、(八)大龍王の最高の遊戯《ゆげ》から現れた虚空の大雲のように、善知識の教誡の聴聞の資糧が増大し、(九)三十三天の世(界)に飾られたすばらしい山〔須弥山〕のように、善知識の教誡から現れた無垢で美しい法の峰を具え、(一〇)三十三天の神々の集団に囲遶された帝釈天がアスラの王の集団を粉砕するように、善知識の教誡から現れた無垢の功徳の集積によって囲まれ(ているので、魔を)圧倒し、圧倒されることはなかった。

彼は次第にサムドラ・プラティスターナ都城の方に近づき、プラブーター優婆夷を探し求めていると、大衆が彼に告げた。「善男子よ、プラブーター優婆夷は都城の真中にある自分の家においでです」

そこで善財童子は、プラブーター優婆夷の住宅に近づき、合掌して門口に立った。彼はプラブーター優婆夷のその邸宅――広く大きく、宝石の壁で囲まれ、四方に飾りのついた門があり、無数で無量の宝石の飾りを具え、不可思議な福徳の成熟によってつくり出された(邸宅)を見た。彼はその邸宅に入って、普く周囲を見まわし、プラブーター優婆夷が宝石の座席に座っているのを見た。(彼女は)若く、たおやかで、初々しく、思春期に入っており、美しく、清楚で、見て快く、まことに麗しく、優れた色を具え、お下げ髪をし、身に装身具をつけず、白い上衣や下着をつけていた。仏と菩薩以外に、その邸宅に近づいた者で、身体の点で、心の至高性、輝き、色、吉祥の点で、彼女に圧倒されないような衆生は一人もいなかった。プラブーター優婆夷を見た者は神であれ人であれ、そのすべてはプラブーター優婆夷に師という思いをいだいた。

さらにその邸宅の中には、菩薩の業の成熟によって完成された、天上や人間界の（座）よりも立派な座が一万コーティも設けられていた。しかし、その邸宅には面前に置かれた一つの壺以外には、飲食物の貯蔵も、衣、装飾品、暮らしの資具の貯蔵も見られなかった。

また彼女の面前には一万の侍女が立っているのが見えた。（彼女らは）アプサラス天女のような容色、アプサラス天女のような容姿、アプサラス天女の風習、アプサラス天女の振舞い、アプサラス天女の生き方、アプサラス天女の礼儀を具え、天上の如意樹からつくられた衣を着用し、天上の装身具を身にまとい、アプサラス天女の声のように快い音声をもち、アプサラス天女と同じ体軀をもっていた。彼女の召使いであるそれら侍女たちは言いつけをよく守り、目の前にいて奉仕し、尊崇し、注意深く見守り、気配りし、敬礼し、目配りし、頭を下げ、身をかがめ、礼拝する。また彼女らは身体から芳香を放ち、それはその町全体に漂った。その香りをかぐ衆生、そのすべては心に悪意がなくなり、敵意がなくなり、害意が消え、羨望や吝嗇《りんしょく》の心が消え、欺瞞《ぎまん》や詐術《さじゅつ》の心が消え、愛憎の気持ちがなくなり、失意や慢心が消え、平等心、慈愛心、（他者の）利益を願う心、悪を防ぐ心、他者の財物を求めない心の持主となり、彼女らの声を聞く者たちもすべて、心が喜悦し、歓喜し、素直になった。また彼女らを見る者たちは自分が貪欲を離れているのに気づくのだった。

そこで善財童子は、プラブーター優婆夷の両足に頂礼し、彼女の周りを幾百千回となく右遶した後、面前に合掌して佇立し、次のように言った。「聖者よ、私は無上正等覚に向けて発心いたしております。しかし、私は菩薩が菩薩行をどのように学ぶべきか、どのように修行すべきか知りません。私は聖者が菩薩に教訓と教誡を授けられると聞いております。聖者は菩薩が菩薩行をどのように学ぶべきか、どのように修行すべきか、それを私にお教え下さい」

(プラブーターは)説いた。「善男子よ、私は無尽の荘厳の福徳の宝庫〔無尽荘厳福徳蔵《むじんしょうごんふくとくぞう》〕という菩薩の解脱を得ております。善男子よ、私はこの一個の壺から(とりだす)望みのままの、種々の汁、種々の味、種々の色、種々の香りをもつ食物で、種々の好みの衆生たちを満腹させます。善男子よ、私はこの一個の壺から(とりだす)望みのままの食物によって、百人の衆生をも満腹させ、千人の衆生をも、百千の衆生をも、一コーティの衆生をも、百コーティの衆生をも、千コーティの衆生をも、百千コーティの衆生をも、百千コーティ・ニユタの衆生をも、乃至、不可説不可説数の、種々の好みの衆生をも、(彼らの)望みのままの食物によって満腹させ、楽しませ、満足させ、喜ばせ、喜悦させ、歓喜させ、喜びにわれを忘れさせます。しかし、その壺は減らず、減少せず、不足せず、尽きず、終らず、果てず、底をつかず、まったく底をつきません。善男子よ、このようにしてジャンブ州の微塵の数に等しい衆生をも、同じく、四大州の世界の微塵の数に等しい衆生をも、一千世界の微塵の数に等しい衆生をも、二千世界の微塵の数に等しい衆生をも、三千大千世界の微塵の数に等しい衆生をも、乃至、不可説不可説数の仏国土の微塵の数に等しい数のやって来た種々の好みの衆生をも、私は(彼らの)望みのままの、種々の汁、種々の味、種々の色、種々の香りをもつ食物で満腹させ、楽しませ、満足させ、喜ばせ、喜悦させ、歓喜させ、喜びにわれを忘れさせます。しかし、この壺は減らず、減少せず、不足せず、尽きず、終らず、果てず、底をつかず、果てにも達せず、まったく底をつきません。

善男子よ、もし十方のすべての世界に属し、種々の好みをもち、種々の願望をいだくすべての衆生が私の下に来るならば、そのすべてを望みのままの食物によって満腹させ、乃至、喜びにわれを忘れさせましょう。種々の食物によると同じように、種々の飲物によって、種々の最も風味のあるもの、種々の座具、種々の寝具、種々の乗物、種々の衣、種々の華、種々の華鬘、種々の香料、種々の練香、種々の塗香、種々の抹香、種々の宝石、種々の装身具、種々の宝石の馬車、種々の傘蓋、種々の幢、種々の幡、種々様々な優れた家具によって満足させ、乃至、喜びにわれを忘れさせるでしょう。

さらに、善男子よ、東方の一世界において、（輪廻の）最後の身体を保持している声聞や独覚は誰であろうとも、そのすべては私の食物をとったうえで、声聞と独覚の結果を証得するのです。東方の一世界におけるように、そのように百世界、千世界、百千世界、一コーティ世界、百コーティ世界、千コーティ世界、百千コーティ世界、百千コーティ・ニユタ世界、ジャンブ州の微塵の数に等しい世界、四大州から成る世界の微塵の数に等しい（世界）、一千世界の微塵の数に等しい（世界）、二千世界の微塵の数に等しい（世界）、三千大千世界の微塵の数に等しい（世界）、善男子よ、乃至、東方にある不可説不可説数の仏国土の微塵の数に等しい世界にいて、（輪廻の）最後の身体を保持している声聞や独覚は誰であろうとも、そのすべては私の食物をとったうえで、声聞や独覚の結果を証得するのです。東方におけるように、同じように、南、西、北、北東、東南、南西、西北、下、上の方角に（いるものは誰でも、そのすべては）同じです。

善男子よ、東方にある一世界にいる（この）一生（だけ輪廻に）縛られている〔一生補処《いっしょうふしょ》〕菩薩は誰であろうとも、そのすべては私の食物をとったうえで菩提道場に座って、魔の軍勢を率いた魔を打ち破って無上正等覚をさとります[1]。東方にある一世界におけるように、同じく、百世界、千世界、百千世界、一コーティ世界、百コーティ世界、千コーティ世界、百千コーティ世界、百千コーティ・ニユタ世界にいる者たち、ジャンブ州の微塵の数に等しい世界、四大州から成る世界の微塵の数に等しい(世界)、一千世界の微塵の数に等しい(世界)、二千世界の微塵の数に等しい(世界)、三千大千世界の微塵の数に等しい(世界)にいる者たち、乃至、善男子よ、東方にある不可説不可説数の仏国土の微塵の数に等しい世界にいる、(この)一生(だけ輪廻に)縛られている菩薩は誰であろうとも、そのすべては私の食事をとったうえで菩提道場に座り、魔の軍勢を率いた魔を打ち破って、無上正等覚をさとります。東方におけるように、同じように、南、西、北、北東、東南、南西、西北、下、乃至、善男子よ、上の方角にある一世界にいて(この)一生(だけ輪廻に)縛られている菩薩は誰であろうとも、そのすべては私の食事をとったうえで菩提道場に座り、魔の軍勢を率いた魔を打ち破って無上正等覚をさとります。

上方にある一世界におけるように、同じように、百世界、千世界、百千世界、一コーティ世界、百コーティ世界、千コーティ世界、百千コーティ世界、百千コーティ・ニユタ世界にいる者、ジャンブ州の微塵の数に等しい世界、四大州から成る世界の微塵の数に等しい(世界)、一千世界の微塵の数に等しい(世界)、二千世界の微塵の数に等しい(世界)、三千大千世界の微塵の数に等しい世界にいる者、乃至、善男子よ、上方にある不可説不可説数の仏国土の微塵の数に等しい世界にいる(この)一生(だけ輪廻に)縛られている菩薩たち、そのすべては私が供する食事をとったうえで菩提道場に座り、魔の軍勢を率いた魔を打ち破って、無上正等覚をさとります。

善男子よ、あなたは私の侍女であるこれら一万人の娘を見ましたか」

（善財は）答えた。「聖者よ、私は見ております」

（プラブーターは）言った。「善男子よ、これら（の娘）をはじめ一千万阿僧祇数の女性は、㈠私と同じ行ないをなし、㈡同一の誓願を立て、㈢同一の善根を植え、㈣同一の出離の荘厳を具え、㈤同一の清浄な深信の道を進み、㈥私と同じ清浄な憶持を保ち、㈦同じ清浄な境遇にあり、㈧同じ無量の覚知を具え、㈨同じ能力を獲得し、㈩同じく心が遍満し、⑾同じ境界を具え、⑿同じく法の真理に入り、⒀同じ意味を決定し、⒁同じ法の意味を解明し、⒂同じ清浄な容色を具え、⒃同じ無量の力を具え、⒄同じく他者に圧倒されぬ精進に励み、⒅同じ教えの言葉を述べ、⒆同じ清浄な音声を発し、⒇すべての日常的営為の中で無量の功徳を賞讃することによって、同じ清浄な功徳を具え、(二一)非の打ち所のない業の成熟が清浄であることによって、同じ清浄な業をなし、(二二)すべての世の衆生の救済によって、同じ大慈が遍満し、(二三)すべての世の衆生の成熟に倦むことがないことによって、同じく大悲が遍満し、(二四)願いのままにすべての衆生を満足させる身体の示現によって、同じ清浄な身体の業をなし、(二五)法界を解説する言語表現において、同じ清浄な言葉の業をなし、(二六)あらゆる仏の説法会に同じく出席し、(三七)あらゆる仏に供養し奉仕するためにすべての仏国土に同じく馳せ参じ、(三八)あらゆる法の真理の証悟に向けて同じ直覚智を育み、(三九)あらゆる菩薩の位の獲得に向けて同じ清浄な行ないをなす者たちです。

善男子よ、これら一万人の娘たちは一刹那のうちに十方に普く広がります。即ち、(この)一生(だけ輪廻に)縛られた菩薩たちに食物を贈るためにまさにこの壺の食物を携えて、十方に普く広がります。最後の一生を生きるすべての声聞、独覚乗に属する人々に施しの食物を贈るためにこの同じ壺の食物を携えて、十方に普く広がります。また、この同じ壺の食物を携えて十方に普く広がると、すべての餓鬼の群を食物で満腹させます。

善男子よ、ですから私はこの同じ壺の神々の食物で神々を満足させ、龍を龍の食物で、ヤクシャをヤクシャの食物で、ガンダルヴァをガンダルヴァの食物で、アスラをアスラの食物で、ガルダをガルダの食物で、キンナラをキンナラの食物で、マホーラガをマホーラガの食物で、人を人の食物で、鬼神を鬼神の食物で満腹させます。

善男子よ、あなたが目の当りに見るようになるまでしばし待ちなさい」

そしてこの言葉をプラブーター優婆夷が述べるや否や、まさにそのとき、無量の衆生が邸宅の東の入口から入った。いうまでもなくプラブーター優婆夷の往昔の誓願によって招かれた者たちである。同じように、邸宅の南、西、北の入口から無量の衆生たち、即ちプラブーター優婆夷の往昔の誓願によって招かれた者たちが入った。入った彼らを、かの座に座らせて、彼女は彼らに望みのままの、種々の汁、種々の味、種々の色、種々の香りの食物で満腹させ、楽しませ、満足させ、喜ばせ、喜悦させ、歓喜させ、喜びにわれを忘れさせた。種々の食物によるように、同じように、種々の飲物、種々の最も風味のあるもの、種々の座具、種々の寝具、種々の乗物、種々の衣、種々の華、種々の華鬘、種々の香料、種々の練香、種々の塗香、種々の抹香、種々の宝石、種々の装身具、種々の宝石の馬車、種々の傘蓋、種々の幢、種々の幡、種々様々な優れた家具によって満足させ、乃至、心を歓喜させた。神々を神々の食物で満腹させ、龍、ヤクシャ、ガンダルヴァ、アスラ、ガルダ、キンナラ、マホーラガ、人、鬼神をそれぞれの食物で満腹させ、乃至、喜びにわれを忘れさせた。しかし、かの壺は減りもせず、減少もせず、不足もせず、尽きもせず、終りもせず、果てもせず、底をつきもせず、果てにも達せず、まったく底をつきもしない。

そこでプラブーター優婆夷は、善財童子にこう告げた。「善男子よ、私はこの無尽荘厳福徳蔵という菩薩の解脱を知っています。しかし、菩薩方は大きな福徳の海が無尽蔵であることによって無尽蔵の福徳を具え、よく集積された広大な福徳の集積によって虚空のような方であり、すべての人々の誓願を叶えることによって如意王摩尼宝石のような方であり、あらゆる世の衆生の善根を守護することによって大きな福徳を守る鉄囲山であり、あらゆる世の衆生に宝石を掌から撒きかけることによって大きな福徳の雲であり、法の城門を開くことによって大きな福徳の宝庫を目の当りに見る方であり、すべての人々の貧窮の闇黒を払うことによって大きな福徳の燈火なのです(から、そのような菩薩たちの)行ないを知り、功徳を語ることが私にどうしてできましょうか。

行きなさい、善男子よ。この同じ南の地方にあるマハーサンバヴァ〔大興《だいこう》〕という都城に行きなさい。そこにヴィドヴァーン〔明智《みょうち》〕という名の家長が住んでいます。彼の下に行って、菩薩はどのように菩薩行を学習すべきか、どのように修行すべきかを尋ねなさい」

そこで善財童子は、プラブーター優婆夷の両足に頂礼し、彼女の周りを幾百千回となく右遶して、何度となく仰ぎ見たうえで、見飽きることはなかったが、彼は彼女の下を去った。

第十四章　ヴィドヴァーン家長

そこで善財童子は、無尽荘厳福徳蔵という(菩薩の)解脱の光明を身につけ、その福徳の海を思惟し、その福徳の虚空を観察し、その福徳の堆積を所有し、その福徳の山に登り、その福徳の集積を集め、その福徳の流れに沈潜し、その福徳の沐浴場に入り、その福徳の全体《マンダラ》を清浄にし、その福徳の貯蔵所を見、その福徳の真理を憶持し、その福徳の道に留意し、その福徳の系譜を清浄にした。

彼は次第に、マハーサンバヴァという都城に近づき、ヴィドヴァーン家長を尋ね、探しまわり、善知識を求めてくまなく見まわった。彼の(身心の)相続は善知識にまみえることに薫習され、志願は善知識によって加護され、修行は善知識に従い、善知識への奉仕に倦むことなく精進し、すべての善根は善知識に依拠し、あらゆる福徳の資糧は善知識によって授けられ、巧妙な方便の行ないは善知識によって増大され、善知識への奉仕の巧妙さは他(の教示)によらず、あらゆる善根は生長しつつあり、菩薩の道心は清浄になり、菩薩の能力〔根〕は増強され、すべての善根は成熟し、大誓願の成就は増大し、大悲は広大になり、それらによって、自分自身が一切智者性の近くにいると見、普賢菩薩行によってすべての仏から法の光明を受け取り、輝きを増す如来の十力の光明によってヴィドヴァーン家長を探しまわっていた。そのとき、都城の中央の十字路にある七宝でできた高殿の上で、無数の宝石製の座――金剛やインドラニーラ〔帝青〕で飾られた摩尼宝石の脚をもち、金線の網で覆われ、（蓮華）台は無垢の摩尼宝石ででき、（台上の）円（座）は五百の宝石で飾られ、色とりどりの天上の布が敷かれ、天上の絹布でできた幢や旗が立てられ、幾多の宝石の網で覆われ、大きな宝石の幔幕が張りめぐらされ、（上から）大きな金や宝石の華の帯がかけられた吉祥な座席に座っているのが見られた。また彼は、無垢の瑠璃の柱のついたジャンブ河産の黄金の傘蓋が（傍で）しっかりと支えられ、（白い鳥）ハンサの王の（羽根の）ような無垢の払子《ほっす》〔扇〕が扇がれ、種々の香料の供物が芳香を放ち、マハーサンバヴァ都城に属する衆生に喜びをもたらすために、左右では天上の（調べ）を凌駕した妙なる調べを奏でる五百の楽器が演奏され、天上の華の雲が華の雨を降らせる中に、一万人の人々に囲遶されているのを見た。（それらの人々はみな）神々や人間の容姿を凌駕し、菩薩の志願を完成し、天上の（飾り）より優れた装飾品で普く飾られ、召使いの奉仕をそつなく行ない、過去の善根によって（ヴィドヴァーン家長と）行ないを同じくしている者たちであった。

見ると、善財童子は、ヴィドヴァーン家長の下に近づいた。近づいてその家長の両足に頂礼し、その家長の周りを幾百千回となく右遶して、面前に合掌して立って、次のように言った。「聖者よ、私はすべての衆生のために、即ち、(一)すべての衆生の苦しみを鎮めるために、(二)すべての衆生を絶対的な安らぎに安住させるために、(三)すべての衆生を輪廻の海から救出するために、(四)すべての衆生を法の宝島へ到着させるために、(五)すべての衆生の渇愛の粘着《スネーハ》を乾かすために、(六)すべての衆生に大悲の潤い《スネーハ》を生じさせるために、(七)すべての衆生の愛欲の享楽への渇愛《トリシュナー》を除くために、(八)すべての衆生に仏智への渇仰《トリシュナー》を生じさせるために、(九)あらゆる衆生が輪廻の森林、荒野を越えるために、(一〇)あらゆる衆生が仏の功徳と特性への愛着と愛好を生じるために、(一一)あらゆる衆生が三界の都市を去るために、(一二)すべての衆生を一切智者性の都市に導くために、無上正等覚に向けて出で立ちました。しかし、菩薩はどのように菩薩行を学ぶべきか、どのように修行すべきかを私は知りません。ところが、私は聖者が菩薩の教訓と教誡を授けられると聞きました。聖者はどのように菩薩が菩薩行を学ぶべきか、どのように学ぶ菩薩がすべての衆生の庇護の場所となるのか、それを私にお教え下さい」

こう問われて、ヴィドヴァーン家長は善財童子に次のように説いた。「善いかな、善

いかな、善男子よ。あなたが無上正等覚に向けて発心したとは。善男子よ、次のような衆生は得難い者である。(即ち)無上正等覚に向けて発心して、菩薩行をくまなく尋ね求めながら、(一)善知識にまみえることに飽かず、(二)善知識に親近《しんごん》することに倦まず、(三)善知識に奉仕することを苦にせず、(四)善知識に会い難いことに絶望せず、(五)善知識を求めて止まず、(六)心に善知識を渇望し恋慕して止まず、(七)善知識の顔を見つめて(眼を)そらさず、(八)善知識の教えの道においてくじけず、(九)善知識への奉仕と献身に倦怠することのない(衆生は)。

善男子よ、あなたはこの私の従者たちを見ていますか」

(善財は)答えた。「聖者よ、見ております」

(家長は)説いた。「善男子よ、(一)私がこれらのすべての者を無上正等覚に発心させ、(二)私がこれらの者を如来の家に生まれさせ、(三)私がこれらの者を波羅蜜を提供することによって養育し、(四)私がこれらの者をあらゆる清浄な法によって生存させ、(五)私がこれらの者を如来の十力に向けて育て、(六)私がこれらの者を世間の家系から出し、(七)私がこれらの者を如来の家系に入れ、(八)私がこれらの者を世間における(五)道(輪廻)の輪《チャクラ》から退かせ、(九)私がこれらの者を法輪の転回に向けて回転させ、(一〇)私がこれらの者を三世の悪趣への転落から救出し、(一一)私がこれらの者を法の平等性の証悟に入らせたのである。善男子よ、まさにこのように菩薩はすべての衆生の保護者である。善男子よ、私は心の宝庫から生じる福徳を獲得している。

だから、私は(一)食物を求める者に食物を与え、(二)飲物を求める者には飲物を、(三)最も風味のあるものを求める者には最も風味のあるものを、(四)硬い食物を求める者には硬い食物を、(五)軟らかい食物を求める者には軟らかい食物を、(六)嘗《な》める食物を求める者には嘗める食物を、(七)吸う食物を求める者には吸う食物を、(八)衣を求める者には衣を、(九)華を求める者には華を、(一〇)華鬘を求める者には華鬘を、(一一)香料を求める者には香料を、(一二)練香を求める者には練香を、(一三)塗香を求める者には塗香を、(一四)抹香を求める者には抹香を、(一五)装飾品や装身具を求める者には装飾品や装身具を、(一六)宝石を求める者には宝石を、(一七)黄金を求める者には黄金を、(一八)銀を求める者には銀を、(一九)真珠を求める者には真珠を、(二〇)住居を求める者には住居を、(二一)座具を求める者には座具を、(二二)寝具を求める者には寝具を、(二三)病気に必要な薬や日用品を求める者には病気に必要な薬や日用品を、(二四)乗物を求める者には乗物を、(二五)荷車を求める者には荷車を、(二六)象、馬、馬車、牛、驢馬《ろば》、水牛、山羊を求める者には象、馬、馬車、牛、驢馬、水牛、山羊を、(二七)傘蓋、幢、幡を求める者には傘蓋、幢、幡を、(二八)下僕や婢を求める者には下僕や婢を、(二九)若者の従者を求める者には若者の従者を、

(三〇)女性を求める者には女性を、(三一)童女を求める者には童女を、(三二)宝冠や髻の明珠を求める者には宝冠や髻の明珠を、(三三)皮革付きの髻の明珠を求める者には皮革付きの髻の明珠を、(三四)青い無垢の毛髪の輪を求める者には青い無垢の毛髪の輪《マンダラ》を、乃至、(三五)私は種々のすべての家具を求める者には種々のすべての家具を与えた。

善男子よ、あなたが直接ありありと見るまでしばらく待ちなさい」

ヴィドヴァーン家長がこの言葉を述べるや否や、まさにそのときに、ヴィドヴァーン家長によって往昔の誓願によって招集された無量の衆生が集まって来た。種々の方角から、種々の国、種々の地方、種々の都城、種々の都市、種々の町、種々の聚落《じゅらく》、種々の衆生の階級、種々の衆生の家系、種々の(階級の)異なった衆生の家系から、種々の(輪廻の)境遇の転回から、種々の場所や名称の境遇から、種々の異なる感覚を具え、種々の食物を求め、種々の食物を欲し、種々の願いをもち、清浄な飲食物を欲求し、肉を求め、種々の種類の食事を切望し、種々の異なる境遇の生存の領域にいる者たち、即ち人間界で米飯、雑穀がゆ、汁、魚、肉などの種々の実際の食物を求める者たち、人間界におけるのと同じように、あらゆる流転する境遇の中において種々の食物や飲物を求める者たちが近づいて来た。いうまでもなく菩薩の威力や菩薩の無礙の喜捨(を告げる)太鼓の音によって、菩薩の(往昔の)誓願によって招かれた者たちである。

彼らは近づいて、かのヴィドヴァーン家長に請い、見守り、期待して見つめ、懇請した。

そこでヴィドヴァーン家長は、それら懇願者が集まって来たのを知って、しばし思いをこらしたうえで、天穹を見つめた。その天穹から種々の味、種々の色、種々の香りの、種々の種類の食物や飲物が降りて来て、彼の掌の上に置かれた。彼はそれらをとって集まって来た順に、種々の好みをもつ懇願者を、望みのままの多種類の食物や飲物、あらゆる優れた家具によって満腹させ、もてなし、満足させ、喜ばせ、楽しませ、喜悦させ、心を歓喜させた。さらに種々の食物で満腹させたうえで、彼らに教えを説いた。即ち、(一)広大な智の資糧の収集の原因を教示し、(二)いかなる貧窮をももたらさない原因を教示し、(三)大きな資産の獲得をもたらす原因を教示し、(四)教えの知識の体系《ナヤ》の獲得をもたらす原因を教示し、(五)広大な福徳の資糧の収集の原因を教示し、(六)(教えや禅定の)愉悦を糧とする食事の獲得をもたらす原因を教示し、(七)(三十二)相(八十種)好をよく具足した身体の獲得をもたらす原因を教示し、(八)粉砕されることのない清浄な力の獲得をもたらす原因を教示し、(九)無上の食物の知識の獲得をもたらす原因を教示し、(一〇)魔の全軍勢を押しつぶす無尽蔵の福徳力の獲得をもたらす原因を教示して教えを説いた。

㈠彼は食物を求めてやって来た者たちを、天穹から色々な種類の食物をとって満腹させ、彼らに寿命、色、力、安楽、弁才の完成の獲得のために教えを説き、㈡彼は飲物を求めてやって来た者たちを、種々の種類の多くのすばらしく申し分のない、心を歓喜させる飲物で満足させたうえで、輪廻への渇愛や愛着を止め、仏の法の愛好や渇仰を生じるために彼らに教えを説き、㈢味の中でも最も風味のある物を求めてやって来た者たちを、種々の味の中で最も風味のある甘い物、酸っぱい物、塩辛い物、辛い物、苦い物、渋い物で満腹させた。そのうえでさらに、味のある物の中で最上の風味を味わう境地という大丈夫の相を獲得させるために彼らに教えを説き、㈣彼は種々の方角の河から訪ねてきた乗物を求める人々を、色々の種類の乗物を与えることで摂取したうえで、大乗に乗せるために彼らに教えを説き、㈤彼は種々の方角から来た衣を求める人々が集まったのを知って、しばし思いをこらし、天穹を見つめた。その天穹から、青、黄、赤、白、茜、水晶色の、種々の色、多彩な色の、清浄な種々の衣が降下してきて、彼の掌に置かれた。彼はそれらの物をかの懇願者たちに贈ったうえで、彼らに如来の無上の慚愧《ざんき》の心(という衣)や清浄な黄金色の皮膚(という相)の獲得のために教えを説き、㈥このようにすべての種類の家具を来た順に懇願者にそれぞれ贈ったうえで、彼らに適宜に教えを説いた。

そこでヴィドヴァーン家長は、善財童子に、この不可思議な菩薩の解脱の境界を示現したうえでこう語った。「善男子よ、私はこの心の宝庫から生じる福徳〔随意出生福徳蔵《ずいいしゅっしょうふくとくぞう》〕という（菩薩の）解脱を知っている。しかし、どうして私が日用品に関して自在力を得、宝石の手を得た菩薩行を知り、功徳を語り、神変を示現することができようか。（その菩薩たちは）余す所なく全世界を手で覆い、仏の供養を行なうために、すべての如来の説法会に種々の色の宝石の雲から雨を降らせ、同じく、種々の色の装飾品の雲、種々の色の宝冠の雲、種々の楼閣の雲、種々の色の色とりどりの衣の雲、種々の天上の楽器や打楽器や合唱の快い甘美な調べの雲、種々の色の華の雲、種々の色の香料の雲、種々の色の薫香、華鬘、塗香、抹香、法衣、傘蓋、幢、幡、すべての家具の雲、あらゆる様相のすべての仏への供養の雲から、あらゆる如来の説法会とあらゆる衆生の家の上に、いうまでもなく、あらゆる仏への供養と奉仕、及びすべての衆生界を成熟、教化するために雨を降らせる方々である。

行け、善男子よ。この同じ南の地方にシンハポータ〔師子宮《ししぐう》〕という名の都城があり、そこにラトナチューダ〔法宝髻《ほうほうけい》〕という名の有徳の長者が住んでいる。彼の下に行って、菩薩は菩薩行をどのように学ぶべきか、どのように修行すべきかを尋ねなさい」

そこで善財童子は満足し、感動し、喜び、歓喜し、喜悦と満足を生じ、ヴィドヴァーン家長に対して、法を重んじるので、弟子の礼をとったうえで、その(家長の)威神力のおかげで㈠すべての仏の徳性を見、㈡それに依拠する一切智者性を見、㈢善知識への不断の愛を示し、㈣善知識の命令に絶対に聴従する心を示し、㈤善知識の自在なる統御に服し、㈥善知識の教誡の言葉を聴聞しようと願い、㈦善知識から由来する浄信の働き〔根〕に心を集中し、㈧善知識の教誡に指揮され、㈨善知識の愛顧に適った心をいだいて、ヴィドヴァーン家長の両足に頂礼し、ヴィドヴァーン家長の周りを幾百千回となく右遶して、繰り返し何度も仰ぎ見たうえで、ヴィドヴァーン家長の下を去った。

第十五章　有徳の長者ラトナチューダ

114

そこで善財童子は、(ヴィドヴァーン家長から、随意出生福徳蔵という(菩薩の)解脱を教授され、)その福徳の水に思いを馳せ、その福徳の畑を眺め、その福徳の須弥山を清浄にし、その福徳の聖地で沐浴し、その福徳の宝庫を開き、その福徳の宝蔵を見つめ、その福徳の輪《マンダラ》を清浄にし、その福徳の集まりを受け取り、その福徳の力を生じさせ、その福徳の勢いを増しつつ、次第にシンハポータという都城にやって来た。そこで、ラトナチューダという有徳の長者を探し求め、彼が市場の中央にいるのを発見した。(善財は)彼(ラトナチューダ)の両足に頂礼し、その周りを右遶した後、前に合掌して立ち、次のように言った。「聖者よ、私は既に無上正等覚に向けて発心いたしております。しかし、そもそも菩薩はいかにして菩薩行を学ぶべきか、いかにしてそれを修めるべきか私は知りません。だから、どうか私に、その道をたどれば一切智者性に向かうことができる菩薩道をよくお示し下さい」

そこで有徳の長者ラトナチューダは、善財童子の両手をとって、自分の住居へと導き、彼の館を見せて、次のように言った。「善男子よ、私の住居をよく見るがよい」

善財が眺めてみると、その館は清浄で、光り輝いていた。ジャンブ河産の黄金でつくられ、広大で、高くそびえ立っていた。周囲を銀の牆壁に囲まれ、最上層は水晶によってみごとにつくられ、美しさを添えていた。瑠璃から成る幾百千の小楼に飾られ、硨磲の宝石の高い柱に支えられていた。(内には)赤珠製の獅子座が美しく設けられ、光味摩尼宝石の獅子幢が高く立てられていた。(上には)毘盧遮那摩尼宝石の天蓋が広げられて、如意宝珠がちりばめられた黄金の網が覆っていた。実に無数の摩尼宝石によって壮麗に飾られていた。傍には冷たい水をたたえる瑪瑙製の浴池があり、周囲をあらゆる宝石の木々が取り巻いていた。(善財は)広大で、広々とし、十層八門より成る(ラトナチューダの館が)[1]高くそびえ立つのを見た。彼はその館に入ると、ぐるりと眺め渡した。

第一層においては、食物や飲物が規則に従い布施されているのが見えた。第二層においては、あらゆる衣が規則に従い布施されていた。第三層においては、あらゆる宝石の装飾品や荘厳具が布施されていた。第四層においては、後宮の喜びや楽しみと大地の麗しき宝石のような娘たちが布施されていた。第五層においては、第五地に住する菩薩たちが集まって、正法朗詠の楽しみに専念し、世の衆生の利益と幸福のために心を動かし、あらゆる論書を完成し、陀羅尼門、三昧の海、三昧からの出定、三昧の観察、智の光明を成就しているのを見た。

第六層においては、般若波羅蜜に住することを得、深い智慧を具え、寂静なる一切法を熟知する菩薩たちが集まって、〔第六〕地の三昧と陀羅尼門を内蔵する普門から出離し、無礙の行境を進み、不二〔の教え〕を実践し、正法を朗詠し、般若波羅蜜の〔法輪の〕転回に随順し、〔それを〕分析し、顕示しているのを見た。彼らは次のような般若波羅蜜門を朗詠していた。即ち、寂静蔵という般若波羅蜜門、一切衆生の智慧をよく分析する〔善分別諸衆生智〕という般若波羅蜜門、不可動転という般若波羅蜜門、離欲の光明という般若波羅蜜門、無敵の蔵〔不可降伏蔵〕という般若波羅蜜門、世の衆生を照らし出す輪《マンダラ》〔照衆生輪〕という般若波羅蜜門、方便に随順する輪〔随順教網〕という般若波羅蜜門、海蔵という般若波羅蜜門、普眼により心の平静を得る〔普眼捨得〕という般若波羅蜜門、無尽蔵に随順する〔入無尽蔵〕という般若波羅蜜門、一切法の方便の海〔一切方便海〕という般若波羅蜜門、一切の世の衆生の海に随順する〔入一切世間海〕という般若波羅蜜門、無礙弁才という般若波羅蜜門、法雲から舞い降り、次第に安住の場に到達する〔慶雲漸下〕という般若波羅蜜門である。以上の般若波羅蜜門を初めとする十百千阿僧祇数の般若波羅蜜〔門〕をすべて、かの菩薩たちが、不可説数の荘厳にみごとに飾られた説法会の中にいて朗詠しているのを見た。

第七層においては、このような忍耐〔如響忍〕を獲得し、方便と智とを決知することにより出離し、一切の如来の法雲を追い求める菩薩たちが集まっているのを見た。第八層においては、不退転の神通力を得、あらゆる世界を遊行し、あらゆる説法会に(その身を)顕現することを得、その身体は法界全体にみごとに配分され、その境界は一切の如来の足下と無区別であり、一切の仏身に普入し、一切の如来の説法会における第一の説法者である菩薩たちが集まっているのを見た。第九層においては、この一生だけ(迷いの世界に)つながれている〔一生所繫《いっしょうしょけ》〕菩薩たちが集まっているのを見た。第十層においては、一切の如来の最初の発心、修行、出離、誓願を具えた海、一切の仏の教えの神変の境界、一切の仏国土とその説法会、一切の仏の法輪の響き、一切の(仏の)衆生に対するすばらしい教化と威神力とを見た。

見終ると、(善財は)有徳の長者ラトナチューダに次のように尋ねた。「聖者よ、どうしてあなたはこのように清浄な財産を手に入れられたのでしょうか。あなたはかつてどこに善根を植えて、今このような果報を成就されたのでしょうか」

彼(ラトナチューダ)は答えた。「善男子よ、私の記憶するところでは、過去世において、仏国土の微塵の数に等しいほどの劫の昔、さらにそれより以前に、チャクラ・ヴィチトラ〔種種色荘厳輪〕という世界においてアナンタ・ラシュミ・ダルマダートゥ・サマランクリタ・ダルマラージャ〔無辺光明法界普荘厳王〕という如来がこの世に出現された。そのお方は、学識も行ないも完璧であり〔明行足〕、よく真理を知り〔善逝〕、世間を理解し〔世間解〕、このうえなき者であり〔無上士〕、調御されるべき人々の調御者であり〔調御丈夫〕、神々と人間の師であり〔天人師〕、仏・世尊でありました。

ところで、その如来は、ジュニャーナ・ヴァイローチャナ〔智の普き光、智毘盧遮那〕を初めとする百コーティの声聞たちやジュニャーナ・スーリヤ・テージャス〔智日威徳光〕を初めとする百千コーティの菩薩たちとともに、ダルメーシュヴァラ〔法自在〕王という王様に招待されて、その王のマニドヴァジャ・ヴューハ〔摩尼幢荘厳〕という大遊園の地に入られた。

その如来が都城の中に入られ、市場の中央におられるとき、菩薩や声聞の集団《サンガ》を連れたその世尊に供養するために、私は種々の楽器を奏で、一丸の香料を薫じた。その香料が薫じられたために、七日の間、ジャンブ州全体が、一切の衆生の身体に似て、無辺の色彩をした薫香の薄膜の雲に覆われた。その薫香の薄膜の雲から、次のような言葉が放たれた。

「如来は不可思議である。三世に及ぶ広大な（智慧の）塊を具えている。一切の障害を離れ、一切の煩悩の習気を断じた一切智者である。一切の如来のために(善根として)植えられた布施は、無量の一切智者性という果報をもたらし、(如来に布施する人々を)一切智者性と融合させるものである」

即ち、われわれの善根を成長させ、不可思議なる衆生の善根に勢いを生じさせるために、その薫香の薄膜の雲から、仏の威神力によって以上のような言葉が放たれたのである。

そして、善男子よ、私は如来の威神力によって示された奇蹟のための善根を三つのことに回向した。三つのこととは何かと問えば、即ち、(衆生が)一切の貧困を完全に断ち切ること、正法の聴聞を欠かさぬこと、一切の仏、菩薩、善知識に一人残らずまみえることである。

善男子よ、私は、この無礙なる誓願の輪の荘厳(無《む》障礙《しょうげ》願《がん》普遍《ふへん》荘厳《しょうごん》福徳《ふくとく》蔵《ぞう》)という菩薩の解脱に通じているだけである。どうして私に、不可思議にして無量なる功徳の宝蔵である菩薩たちの行を知り、功徳を語ることができようか。

その菩薩たちは、(一)無区別なる仏身の海に悟入し、(二)無区別なる法の雲を受理し、(三)無区別なる功徳の海を修得し、(四)(無区別なる)普賢行の網を広げ、(五)無区別なる三昧の境界に悟入し、(六)無区別で一切の菩薩たちの至宝である善根を保持し、(七)無区別なる如来の無分別(智)に住し、(八)無区別なる三世の平等性に悟入し、(九)(一切の衆生と)無区別に一切劫の間、ともに住んで飽きることなく、(一〇)無区別なる普眼の対象となる位に安住している。

行け、善男子よ。まさにここ南の地方に、ヴェートラ・ムーラカ〔藤根《とうこん》〕という国がある。そのサマンタムカ〔普門《ふもん》〕という都城に、サマンタネートラ〔普眼《ふげん》〕という名の香料を商う長者が住んでいる。彼の下を訪れて、菩薩はいかにして菩薩行を学ぶべきか、いかにしてそれを修めるべきか、尋ねよ」

そこで、善財童子は、有徳の長者ラトナチューダの両足に頂礼し、彼の周りを幾百千回となく右遶し、繰り返し(長者を)見つめた後、ラトナチューダ長者の下を去った。

第十六章　香料商サマンタネートラ

そこで善財童子は、無限の仏を見る（三昧）に入り、無限の菩薩との出会いを達成し、無限の菩薩の（菩薩）道の真理《ナヤ》〔方便〕に照らされ、無限の菩薩の（さとる）法の真理《ナヤ》〔法門〕によって心が潤され、固められ、無限の菩薩の信解の道を浄化し、無限の菩薩の諸根の輝きを獲得し、無限の菩薩の道心の力を確立し、無限の菩薩の行に心が随順し、無限の菩薩の誓願の力を生じ、無限の菩薩の無敵の旗印を手にもち、無限の菩薩の智の光明を発散し、無限の菩薩の法の輝きを体得して、次第にヴェートラ・ムーラカ国にやって来て、サマンタムカという都城を探し求めた。

四方八方くまなく、近隣の諸所方々、窪んだ土地、隆起した土地、平坦な土地、でこぼこした土地を、倦むことなき道心をいだき、休まず、ひるまぬ心をもち、不退転の精進努力を重ね、心は（諸煩悩に）負けず、善知識の教えを忘れず、常に善知識との交流を心に刻みこみ、サマンタムカの光景を心に思い浮かべ、決して（そこから）心をそらされず、耳をそばだて目を見開き、くまなく探し求めるうちに、ヴェートラ・ムーラカ国の中央に都城サマンタムカを見つけた。(そこは)一万の町から成る大都市で、みごとに建設されており、堅固な城壁を具え、高くそびえ立ち、(都の)中央からは八本の大路が美しく放射状に延びていた。

その(町の)中央でサマンタネートラという香料商人を見つけた。香料商の店が並ぶ通りに座っているのを見つけて、彼の所に近づくと、その両足に頂礼した後、前に合掌して立ち、次のように言った。「聖者よ、私は既に無上正等覚に向けて発心いたしております。しかし、そもそも菩薩はいかにして菩薩行を学ぶべきか、いかにしてそれを修めるべきか私は知りません」

(香料商は)答えた。「善いかな、善いかな、善男子よ。あなたが無上正等覚に向けて発心したとは。私は一切の衆生の病を熟知している。体風素(1)に由来するものも、胆汁素に由来するものも、粘液素に由来するものも、(三体液素の)均衡の崩れによるものも、他(の医者)に(誤って)治療されたものも、鬼神が(とりつき)引き起こす異常も、悪意ある他(の医者)に治療されたものも、様々な(毒)、呪文、武器、(死体を立たせる)ヴェーターラ(2)鬼の使用や火に由来するものも、水による(体の)不調に由来するものも、様々な恐れやおののきによるものも。

そして、これらすべての病の治癒法を私は熟知している。即ち、緩和鎮痛剤の投与を知っている。催吐剤の投与、下剤の投与、強壮剤(または、乾燥浣腸剤)の投与、出血法、鼻孔療法、(発汗を促進するため病人の周囲に火の入った)溝をめぐらす方法、発汗剤の投与、塗油法、毒物抑止法、とりついた亡霊の撃退法、栄養法、沐浴法、共住法、成長促進法、皮膚の色浄化法、体力増強法を知っている。

善男子よ、十方から私の所に衆生たちがやって来るが、そのすべての病を私は完治させる。そして、病の完治した者たちを沐浴させ、その身体に香油を塗り込めた後、適切な装身具でその肢体を飾り、適切な衣でその体を覆い、種々の最高の味の食物で彼らを満足させ、無量の財宝に富める者とする。

その後、彼らの貪欲を断つために、不浄観を提示することにより、私は説法する。増悪(瞋恚)を断つために、大慈悲心を賞讃することにより、説法する。無知(愚痴)を断つために、諸法の様々な分析を示すことにより、説法する。平均的な煩悩によって行動する者(等分行者)の煩悩を断つために、優れた(仏)智の法門を説き明かすことにより、説法する。

一切諸仏の功徳に関する物語を説き明かすことにより、菩提心を生じる原因を明らかにする。無量の輪廻の苦しみを説き明かすことにより、大悲心を生じる原因を明らかにする。広大な福徳と智という(さとりのための元手となる二種の)資糧の蓄積を賞讃することにより、無量の功徳を獲得する原因を明らかにする。一切衆生の教化と成熟を示すことにより、大乗の誓願を生じる原因を明らかにする。一切の(仏)国土において一切劫の間住む修行の網を広げることにより、普賢菩薩行を体得する原因を私は明らかにする。(一)布施波羅蜜を賞讃することにより、(三十二)相や(八十種)好の完備する仏の身体を獲得する原因を明らかにする。(二)戒波羅蜜を賞讃することにより、如来の一切処に赴く身体の清浄を獲得する原因を明らかにする。(三)忍波羅蜜を賞讃することにより、如来の不可思議なる身体の色や形を浄化する原因を明らかにする。(四)精進波羅蜜を賞讃することにより、如来の無敵の身体を生じる原因を明らかにする。(五)定波羅蜜を賞讃することにより、(他に)圧倒されるにせよ、されないにせよ、如来の身体の清浄を明らかにする。(六)般若波羅蜜を賞讃することにより、(如来の)法の身体の清浄を明らかにする。(七)善巧方便《ぜんぎょうほうべん》波羅蜜を賞讃することにより、世の衆生すべてに(同時に)現前する仏の身体の清浄を明らかにする。(八)願波羅蜜を賞讃することにより、一切劫時に世の衆生の心の中に入り込む(仏の)身体の清浄を明らかにする。(九)力波羅蜜を賞讃することにより、一切の仏国土に出現する(仏の)身体の清浄を明らかにする。(一〇)智波羅蜜を賞讃することにより、一切の世の衆生をそれぞれの願いに応じて満足させる(仏)身の清浄を明らかにする。(二)一切の不善法の退転を賞讃することにより、最も美しく見える(仏)身の清浄を、私は明らかにする。以上のように、彼らを法施《ほうせ》により摂取し、無限の財宝の山を授けた後、(それぞれ)帰還させる。

さらに、善男子よ、私は香料を薫じ、塗香を塗り込むあらゆる方法を熟知している。即ち、シンドゥヴァーリタ樹の香王など、アジターヴァティ香王〔無勝香〕など、ヴィボーダナ香王〔覚悟香〕など、アルナヴァティ香王など、カーラーヌサーリン香王〔堅黒栴檀香〕など、ウラガサーラ栴檀香王など、メーガーガル香王〔沈水香〕など、アクショービエーンドリヤ香王〔不動諸根香〕など、あらゆる香料の用法を知っている。

さらに、善男子よ、私は一切の衆生を満足させ、普き方位の諸仏にまみえ、供養し、奉仕することができる香玉〔令一切衆生普見諸仏承事供養歓喜法門《りょういっさいしゅじょうふけんしょぶつしょうじくようかんぎほうもん》〕を熟知している。そして、善男子よ、この一切の衆生を満足させ、普き方位の諸仏にまみえ、供養し、奉仕できる香玉によって(私の)すべての目的が満たされる。その結果、私は一切の衆生の救済という荘厳の雲を威神力により化現させる。即ち、香宮という荘厳の雲、乃至、あらゆる仕方で如来に供養し、奉仕するという荘厳の雲を威神力により化現させる。

善男子よ、私が如来方に供養しようとするときには、この一切の衆生を満足させ、普き方位の諸仏にまみえ、供養し、奉仕できる香玉により、香庫の楼閣の雲を量り知れぬほど生ぜしめて、十方の法界全体に属する一切の如来の説法会において、一切の香庫の楼閣の雲に荘厳された法界全体を私は威神力により化現させる。一切の仏国土を清浄にする雲に荘厳され、香殿の雲に荘厳され、香料の牆壁に荘厳され、並び立つ香料の尖塔の雲に荘厳され、香龕《こうがん》の雲に荘厳され、香窓の雲に荘厳され、香料の望楼の雲に荘厳され、香料の半月模様の雲に荘厳され、香料の傘蓋の雲に荘厳され、そそり立つ香幢の雲に荘厳され、香幡の雲に荘厳され、香幕の雲に荘厳され、香料の広がる網の雲に荘厳され、香料の光明の雲に荘厳され、整然と輝く汚れなき香料の照明の雲に荘厳され、一切の香雲からの降雨に荘厳された法界全体を、私は威神力により化現させる。

善男子よ、私はこの令一切衆生普見諸仏承事供養歓喜法門を知るのみである。どうして私に、お会いして虚しくなく、(その説法を)聞いて虚しくなく、ともに住んで虚しくなく、憶念して虚しくなく、献身的にお仕えして虚しくなく、その名号を讃えて虚しくない、薬王のような菩薩方の行を知り、その功徳を語ることができようか。

(その菩薩方に)お会いするや否や、すべての衆生の煩悩はすべて消滅する。お会いするや否や、衆生たちは一切の悪趣から退転する。お会いするや否や、衆生たちは諸々の仏法に(悟入する)機会を得る。お会いするや否や、衆生たちのすべての苦の集まり〔苦蘊〕は寂滅する。お会いするや否や、衆生たちは一切の(五)道輪廻の恐怖から自由になる。お会いするや否や、衆生たちは一切智者性の場に至って、無畏の境地に達する。お会いするや否や、衆生たちは老死の険しい断崖を落ちることはない。お会いするや否や、法界の平等性に安住して、涅槃の楽を得るのである。

行け、善男子よ。まさにここ南の地方に、ターラ・ドヴァジャ〔多羅幢《たらどう》〕という都城がある。そこにアナラ〔無厭足《むえんそく》〕という王が住んでいる。彼の下を尋ねて、菩薩はいかにして菩薩行を学ぶべきか、いかにしてそれを修めるべきか、尋ねよ」

そこで、善財童子は、香料を商う長者サマンタネートラの両足に頂礼し、彼の周りを幾百千回となく右遶し、繰り返し(長者を)見つめた後、その下を去った。

第十七章　アナラ王

そこで、善財童子は、（これまでお会いした）善知識のことを次々に思い起こし、それら善知識の教誡の門に心を専注し、私は善知識に摂取されていると自ら心中満足し、私は善知識に守られており、もはや無上正等覚から退転することはないだろうと考えて、心に歓喜を覚えた。彼の心は浄信に目覚め、喜悦、満足、狂喜、愉楽を覚えた。彼の心は寂静、広大となり、（諸々の美点に）荘厳された。彼の心には執着も、障害もなくなった。彼の心は遠離《おんり》し、（全法界の諸仏、諸菩薩と）融合して一つになった。（あらゆるものに対する）支配力と自在力とを得、（いかなる教）法でも随聞《ずいもん》し、理解できるようになった。彼の心は（一切の仏）国土に充満するとともに、（一切の）仏にまみえることにより荘厳された。善財は十力（を具えた仏）に心を専注し、決して（仏から）心を離さぬ者となった。

彼は次第に、国から国、村から村、土地から土地を遍歴し、ターラ・ドヴァジャという都城に到達して、「アナラ王はどこにおられるか」と尋ねた。

彼(善財)に、他の人々は次のように言った。「善男子よ、そのアナラ王は、(人々の)利益を図るために、獅子座に座って王としての勤めを果たしておられる。(一)人民を統治しておられる。(二)抑圧されるべき者たちを抑圧し、(三)恩恵を施すべき者たちには施し、(四)罪を犯した者たちには罰を科し、(五)言い争う者たちの論争に決着をつけ、(六)意気消沈している者たちを元気づけ、(七)高慢な者たちを調御しておられる。(八)(人々が)生物を殺すのをやめさせ、(九)与えられない物を盗るのをやめさせ、(一〇)他人の保護下にある人に対する欲望を鎮め、(一一)(人々に)虚言をやめさせ、(一二)誹謗中傷をやめさせ、(一三)粗暴な言葉遣いをやめさせ、(一四)無意味なおしゃべりをやめさせ、(一五)(人々を)貪欲から切り離し、(一六)悪意から遠ざけ、(一七)誤った考えから解放しておられる」

そこで善財童子は、アナラ王のおられる所に赴いた。見ると、アナラ王は大きな宝石の獅子座に座っておられた。(その獅子座は)ナーラーヤナ神の金剛摩尼によって飾られ、その脚は阿僧祇数の様々に光り輝く宝石よりできていた。多数の宝石でみごとにつくられた美しい像で飾られ、金糸の輝く網により完全に包まれ、多数の摩尼宝石の燈火に照らし出されていた。(その獅子座の)蓮華台は自在王摩尼宝石より成っていた。その上には天上の多数の宝衣が美しく敷かれ、辺りには天上の様々な薫香がたちこめていた。百千の高く掲げられた宝幢や天蓋により輝き、百千の高く挙げられた宝幡に飾られていた。種々の宝華の束が垂れ下がって(獅子座は)輝き、天上の多様な宝帳がその上を覆っていた。

(その王は)真に若々しく、瑞々しく、容貌は麗しく、上品で、美男である。彼の身体には(偉大な人物のもつ三十二)相や(八十種)好が具わっていた。即ち、(一)彼の髪は紺青色で右に渦巻き、(二)頭頂は傘蓋のようであり、(三)頭頂には肉髻《にっけい》が盛り上がり、(四)額は広く、(五)眼は紺青色で大きく、睫毛は牛のようであり、(六)鼻筋は美しく通り、好ましく高く、(七)唇は朱色でしっかりと閉じ、(八)歯はよく整い、真白で、四十本欠けることなく生えており、(九)顎は獅子のようであり、(一〇)頬は丸々とふくらんでおり、(一一)眉はとても美しくて弓のように長く、(一二)(眉間の)ティラカは月の色をした白毫に飾られ、(一三)耳は長く豊かに垂れ下がり、(一四)顔は満月のように明るく、(一五)首は貝のように美しい形をし、(一六)胸は卍形の巻毛で飾られ、(一七)上半身は獅子のようであり、(一八)両肩の間が充実しており、(一九)肩先が丸くて大きく、(二〇)腕は(長くて膝まで)垂れ下がり、(二一)手足は指の間に(水掻きのように)網がからまるとともに、(二二)(千輻)輪の模様があり、(二三)手足が柔軟であり、(二四)(両手、両足、両肩、首の)七個所が隆起し、

(二五)腰は金剛のようで、(二六)身体は大きくて真直ぐで、(二七)腿がみごとに丸く、(二八)陰部が内部に隠されており、(二九)脛は黒羚羊のようであり、(三〇)指は長く、(三一)足の踵が大きく、(三二)(昼夜常に身体から)一尋《ひろ》の円光を放ち、(三三)皮膚の色は黄金色であり、(三四)身毛は一本一本右巻き(に旋回)し、上向きに生えており、(三五)(身体は)榕樹の王のように大きく円満であった。

(アナラ王は)頭に如意王摩尼宝石のついた冠をつけ、額の飾りにジャンブ河産の黄金〔閻浮檀金〕の半月を用い、耳にはインドラニーラ摩尼〔帝青摩尼〕の汚れない紺青色の耳輪を垂らし、胸には値の付けられないほど高価な摩尼宝石より成る、光り輝き、汚れない大きな瓔珞をつけていた。彼の腕には天上の最上の摩尼の腕輪がくい込み、腕飾りがおどっていた。

ジャンブ河産の黄金の傘蓋に千本の宝石の骨が美しく配され、中心に光味大摩尼宝石がとても美しく、宝鈴の輪が甘く心地よい音色を出し、大きな摩尼宝石が普き方角に光明を放ち、柄は汚れなき瑠璃摩尼宝石から成る広大な宝蓋がさしかけられている(アナラ王は)、大王としての支配権を獲得し、妨げられることなく敵軍を懲らしめ、恐れることなく敵軍を支配した。

かの(王の)周囲には一面に、一万人の大臣が集まり、座して、国事に従事しているのが見えた。さらに一万人の仕置人が集まり、(王の)前に立っているのが見えた。彼らは、地獄の獄卒に似ており、ヤマの従者のようであり、醜悪な様子をしていた。真赤な眼は、凶暴、醜悪であり、(見る者に)恐怖を生じさせ、顔は唇をしっかり噛みしめ、三筋の皺《しわ》をよせ、眉をひそめている。刀、斧、矛、投げ槍、投げ矢、槍、杖を手にし、顔も体も険悪、醜悪、異様である。(黒)雲のような色をし、恐ろしく激しい声を発し、直視し難い輝きを放ち、(人々を)大いに恐れさせる。百千の人々に恐怖心を生じさせ、抑圧されるべき衆生を抑圧することに従事していた。

そこで(善財は)盗人、他人の財産を盗む者、他人の財物を破壊する者、追剝《おいはぎ》、村や都城や町や牧場に火をつける者、一家を滅ぼす者、押込強盗、不正を行なう者、毒を盛る者、乱暴を働く者、人殺し、他人の妻と交わる者、よこしまな行ないをする者、悪意をいだく者、貪欲な者、種々の邪悪で残忍な行為を行なった幾百千の人々が、しっかりと五本の紐で縛られて、アナラ王の下に連れて来られるのを見た。

彼らに対して、アナラ王が適切な罰を科しておられるのを見た。そこでは、アナラ王の命令に従って、ある人々の手足は切断され、ある人々の耳や鼻は切断され、ある人々の眼はくりぬかれ、ある人々の肢体や首は切断され、ある人々の全身は火であぶられ、ある人々の身体は切られて変形し、熱い苛性液《かせいえき》に漬けられているなど、多種多様の激しく、荒々しく、厳しく、不快な、(人々の)生命を奪う仕置きが実行されているのを彼は見た。

そして、その処刑場に、手足、眼、耳、鼻、頭や肢体が山と積まれているのを見た。また、深さ三ヨージャナ、延長、幅ともに何ヨージャナもある血の池を見た。また、そこで、肢体や頭が欠けた百千の死体に、恐ろしい狼、ジャッカル、犬、烏、禿鷲、鷹、鷲が群がり、貪り食っているのを見た。また、ある(死体)は、色が青黒くなり、腐敗し、膨張し、蛆虫がわき、非常に変形して、おどろおどろしくなっているのを見た。

そして、縛られ、殺され、種々の仕置きを加えられている彼らが、激しい苦痛の呻き声をたて、大声で泣き叫ぶのを聞いた。(聞く者の心を)大いに動揺させ、かき乱すことは、まるで(多くの苦しみが身に迫って来る)衆合地獄《しゅごうじごく》のようであった。

彼(善財)は、その極度に残酷で、恐ろしい最悪の殺戮を見て、次のように考えた。

「私は、すべての衆生の利益と安楽のために、無上正等覚をめざして出立し、菩薩道の追求に専念し、(これまでお会いした)善知識たちに、菩薩はいかなる善を行ない、いかなる不善を避けるべきでしょうか、と尋ねてきた。ところが、このアナラ王は、善法を捨てて、大罪業をなし、心中に悪意をいだき、他の衆生たちの生命を断ち、他の衆生たちを痛めつけることに専念し、(その報いを受ける)来世のことなど気に掛けず、(地獄、餓鬼、畜生の)悪趣にまさに落ちようとしている。だから、どうして(この王から)私たちは菩薩道について聴聞することができようか」と。

すべての衆生界の救済を求め、広大な慈悲心を起こしている彼が、以上のように考えをめぐらせていると、真上の空中に神々が現れ、次のように話しかけた。「善男子よ、あなたは勝熱仙(1)の教誡を覚えていないのか」

彼(善財)は、顔を上向けて虚空を眺めると、「覚えております」と答えた。

神々は語った。「善男子よ、あなたは善知識の教誡に疑問を生じてはならない。善知識たちは、正しく平等に指導する者であり、誤って(指導すること)はない。(一)善男子よ、実に、菩薩たちの巧みな方法〔善巧方便〕を用いる智は不可思議である。(二)一切の衆生を摂取する智は不可思議である。(三)(一切の)衆生を利益する智は不可思議である。(四)(一切の)衆生を抑制する智は不可思議である。(五)(一切の)衆生を把握する智は不可思議である。(六)(一切の)衆生を摂取する智は不可思議である。(七)(一切の)衆生を浄化する智は不可思議である。(八)(一切の)衆生を守護する智は不可思議である。(九)(一切の)衆生を覆障する智は不可思議である。(一〇)(一切の)衆生を成熟させる智は不可思議である。(一一)(一切の)衆生を教化する智は不可思議である。

行け、善男子よ。彼(アナラ王)に、菩薩行について尋ねよ」

そこで、善財童子は、神々の言葉を聞いた後、アナラ王の所に赴いた。近づくと、王の両足に頂礼し、その周りを幾百千回となく右遶した後、前に合掌して立ち、次のように言った。「聖者よ、私は既に無上正等覚に向けて発心いたしております。しかし、そもそも菩薩はいかにして菩薩行を学ぶべきか、いかにしてそれを修めるべきか知りません。一方、聖者は菩薩たちに教訓と教誡を授けられると私は聞いております。どうぞ私に、いかにして菩薩は菩薩行を学ぶべきか、いかにしてそれを修めるべきかお教え下さい」

そこでアナラ王は、国事を終えて、獅子座から立ち上がり、善財童子の右手をとり、王都ターラ・ドヴァジャへ入った。王は次第に(城内をめぐった後)自分の館に至り、善財を後宮に導くと、玉座に座り、次のように語った。「善男子よ、私のこの館と(そこにおける)享楽をよく見よ」

彼(善財)が眺めると、広大で広々とした彼の館が見えた。(それは)七宝の牆壁に囲まれ、様々な摩尼宝石の宮殿が美しく、幾百千の宝石の楼閣に飾られ、不可思議の摩尼宝石の光輝がその威容をいっそう高めていた。高くそびえる柱は、種々の宝石が様々に配置され、みごとに輝く赤珠から成っていた。(内には)硨磲より成り、幾百千の宝石でみごとに飾られた獅子座が美しく設けられていた。光味摩尼宝石の獅子幢が高く立てられ、(上には)毘盧遮那摩尼宝石の天蓋が広げられ、如意摩尼(宝珠)がちりばめられた大きな網が覆っていた。無数のすばらしい摩尼宝石に飾られた尖塔が壮麗であり、傍には冷たい水をたたえる瑪瑙製の浴池があり、周囲をあらゆる宝石の木々が取り巻いていた。

さらに、十コーティ数の容姿端正、優雅で、美しい女性たちが、彼(アナラ王)に仕えているのを見た。(彼女たちは)すばらしく清浄な最高の色を具え、あらゆる技芸の方法に通じ、(主人より)先に起床し、後に就寝し、慈悲心に満ち、召使いの奉仕や言葉に逆らわない。

そこで、アナラ王は、善財童子に次のように告げた。「善男子よ、あなたは何と思うか。悪行をなす者にこのような業果が成就するであろうか。このような身体を獲得し、このような従者たちを獲得し、このような大享楽を獲得し、このような大王位と支配権を獲得するであろうか」

彼(善財)は「いいえ、聖者よ、そんなことはありません」と答えた。

彼(アナラ王)は告げた。「善男子よ、私は幻〔如幻《にょげん》〕という菩薩の解脱を獲得している。そして、善男子よ、この私の国に住む衆生たちは、大多数が、(一)生物を殺し、(二)与えられない物を盗り、(三)愛欲によりよこしまな行ないをし、(四)虚言を吐き、(五)誹謗中傷し、㈥粗暴な言葉を遣い、㈦無意味なおしゃべりをし、㈧貪欲をもち、㈨悪意をいだき、㈩誤った考えをもっている。凶暴、残忍、大胆不敵であり、様々な不善業をなしてばかりいる。彼らに、別の仕方では罪深い行ないからそらせ、それをやめさせて(正しい行ないを)教えることはできない。

かくして、善男子よ、私はこれらの衆生を調御し、成熟させるために、そして教化して、安楽を得させるために、大悲のゆえに、(威神力によって)化作された死刑執行人によって、同じく化作された処刑者たちを殺害する。化作された仕置人によって、不善業《ふぜんごう》道《どう》を行なう化作された者たちに様々な仕置きを加え、(彼らが)手足、耳鼻、肢体、頭の切断による鋭い苦痛を感受する様を示す。すると、それを見て、この私の国に住む衆生たちは、戦慄し、動揺し、恐れ、おののくのである。彼らは恐怖に駆られて、罪深い行ないに陥ることがまったくなくなってしまう。

善男子よ、私はこの方法〔方便〕によって、これらの衆生たちが心中恐れおののき、怯えているのを知ったうえで、(彼らに)十不善業道をやめさせ、十善業道《じゅうぜんごうどう》を実践させた後に、最も確実な安穏、一切の苦が断たれた一切智者の楽に確立させるのである。善男子よ、私は、ただ一人の衆生といえども、身体、言葉、もしくは心によって傷つけることはしない。(そんなことをすれば)未来にアヴィーチ〔無間《むげん》〕(地獄)の苦の中を徘徊することになろう。善男子よ、私は、畜生道に属する愚か者、虫や蟻に対してさえも、苦しめ悩まそうという気持ちは、一度たりとも起こさない。まして、〔功徳の種を植える福〕田であり、（十）善業道を育てることができる人間界に属する者に対しては、いうまでもないことである。善男子よ、たとえ夢の中でも、私が不善の法を行なうことはない。まして、〔目覚めているときに、不善の法を〕具備していることなど、いうまでもな〔く、ありえな〕い。

善男子よ、私は、この幻という〔菩薩の〕解脱を獲得している〔だけである〕。どうして私に、(一)諸法は本来無生であるという認識〔無生忍《むしょうにん》〕を獲得し、(二)あらゆる生存の境遇〔有趣〕は幻の法であると熟知し、(三)化作〔人の行〕の如き菩薩行に熟達し、(四)一切世界は〔鏡に映った〕影像の如しと識知し、(五)諸法の本性は夢の如しと洞察し、(六)無礙の門を通って法界への道をたどり、(七)〔菩薩〕行の網はインドラの網〔帝網〕の如しと理解し、(八)無障礙の智の対象を境界とし、(九)普く〔万物と〕融合する三昧道に熟達し、(一〇)際限なく旋回する陀羅尼を自在に統御し、(一一)諸仏の活動する境界を熟知する菩薩たちの行を知り、その功徳を語り尽くすことができようか。

行け、善男子よ。まさにここ南の地方にスプラバ〔妙光《みょうこう》〕という都城がある。そこにマハープラバ〔大光《だいこう》〕という王が住んでいる。彼の下を訪れて、菩薩はいかにして菩薩行を学ぶべきか、いかにしてそれを修めるべきか、尋ねよ」

そこで、善財童子は、アナラ王の両足に頂礼し、王の周りを幾百千回となく右遶して、何度も何度も見つめた後、アナラ王の下を去った。

訳　注

序　章

(1)「大荘厳重閣講堂」Mahāvyūha-kūṭāgāra は、「偉大に装飾された楼閣」の意。『六十華厳』では「大荘厳重閣講堂」、『八十華厳』と『四十華厳』では「大荘厳重閣」と訳している。これが普通名詞であるか、固有名詞であるかは判然としないが、『華厳経』大本の伝統では、『華厳経』が七処八会(七個所における八つの集会、二回は同一の場所)で説かれたとされ、その第八回の会《え》座《ざ》がジェータ林の大荘厳重閣講堂であったとされるから、固有名詞的に理解してきた。マハーヴューハという語は経典で仏、菩薩、三昧などの名としても現れるから、ここでも固有名詞として理解してもよいであろう。

(2)「文殊師利」Mañjuśrī は、「妙吉祥」などとも訳す。大乗諸経、とくに『般若経』で活躍する菩薩。南インド出身の実在した人物である可能性もある。Kumārabhūta(法王子、童真、童子)という語をつけて文殊師利法王子などともよばれる。童真とは、菩薩となり、出家して道を行じ、世間の愛欲を受けないことを誓う人、の意味であり、仏が法王であるから、十地《じゅうじ》に入った菩薩を法王子、童真とよぶという(平川彰著作集3『初期大乗仏教の研究I』四六〇頁参照)。漢訳「入法界品」で善財が童子とよばれるのもこの意味によるのかもしれない。

(3)「(十種の)力」は、一切智者である仏のみにそなわる十種の智力(『大乗仏典』中国・日本篇1『大智度論』二九三頁、注10参照)。「無畏」は、「四無畏《しむい》、四無所畏《しむしょい》」のこと。仏や求道者の恐れを知らない四種の自信。同書同注参照。

(4)「波羅蜜」pāramitā は、「完成」「完全性」を意味する語。しかし、教義学的には「彼岸に渡った状態」の意味で、「到彼岸」「度」とも解釈される。『般若経』などでは布施、持戒、忍辱《にんにく》、精進、禅定、智慧の六種を菩薩の修行徳目として説く。この六種の徳目そのものは世俗の善行にほかならないが、それらが仏陀の一切智に転換(回向)されたときには出世間的、宗教的に完全な行となり、布施波羅蜜(布施の完成)ないし智慧波羅蜜(智慧の完成)とよばれる。これらを総称して、六波羅蜜という。『十地経』(『華厳経』「十地品」)、本経などにおいては、菩薩の修行位である十地のうち初地から第六地までに六波羅蜜を一つ一つ配当し、第七地から第十地までに方便、誓願、力、智の四波羅蜜を充当して、十波羅蜜を説いている。

(5)「菩薩乗」は、最初期の大乗経典において声聞の道(声聞乗)、独覚の道(独覚乗)の二つに対して、菩薩の道として成立した。やがて『般若経』になると、大乗という自覚と結びつくようになった。さらに『法華経』では、三乗を包摂する「一仏乗」という考えに変化していった。なお注(16)参照。

(6)「獅子奮迅三昧」は、siṃha-vijṛmbhita-samādhi に対する『六十華厳』の漢訳である(漢訳仏典では、獅子は師子と書くのが普通)。vijṛmbhita は「あくびをした(状態)、広げられた(状態)」を意味する。この後者「広げられた、拡張された」から「奮迅」の意味が出るのではないかと思われる。『八十華厳』と『四十華厳』はこの三昧を「獅子頻申三昧」と訳している。「頻伸」あるいは「頻申」は「うめき声」を意味していて(諸橋轍次『大漢和辞典』)、「あくび」の意味はないようである。「あくび、あるいは奮迅」はライオンが四肢を曲げた状態(gātra-vināma)であり、さかんな行動(への前兆)をいうようである。本経第三十一章「ヴァーサンティー」の中で、菩薩の獅子奮迅が菩薩の神変、威力などと並列されているのがほとんど唯一の手掛かりである。本経では、釈迦牟尼は大悲を根源としてこの獅子奮迅三昧に入り、大荘厳重閣、虚空を含めたジェータ林、さらに十方世界をも不可思議に厳浄《ごんじょう》する。十方から十人の菩薩が無数の菩薩衆を従えてジェータ林に集まってくる。この壮大な神変は如来の智慧の境界にほかならず、それを現した仏は実は三昧に入ったまま一言も語らない。

(7)「娑婆世界」sahā-loka-dhātu――sahā は語源的には「忍ぶ」を意味する。「忍土」「忍界」などと訳す。われわれの住むこの世界は内に煩悩があり、外に風雨寒暑があって耐え忍ばねばならないことが多いから「忍界」という。

(8)「獅子座」は、獅子が百獣の王であるように、仏は一切の衆生の王であるから、仏を獅子にたとえ、その座所のことをいう。菩薩の座所にも適用される。本経ではしばしば蓮華の台の形をした蓮華台(仏教美術では蓮台)の上にのせられている。

(9)「相好」は、仏や転輪聖王《てんりんじょうおう》の身体に具わっている、常人にはない優れた特徴をいう。詳しくは本経第十一章、十七章と四十章(下巻)参照。

(10)「毘盧遮那仏」Vairocana は、「光明遍照」「遍一切所」などと訳す。「盧遮那仏」「遮那仏」などとも略す。本来は太陽の意味であるが、智慧の広大無辺を象徴する仏でもある。『華厳経』の主尊、無量劫《むりょうごう》に功徳を修して正覚をさとる蓮華蔵世界の教主。

(11)方便、誓願、力、智の四波羅蜜については、注(4)参照。

(12)「無礙の弁才」は、「四無礙智」「四無礙弁」ともいう。教えにおいて滞ることのない「法無礙」、教えの意義内容を知って滞ることのない「義無礙」、諸方の言語に通じて自在である「辞無礙」、衆生のために法を説いて自在である「楽説《ぎょうせつ》無礙」または「弁無礙」の四つをいう。

(13)「法身」dharma-kāya は、もとは仏の肉身に対して仏の教えとしての経の集まりをいった。やがて肉体をもってこの地上に現れる仏身を色身《しきしん》というのに対して、宇宙的な真理(真如《しんにょ》、法界《ほっかい》)、あるいはその智慧そのものとしての仏身を法身というようになった。さらに後には仏の三身が説かれるが、「入法界品」では法身と色身の二身のみが現れる。

(14)「二人の上首」agra-yuga および「二人の賢者」bhadra-yuga は、二人一組の上首、賢者のこと。ともに舎利弗と目犍連の二人をいう。E. Waldschmidt, Das Mahāvadānasūtra, Ein kanonischer Text über die sieben letzten Buddhas, Teil II Vorgang. 3c. 7, S. 76–77 参照。

(15)「八種の解脱」は、迷界の煩悩を捨ててその束縛から解脱する八種の禅定。初禅、第二禅、第三禅、第四禅、四種の無色定、滅尽定をいう。ただし異なった解釈もある。

(16)「声聞乗」——ゴータマ・ブッダの滅後まもなく弟子たちは遊行《ゆぎょう》遍歴の習慣を捨てて僧院に

定住するようになった。またアショーカ王の滅後まもなく（前三世紀）、仏教教団は上座部と大衆部とに分裂した。この二派から次々と枝末の部派が分岐して、やがては二十にあまる部派が成立するようになる。仏弟子たちは僧院という一般社会と隔絶した環境の中で、学問と修行に専念し、経典、律典、論書の理論化、体系化に関心をもつようになった。彼らは自己の解脱を求めたが、その求道は自利に傾き、ややもすれば在家信者たちの利益を忘れがちであった。利他の精神を強調する新興の大乗仏教徒は自らの仏教を大乗とよび、それまでの僧院の仏教を声聞乗とよんだ。また声聞と独覚の仏教を合わせて小乗と貶称するようになった。

(17)「究極の真実」（実際）――ここでは、声聞たちがあらゆる衆生を救済しようとする慈悲をもたず、自己の解脱のみに専心しているため、究極の真実を得ると直ちに絶対の静寂である涅槃に入ってしまうこと。この利他を忘れて究極の真理である涅槃に入ってしまうことを「実際を証する」という。これに反して、大乗の菩薩は真理をさとっても涅槃に入らず、輪廻の世界にとどまって衆生を救う（不住涅槃）。

(18)「コーティ・ニユタ」は、いずれも厖大な数の単位。仏教の数体系では、koṭi＝1,000×10,000＝10,000,000で、nayuta (niyuta)＝koṭi×10,000,000である。詳しくは『大乗仏典』中国・日本篇1『大智度論』三一五頁、注45参照。

(19)「四摂事」は、衆生を救済し、仏教に誘い入れるための四種の方法。(一)布施。教えや物を与えること。(二)愛語。やさしい言葉をかけること。(三)利行。身体、言葉、心の三種の行為で善をなして人々に利益を与えること。(四)同事。相手と同じ立場に身を置くこと。

(20)「地遍処定」ほか——世界(三界)が地、水、火、風、青、黄、赤、白、空、識のうちの一つによって遍満されていることを観じて、煩悩を遠離《おんり》する禅観を合わせて十遍処定という。ここでは空と識が欠け、代りに天、種々衆生身、一切言音、一切所縁が加えられて十二になっている。

(21)五八頁では、この菩薩の名は「普遍法界大願際」dharmadhātupraṇidhitalanirbheda であったが、ここではこの漢訳のように、dharmadhātutalabhedajñānābhijñarāja となっている。以下このような現象は頻出する。

(22)この「菩薩」は釈尊が仏になる前の呼び名としての「菩薩」に相当し、ジェータ林に参集した大乗仏教の修行者としての菩薩とは一応別である。漢訳では「大菩薩」。

(23)この「菩薩」は祇園精舎にいる菩薩たちが見た無数の説法会《せっぽうえ》にいる菩薩たちで、彼らがまた無数の方角にある世界における「如来の神変」を見ているのである。但し、以下の「方角」に関する記述などは明確にできない。

(24)「順境」——地獄や長寿天など、苦しすぎたり楽しすぎたりして仏教を求め、修行できない境遇を除く、実質的には人の世。第二章注(1)参照。

(25)「インドラの網」は、華厳教学では、その網の結び目につけられた宝珠が相互に他の結び目の宝珠の影像を自分の中に映し合って「重々無尽」であることを示すが、その思想はこの経典では未だ熟していないようである。インドでは普通は「幻術」を意味するが、ここでは衆生界を包む網というのが直接的な意味のようである。

(26)「蓮華の神変」は、一歩足を運ぶごとに蓮華が足下に現れる神変をいうのであろう。

(27)「鉄囲山」――仏教神話では、世界は須弥山を中心に九つの山と八つの海がそれを取り巻いているが、その最も外側の鉄でできた山。

(28) ここで文殊は、自分の住居である善安住楼閣から南方へと旅立つのである。『探玄記』の注釈については、長谷岡一也「善財童子の遍歴」(『講座大乗仏教』3「華厳思想」一二九頁)参照。

(29) 前掲書一三三頁参照。

(30)「ラーフ」は、ヒンドゥ神話では日食や月食を引き起こす悪魔の名であるが、仏典ではアスラ王の名であり、漢訳では「羅侯」などと音写される。

第二章

(1)「八つの不運な生まれ」とは、「八難処」「八無暇《むか》」などともよばれ、仏道修行を行なうことがむずかしい境遇のことである。地獄、餓鬼、畜生の三悪趣(三塗)のほかに、楽しみの多い長寿天や須弥山の北側にあるというウッタラクル州の住民、感覚器官の不自由な人々、世俗的な智慧が優れている人々、そして仏の出現されない期間が、原始仏教以来の伝統的な八難である。

第三章

(1) 漢訳四十巻本はこの「無礙解脱門」を「普遍速疾勇猛不空供養諸仏成熟衆生解脱門」と訳し、その内容に言及している。本章一六三頁参照。

(2)「刹那」はkṣaṇaの音写で時間の最小単位である。『倶舎論《くしゃろん》』では、百二十刹那を一怛刹那《たんせつな》、六十怛刹那を一ラヴァ、三十ラヴァを一ムフールタ、三十ムフールタを一昼夜とする。

(3) 世界あるいは宇宙の区分として「世界」「世界海」は既に何度か出てきたが、以下にはそれらに加えて十余の名称が列挙される。一々の意味は不詳だが、本訳では四十巻本の漢訳を挙げた。

(4) 前出(一六一頁)の列挙においては、「世界清浄」は見られない。

第四章

(1) 中村元『仏教語大辞典』下、九八八頁、「転字輪」参照。

(2) 「風輪」vātamaṇḍala は、須弥山を中心にした宇宙論において、九山八海を支えている金輪《こんりん》、水輪、風輪の三輪の中の最下層円盤状の輪である。

第五章

(1) この法門は、第四章で「妙音陀羅尼光明」と漢訳されていたもの(一七一頁)と同一である。

(2) 「ナーラーヤナ神」は、インド神話において、シヴァやブラフマー(梵天)と並んで重要な位置を占めるヴィシュヌ神のことであるが、手にあらゆるものを打ち砕く金剛杵《こんごうしょ》をもつ大力の神として、仏典では「那羅延力執金剛」と称される。

(3) 以下に釈尊の生涯になぞらえた記述が見られるが、その一生における重大事件を八つにまとめたものを「八相成道《はっそうじょうどう》」という。「八相」とは一般的に、(一)釈尊が兜率天《とそつてん》から降りてくる、

(二)マーヤー夫人の胎内に宿る、(三)誕生する、(四)王宮から出家する、(五)菩提樹下で修行を妨げる魔を打破する、(六)さとりを開き仏陀となる、(七)転法輪《てんぽうりん》、(八)娑羅双樹《さらそうじゅ》の下で涅槃に入る、の八つである。このような仏伝の主要場面が、本経典では繰り返し言及され、当該の善知識が仏の全生涯を通じて仏と関わってきたことが強調される。これは、インドネシアのボロブドゥルのレリーフや西チベットのスピティ地方のタボ寺院の壁画において、仏伝と善財童子の旅が補い合う二大テーマとされることと無縁ではないと思われる。

(4)　この菩薩名のサンスクリットに相当する漢訳は見当らない。当該個所の漢訳は、「自在慧焔光」(六十華厳)、「金剛焔慧」(八十華厳)、「金剛焔慧自在妙因王」(四十華厳)である。

(5)　「自己の心の堅い決意を基盤とする」は、svacittādhiṣṭhāna の訳である。本訳ではほとんどの場合 adhiṣṭhāna を「威神力」と訳しているが、ここでは試みにこのように訳してみた。

第六章

(1)　以下に種々の「自在」が出てくるが、十波羅蜜と自在とが関連づけられている。華厳経の「十自在」については、中村元『岩波仏教辞典』四二四頁参照。

(2)　「無礙自在である」は、adhiṣṭhāna の訳である。漢訳は「無所障礙」。

第七章

(1)　「八種の功徳を具えた水」は、八種の優れた性質をもつ、即ち甘い、冷たい、軟らかい、軽い、清い、臭いのない、のどを損なわない、腹を痛めない水。

(2) 以下に厖大な数の名称が列挙されるが、その数的価値は不明である。同様の数の列挙は本経第十二章にも見られる。

第九章

(1) 「五火の苦行」とは、東南西北の四方に置かれた火と上方の太陽に身をさらす苦行のことである。

(2) 「スパルニン」は、ガルダともよばれ、インド神話では、金色の広大な翼を具えた鳥で、龍をとって食う猛鳥とされる。

第十一章

(1) 「ティラカ」は、額に付する色のついた標章で、装飾または宗派の特徴を示す。

第十三章

(1) 以下の記述から明らかなように、プラブータ優婆夷は釈尊にミルクを捧げた村の娘スジャータを一般化したもの。

第十五章

（1）以下の十層が菩薩の修行の位を示す「十地」の思想と関係するであろうことは、第五層の記述からしても、想像に難くない。しかし、『華厳経』「十地品」中の「十地」とは必ずしも対応しない。なお、本経典『華厳経』「入法界品」では、第三十九章（下巻）に「菩薩の十の誕生」という考えが提示される。なお、この建物は本経における楼閣の重層性をよく示している。

第十六章

（1）以下列挙される病名や治療法については、不明な点が多い。「科学的な」インド医学は、コペンハーゲン大学のジスク教授の研究（ケネス・G・ジスク著、梶田昭訳『古代インドの苦行と癒し　仏教とアーユル・ヴェーダの間』時空出版、一九九三年）によると、紀元前五―六世紀頃、ブッダ（釈迦）を初めとする沙門（苦行者）たちの活動と並行して起こったものとされる。それ以前のインドでは『アタルヴァ・ヴェーダ』に見られるような、「魔術的な」医学であった。ここに言及される三体液素の不均衡による病気の説明は、「科学的な」インド伝統医学の根本的な理論であり、仏教徒の間にも広く受け入れられていたと思われる。一方、鬼神や呪文などに病気の原因を求めるのは、「魔術的な」インド医学の残滓であろう。

（2）「ヴェーターラ」は、「毘陀羅」「起尸鬼」とも訳されるように、呪力によって死体を立たせて、怨みの対象に害を加える悪鬼の一種。

第十七章

(1)「勝熱仙」は、第九章に登場した善知識である。漢訳三種は、いずれも勝熱仙ではなくて直前の善知識サマンタネートラ(普眼)長者に言及している。

解説

梶山雄一

一　『華厳経』と「入法界品」

廬山の慧遠《えおん》の弟子であった支法領《しほうりょう》は三九二年に友人たちとともに西域に遊び、コータンで『華厳経』のサンスクリット原典を見つけ、四一八年にこれを中国にもたらした。これを揚州の道場寺にいたブッダバドラ（仏駄跋陀羅、覚賢）が中心となって訳出し、四二一年に『大方広仏華厳経』六十巻（略称、六十華厳）が世に現れた。

唐に代わって武周王朝を建てた則天武后は『六十華厳』によって華厳宗を大成した法蔵《ほうぞう》を重用していたが、コータンに『華厳経』のサンスクリット本のあることを聞いて、使者を送り、そのテキストと翻訳者を求めさせた。六九五年、シクシャーナンダ（実叉難陀《じっしゃなんだ》）がボーディルチ（菩提流支《ぼだいるし》）や法蔵らの助けを借りて翻訳にかかり、六九九年に『大方広仏華厳経』八十巻（略称、八十華厳）を完成した。

『大方広仏華厳経』という名をもつ第三の経典は、唐のプラージュニャ(般若《はんにゃ》)が七九八年に訳出した『大方広仏華厳経』四十巻である。これは実は上記の二種の『華厳経』の末尾にあって、全体の三分の一弱を占める大章「入法界品《にゅうほっかいぼん》」だけの新訳である。四十華厳と略称されるが、『華厳経』の完訳ではない。

『華厳経』の完訳としてはほかに、九世紀末頃にジナミトラ、スレーンドラボーディなどがサンスクリット原典からチベット語に訳したもの(略称、蔵訳華厳)がチベット大蔵経に含まれている。

したがって、『華厳経』の完本(大本)には、『六十華厳』『八十華厳』『蔵訳華厳』の三訳がある。この三本は年代的にもこの順序に訳され、分量的にもこの順序に大きくなっている。サンスクリット原典が時代とともに増広されたり、異本ができたりした過程を反映しているのである。大本『華厳経』の最後の章である「入法界品」は『六十華厳』『八十華厳』『蔵訳華厳』のそれぞれに含まれるとともに、『四十華厳』として別に単独に漢訳されているから、合計四訳が得られるうえに、実はサンスクリット原典も現存し、刊行されている。(1)

訳経史の上から考えると、大本『華厳経』のサンスクリット原典は、遅くとも、支法領がこれを入手した頃、即ち四〇〇年頃には成立していたと思われる。その原典はインドにおいて編纂されたというよりも、中央アジアにおいて、それまで単独に伝えられていた同種の経典を選び、いくつかの章を書き足して集成したという可能性もある。

現存の大本『華厳経』を構成している章のかなりの数のものが早くから単独にインドや中央アジアにおいて行なわれていたことは、『六十華厳』の「名号品《みょうごうぼん》」「浄行品《じょうぎょうぼん》」「十住品《じゅうじゅうぼん》」「十地品《じゅうじぼん》」「性起品《しょうきぼん》」「離《り》世《せ》間品《けんぼん》」「入法界品」、『八十華厳』『蔵訳華厳』にある「十定品《じゅうじょうぼん》」などのうちの一品ないし数品に対応する諸経典が二世紀後半の後漢代以来次々と漢訳されていたという事実から確かめられる。「入法界品」に相当する『ガンダヴューハ』(Gaṇḍavyūha)、「十地品」に相当する『十地経』(Daśabhūmika-sūtra)、「性起品」に相当する『如来興顕経《にょらいこうけんきょう》』などのサンスクリット原典の成立、流布は四世紀あるいは三世紀にまで遡ると推定されている。『ガンダヴューハ』はナーガールジュナ(龍樹《りゅうじゅ》、一五〇—二五〇年頃)に帰せられる『大智度論』に数回言及、引用され、『十地経』にはナーガールジュナ作といわれる注釈『十住毘婆沙論《じゅうじゅうびばしゃろん》』があるから、この両経の成立は二〇〇年頃に遡り得るが、『大智度論』および『十住毘婆沙論』のナーガールジュナへの帰属はなお決定的でないから、速断はできない。しかし『十地経』の説く菩薩の十地の名称はナーガールジュナの『宝行王正論《ほうぎょうおうしょうろん》』に誤りなく現れるから、ナーガールジュナが『十地経』を知っていた可能性は大きい。大本『華厳経』の成立年代について近年の代表的見解として高崎直道の一文を引用しよう。

『華厳経』の成立年代については、今日学界において、その大本の成立は四世紀中葉以前、そして、「入法界品」と「十地品」は龍樹《りゅうじゅ》に知られていたことが確実として、三世紀中葉以前の成立と考えられている。一方、上限としては古い漢訳年代(支婁迦讖《しるかせん》訳『兜沙経《としゃきょう》』)から判断して、「名号品《みょうごうぼん》」を含む原型が二世紀はじめにはすでに成立していたものと推定される。そして、竺法護訳出という点で、「十住」「十地」「十定」「十忍」「如来出現(性起)」「離世間」の諸品(八十華厳の品名による)が三世紀後半には出揃っていたことは確実である。したがって、この経は大部分が第一期の大乗経典に属するものとみなされている。しかし、初期の大乗経典中では、明らかに『般若経』のあとに出たものとされる。ただし、『無量寿経』や『法華経』との関係はあまり定かでない。(2)

なお、とくに『ガンダヴューハ』の成立年代については後に再説する。『ガンダヴューハ』の舞台が南インドであるために、『華厳経』も南インドで成立したとする意見もあるが、南インドに関する地理的記述は必ずしも正確ではないし、大部分の地名は同定できないので、確定はできない。むしろ西北インドあるいは部分的には中央アジアのコータン辺りでつくられた可能性もあるという。

二世紀後半にローカクシェーマ（支婁迦讖《しるかせん》）が漢訳した『兜沙経』やそれを敷衍した支謙訳（三世紀前半）『菩薩本業経』には既に大本『華厳経』の構想が見られる。木村清孝によれば、『華厳経』としてまとめあげられる際にその柱となったものは、全体の舞台設定、あるいはプレリュードの役割を担うものとして、おそらく深い瞑想と思索を介して新たに作成、付加された「世間浄眼品《せけんじょうげんぼん》」と「盧舎那仏品《るしゃなぶつぼん》」、菩薩の優れた修行を説く「十地品」、および量的にも全体の三分の一弱を占め、具体的な修行の道すじを示す「入法界品」である。[3]

二　『大方広仏華厳経』の題名

『大方広仏華厳経』はチベット語訳に記されているサンスクリット名では、Buddha-avataṃsaka-nāma-mahā-vaipulya-sūtra（仏華厳という大方広経典）である。その後半部の mahā-vaipulya-sūtra は、伝承によって、mahāyāna-sūtra となっていることもあるが、一般的に vaipulya（広大、方広）も mahāyāna（大乗）と同じように「大乗」（経典）を意味するから、さして問題とするに当らない。

avataṃsaka は「（頭や首などにつける）華輪、耳飾り」を意味する。漢訳の「華厳」

は「華飾り」の意であるから、それは上記のサンスクリット語「アヴァタンサカ」の訳であることは確かである。しかし、buddha-avataṃsaka = 仏華厳となったときには「(無数の)仏陀の集まり」を含意するようになる。事実、buddha-avataṃsaka に相当するチベット訳の経名は saṅs rgyas phal po che であって、「仏の大群」を意味する語であるし、F. Edgerton, Buddhist Hybrid Sanskrit Dictionary は『ディヴィヤーヴァダーナ』に現れる avataṃsaka の語に a large number, collection の訳を与えている。仏華厳とは無数の「仏の集まり」を華飾りにたとえた言葉なのである。

釈迦牟尼仏が悪道を行く外教《げきょう》者たちを圧伏するために神変を用いた話は経典にしばしば現れるが、桜部建は『ディヴィヤーヴァダーナ』における釈尊の神変を説明して「ブッダ・アヴァタンサカ」という語の意味を明らかにしている[4]。その一部を引用する。

> (ウパグプタ長老がいう。)「大王よ、外教者に打勝たんがために舎衛城《しゃえじょう》において世尊によって大神変がなされ、色究竟天にまで至る大いなる仏の集まり(buddha-avataṃsaka)が化作《けさ》されたその時、私はまさしくその場に在った。私はかの仏の〔神通〕遊《ゆ》戯《げ》を見た」

さらに桜部は仏の神変を語る他のいくつかの文献を紹介した後にいう。

合成語 buddhāvataṃsaka の意味するところが、一蓮華の上に安坐した世尊を中心として、その左右と背後においてそれぞれ同様に蓮華上に安坐した仏が在り、その一一の仏の左右及び背後にまたそれぞれ同様に蓮華上に坐した仏が在り、さらに次々と同様に仏に仏が重なり合って、ついに色究竟天にまで至るという壮麗なありさまに外ならないことは、今や明瞭である……avataṃsaka は(「飾り、特に花などを編んで作り頭あるいは耳につける飾り」の意をあらわす avataṃsa という語から出て)「華」「華厳」「荘厳」などと漢訳されているが、それは仏典の中では、右に述べたように、明らかに、それぞれ一体の仏を上に載せた無数の蓮華の、前後左右に整然たる配列を意味している。したがって buddhāvataṃsaka はすなわち、蓮華上に坐した一仏を中心として、その背後・左右に重々無尽《じゅうじゅうむじん》に列なった壮大な華座の仏の集団である。

桜部のいうように、「仏華厳」の名をもったこの大乗経典の中に説かれている蓮華蔵世界のアイディアが右のような「大神変」を伝える説話に胚胎すると考えることは十分に可能である。

三 『ガンダヴューハ』の題名

大本『華厳経』の最後を飾り、また『四十華厳』として単独にも訳された「入法界品」が、もともとは単行していたサンスクリット原典『ガンダヴューハ』に相当するものであることは既に述べた。「入法界」は「ガンダヴューハ」(Gaṇḍa-vyūha)という原語の漢訳ではなくて、漢訳者が内容の意をとってつけた章名にすぎない。ところが、この「ガンダヴューハ」という言葉は実は「仏華厳」という語以上に難解なものである。

この合成語の後分 vyūha は「配置」「集合」「荘厳(美しい景観)、神秘的な示現」などの意味で用いられる。前分 gaṇḍa はドラヴィダ語に起源するものであるが、古典サンスクリット語では「頰」「はれもの、にきび」「ふし、骨」などの突出物を意味する。しかし、仏教混淆梵語としては「植物の茎」「断片、部分、節」などの意にも使われている。この「茎」の意味を採用すると、「ガンダヴューハ」は「茎の荘厳」の意味になる。事実、『ガンダヴューハ』に当るチベット語の題名は、sdoṅ pos brgyan pa または sdoṅ po bkod pa であるが、それは「茎による荘厳(示現)」あるいは「茎の荘厳(示現)」の意味である。ウィルソン女史(Frances Wilson)が『ガンダヴューハ』の部分訳を行なったときには、Gaṇḍavyūha という経題を The Harmony of the Young Sapling Sutra「若木の調和(という)経」と英訳している。[5] 岩本裕は同じ『ガンダヴューハ』を「茎の見事な景観」と訳している。[6] けれども、「茎の荘厳、示現」とはいかなる意味であるのか、理解は困難である。(茎から無数の葉が出るように、仏から無数の化仏が出る、と解釈することはできる。)

しかし、今日、一つの有力な解釈は「ガンダ」を「部分、節」とするもので、これはL・ゴメスによって提唱された。ゴメスは『ガンダヴューハ』の本文の一部ではないが、その冒頭に付加されている十六の詩頌の第一が、「集会の海と呼ばれる示現に始まる、勝者の子(仏子)たちの大海の賞讃を歌う〈諸節における示現(を含む経)(Gaṇḍavyūha)〉が(いまや)述べられる」といっていることを根拠にして、『ガンダヴューハ』を「諸節における(多くの)示現を(含む経)(The 〔Sūtra Containing〕 Manifestations in Sections)」の意味に解釈した。[7] 五十三節に亘って多くの善知識としての法界の示現を述べる経典という意味であろう。

他方、原実は、gaṇḍa がインドの戯曲論の術語であることに注目し、戯曲論書における この語の定義、実際の戯曲の中での実例を詳しく紹介して、「gaṇḍa とは劇の大団円乃至は来るべき悲劇を予示する急遽唐突なる言辞で、舞台の転換に一役買っている劇中の一要素であった。斯くて劇作者は戯曲全体の構想をふまえ、偶然の一致の装いの下に、舞台の場面転換の起爆剤としてこの種の「係り結び」gaṇḍaを用意していたのである」という。また原は祭式文献、軍事文献、さらにパンチャラートラ派の典籍に見えるvyūhaの用例を検討して、「vyūhaとは不可分の全体(samūha)を構成している諸分子の在来の配合形態を崩し(vy-ūh-)、それらを配置転換することによって、全体が異なった現象形態を取ることを意味している」という。『ガンダヴューハ』においては、一つの物語から次の物語への移行はしばしば「菩薩たちの行を知り、あるいはその功徳を語ることはどうして私にできようか。行け、善男子よ。ここ南の地方に、これこれという名の地がある。そこにこれこれの名の人が住んでいる。彼の下を訪れて、いかにして菩薩は菩薩行に専念すべきか……を尋ねなさい」という係り結びによってなされ、物語は漸次連接されて全体は究極の法界到達に向かって進んで行く。それは厳密な意味での戯曲論のgaṇḍaではないが、しかし他面、一善知識より次の善知識に至る過程において、それが究極の大団円、乃至は来るべきものを読者に予想させつつ、一を他に連接せしめる機能を果たしていることも事実である。こうして、原はこの「ガンダ」を「結い目」「係り結び」の意にとって、Gaṇḍavyūhaは「五十三物語の、その大団円を目指しての「結い目」「係り結び」(gaṇḍa)による「有機的且つ効果的な配合」(vyūha)を意味する」

という。(8)

『仏華厳経』の原語がBuddha-avataṃsakaであること、また『ガンダヴューハ』が初めは単行の経典であり、後に大本『華厳経』の一部として取り入れられたことも確かであるが、『華厳経』全体がときとして『ガンダヴューハ』ともよばれていたことも事実のようである。したがって、ペリオ、渡辺海旭、荻原雲来、中村元などの諸氏が、「華厳」の原語はavataṃsakaであるよりもgaṇḍavyūhaであろうと考えたこともまったく理由がないわけではない。

華厳宗の大成者、法蔵、それを受けた澄観《ちょうかん》などは「華厳」の原語を「健拏驃訶(ガンダヴューハ)」と考えていた。またサンスクリット本『ガンダヴューハ』の跋文(Suzuki-Idzumi ed., p. 548; Vaidya ed., p. 436)には「『聖なるガンダヴューハ』という大法門のうち、善財(童子)が善知識に親近する修行の部分を記す『聖なるガンダヴューハ』という大乗経宝の王が、得られたままに完了した」とあって、『ガンダヴューハ』が『華厳経』の総名であり同時に「入法界品」の別名でもあるというように解される。(9)(もっとも、『蔵訳華厳』においては最初の『ガンダヴューハ』は「仏華厳」に変わっているから、なお留保を要する。)さらに八世紀のシャーンティデーヴァの編著『シクシャーサムッチャヤ(大乗集菩薩学論)』の中に『華厳経』よりの引用がすべて『ガンダヴューハ』の名によってなされている。これらの事実はとにかく『ガンダヴューハ』が『華厳経』全体の名として用いられていたことを示している。

中国においては、『ガンダヴューハ』は「不可思議解脱経」とも「入法界品」ともよばれている。前者は鳩摩羅什《くまらじゅう》訳『大智度論』の中にも現れるから、インドに起源をもつ名であった可能性もある。いずれにしても『ガンダヴューハ』という経は、様々な異名をもっていたのである。ゴメスは「もともとの経名は不可思議解脱経(Acintyavimokṣasūtra)であって、この名の下に『華厳経』に取り入れられ、その後『ガンダヴューハ』と呼ばれるようになった。『華厳経』がインドで早い時期に消え去り、また『ガンダヴューハ』が残存の諸断片の中で最も代表的なものとなったということは、『ガンダヴューハ』と『華厳経』とが結果的に同一視されたことから起こったのである」といっている。(10)

四　『ガンダヴューハ』(「入法界品」)の年代

『六十華厳』のサンスクリット原本が支法領によって四一八年に中国にもたらされ、四二一年にはブッダバドラによる漢訳が完成されたことから考えて、大本『華厳経』の原本が遅くとも四〇〇年前後にはインドあるいは中央アジアにおいて成立していたことが分かる。しかし、『ガンダヴューハ』は、「十地品」とともに、大本に組み込まれる以前に既に単行経として流布していたから、その成立は四〇〇年よりかなり遡るはずである。いまは、ゴメスの『ガンダヴューハ』成立年代論を紹介し、それを検討してみたい。このゴメスの年代論は同氏が一九六七年にイェール大学に提出した哲学博士学位論文にあるものである(11)。

『ガンダヴューハ』の最初の漢訳は聖堅《しょうけん》の『羅摩伽経』(『大正』二九四、巻一〇所収)である。この題名はアヴァローキテーシュヴァラ(観自在菩薩)の大悲の根源である三昧「毘羅摩伽(vilomaka)」に由来する。この経は三巻のうちに『ガンダヴューハ』を断片的に翻訳している。聖堅の翻訳活動は三八八年から四〇八年までである(『開元釈教録』による)から、『六十華厳』の訳出よりは少なくとも十数年早い。

ナーガールジュナに帰せられている『大智度論』は鳩摩羅什が四〇二年から翻訳を始め、四〇三年(四〇五年が正しい)に完成した。『大智度論』は「不可思議経」あるいは「不可思議解脱経」の名の下に『ガンダヴューハ』を計八回に亘って引用し、あるいはそれに言及している(vol. 5, pp. 94, b13–95, b25; vol. 33, p. 303, b24–26; vol. 34, p. 308, b11, b15; vol. 35, p. 317, a7; vol. 50, p. 419, a29–b1; vol. 73, p. 576, c25; vol. 100, p. 754, b16; vol. 100, p. 756, b7)。

干潟龍祥は『大智度論』の内容を分析して、(A)明らかに鳩摩羅什の加筆の部分、(B)ナーガールジュナ自身の言葉とみなせる部分、(C)A、B以外で、伝統に従ってナーガールジュナの言葉と見た方がよい部分の三部分に分けた[12]。ゴメスは干潟の分類を援用して、『大智度論』に現れる『ガンダヴューハ』の引用、言及八個所は、最後の一つを除いて、すべてナーガールジュナの文章である、と考える。このことからゴメスは、『ガンダヴューハ』はナーガールジュナの活躍年代の下限、即ち三世紀の後半には世に知られていた、と結論する。

さらに、ゴメスはサーラマティ(堅意、三〇〇年頃)に帰せられる『入大乗論』(「大正」一六三四、巻三二所収)が『結解脱経』及び『花厳経』の名の下に『ガンダヴューハ』を二回に亘って引用、言及していること(vol. 1, p. 38, b24; vol. 3, p. 43, b2)を根拠にして、『ガンダヴューハ』はナーガールジュナと鳩摩羅什の中間の時代に存在していたことも確かである、という。このサーラマティの『入大乗論』は明らかに中観派の色彩の濃い論書であるから、如来蔵思想を盛る論書『宝性論《ほうしょうろん》』の著者であるサーラマティ(堅慧)と同一人であるかどうか不明であるが、ゴメスは同じサーラマティの初期の作品と考えることもできる、という。

このようにして、ゴメスは『ガンダヴューハ』成立の下限を三世紀後半とする。この場合、ゴメスはラモットに従ってナーガールジュナの年代を二四三—三〇〇年頃と推定している。近年は、ナーガールジュナの年代を一五〇—二五〇年頃とみる説が定着してきているので、これによれば、『ガンダヴューハ』の年代の下限はさらに半世紀以上遡ることになる。『ガンダヴューハ』の成立年代の上限については、ゴメスは、この経に現れる菩薩の十地の体系が『十地経』の十地を知らず、後者に先立つものであることを主張し、したがって、『ガンダヴューハ』は『十地経』よりも古いか、遅くとも同年代であろうという。しかし、『十地経』の成立年代そのものが確定的でなく、また『ガンダヴューハ』成立の上限に関しては他に確実な資料もないので、ゴメスは、おそらく西暦紀元の初めに少し遅れる頃であろうという。

菩薩の修行の位は経典によって種々に分類されていて、ここに詳しく説明することはできないが、(13)『八千頌般若経《はっせんじゅはんにゃきょう》』と『ガンダヴューハ』との年代に関わるものだけを簡単に述べておく。『八千頌般若経』では菩薩の位を四種に分けて、初発心《しょほっしん》菩薩（初学の菩薩）、行六波羅蜜菩薩（長く六波羅蜜を修行した菩薩）、不退転菩薩（もはや退転することのない菩薩）、一生補処菩薩（この一生を限りとして、次生には成仏して釈迦牟尼仏の位を補う菩薩）としている。他方、『ガンダヴューハ』には、十地の菩薩が説かれていて、初発心、新学、瑜伽行《ゆがぎょう》、生貴《しょうき》、方便具足、清浄意業、不退転、童真、王子、灌頂となっている。この十地のうち、初発心は先の四種菩薩の第一に等しく、瑜伽行は行六波羅蜜菩薩に相当し、不退転は不退転に等しく、灌頂は一生補処に相当する。したがって、『ガンダヴューハ』の十地は『八千頌般若経』の四種菩薩を取り入れて成ったということができる。先に高崎が、大本『華厳経』についてではあるが、「(この経は)明らかに『般若経』のあとに出たものとされる」といっていたが、『ガンダヴューハ』についてもそれが『八千頌般若経』以後に成立した、といえる。『八千頌般若経』の成立年代にも種々の説があるが、私はその成立を西暦五〇年頃と考えている。

『十地経』(十地品)には上記の『八千頌般若経』から『ガンダヴューハ』に連なる菩薩の位と系統を異にする、そしてさらに著名な十地説が出ている。これは、歓喜地、離垢地、発光地、焔慧地、難勝地、現前地、遠行地、不動地、善慧地、法雲地というものである。ゴメスは、もし『十地経』が『ガンダヴューハ』以前に成立していたとすれば、後者は歓喜地に始まる『十地経』の十地説を取り入れていたであろうが、実際には『ガンダヴューハ』はそれを知らなかったから、その成立は『十地経』よりも古い、と推理したのである。ある事柄の無存在を根拠とする推理は確実とはいえないが、この場合のゴメスの主張には聞くべきものがある。

サーラマティについては、堅意も堅慧もサーラマティの訳語ではあろうが、実は『入大乗論』の著者である堅意が『宝性論』の著者である堅慧と同一人であるかどうかは分からない。またフラウワルナーは『宝性論』の堅慧の年代をナーガールジュナの年代の下限の直後、即ち二五〇年頃に置くが、(14) わが国の学者の多くは、この堅慧の年代を四―五世紀とするから、ゴメスの議論はそのまま受け入れることはできそうもない。

しかし、『ガンダヴューハ』がナーガールジュナに知られていたということはほぼ確実と思われるから、この経の上限はともかく、下限をナーガールジュナの年代の中ほど、即ち二〇〇年頃に置くことはできるであろう。

注

(1)　『六十華厳』、「大正新脩大蔵経」(略称「大正」)二七八、『大方広仏華厳経』六十巻、東晋、仏駄跋陀羅訳。
『八十華厳』、「大正」二七九、『大方広仏華厳経』八十巻、唐、実叉難陀訳。
『四十華厳』、「大正」二九三、『大方広仏華厳経』四十巻、唐、般若訳。
『蔵訳華厳』、「デルゲ版西蔵大蔵経」四四、「影印北京版」七六一、Saṅs-rgyas phal-po-che shes-bya-ba śin-tu-rgyas-pa-chen-poḥi mdo.Tr. by Jinamitra, Surendrabodhi, Yes-śes sde.
D. T. Suzuki and H. Idzumi, ed. *The Gandavyuha Sutra*, The Society for the Publication of Sacred Books of the World, 4 vols., 1949.

P. L. Vaidya, ed., *Gaṇḍavyūhasūtra,* Buddhist Sanskrit Texts, No. 5, The Mithila Institute of Post-Graduate Studies and Research in Sanskrit Learning, Darbhanga, 1960.

(2) 高崎直道「華厳思想の展開」(平川彰・梶山雄一・高崎直道編『華厳思想』「講座・大乗仏教」3、春秋社、一九八三年、一四頁)。

(3) 木村清孝『華厳経』(「仏教経典選」5、筑摩書房、一九八六年、三七五頁)。

(4) 桜部建「「華厳」という語について」(『仏教語の研究』、文栄堂、一九七五年、八八—九八頁)。

(5) Frances Wilson, The Nun, Included in Diana Paul, *Women in Buddhism*, as Chap. 3, Asian Humanities Press, Berkeley, California, 1979.

(6) 岩本裕『華厳経(入法界品)』(「仏教聖典選」大乗経典(三)、読売新聞社、一九七六年)。

(7) L. O. Gómez, *Selected Verses from the Gaṇḍavyūha*: Text, Critical Apparatus and Translation, A Dissertation Presented to the Faculty of the Graduate School of Yale University in Candidacy for the Degree of Doctor of Philosophy, 1967, Introduction, p. lxii.

(8) 原実「Gaṇḍa-vyūha 題名考」(中村元博士還暦記念論集『インド思想と仏教』、春秋社、一九七三年、二一一—三六頁)。

(9) Gómez, op. cit., Introduction, lxv; 桜部上掲書、八九頁。

(10) Gómez, op. cit., Introduction, lxvi.

(11) Gómez, op. cit., Introduction, 4, The Date of the Gaṇḍavyūha, lxviii-lxxiv.

(12) Ryusho Hikata, ed. with an Introductory Essay, *Suvikrāntavikrāmi-Paripṛcchā-Pra-*

jñāpāramitā-Sūtra, Reprint by Rinsen Book Co., 1958, Introductory Essay, Chap. V, pp. LII–LXXV.
梶山雄一・赤松明彦訳『大智度論』(「大乗仏典」中国・日本編1、中央公論社、一九八九年、解説参照)。

(13) 平川彰『初期大乗仏教の研究1』(「平川彰著作集」第3巻、春秋社、一九八九年、第四章「菩薩の修行の階位」、三九九頁以下)参照。

(14) E. Frauwallner, *Die Philosophie des Buddhismus*, Akademie-Verlag, Berlin, 1958, S. 255.

梵文和訳《ぼんぶんわやく》 華厳《けごん》経《きょう》 入《にゅう》法界品《ほっかいぼん》（上）〔全3冊〕

2021年6月15日　第1刷発行
2023年4月5日　第2刷発行

訳注者　梶山雄一《かじやまゆういち》　丹治昭義《たんじてるよし》　津田真一《つだしんいち》
田村智淳《たむらちじゅん》　桂 紹隆《かつらしょうりゅう》

発行者　坂本政謙

発行所　株式会社 岩波書店
〒101-8002 東京都千代田区一ツ橋2-5-5

案内 03-5210-4000　営業部 03-5210-4111
文庫編集部 03-5210-4051
https://www.iwanami.co.jp/

印刷・三秀舎　カバー・精興社　製本・中永製本

ISBN 978-4-00-333451-5　Printed in Japan

読書子に寄す

──岩波文庫発刊に際して──

岩波茂雄

真理は万人によって求められることを自ら欲し、芸術は万人によって愛されることを自ら望む。かつては民を愚昧ならしめるために学芸が最も狭き堂宇に閉鎖されたことがあった。今や知識と美とを特権階級の独占より奪い返すことはつねに進取的なる民衆の切実なる要求である。岩波文庫はこの要求に応じそれに励まされて生まれた。それは生命ある不朽の書を少数者の書斎と研究室とより解放して街頭にくまなく立たしめ民衆に伍せしめるであろう。近時大量生産予約出版の流行を見る。その広告宣伝の狂態はしばらくおくも、後代にのこすと誇称する全集がその編集に万全の用意をなしたるか。千古の典籍の翻訳企図に敬虔の態度を欠かざりしか。さらに分売を許さず読者を繫縛して数十冊を強うるがごとき、はたしてその揚言する学芸解放のゆえんなりや。吾人は天下の名士の声に和してこれを推挙するに躊躇するものである。このときにあたって、岩波書店は自己の責務のいよいよ重大なるを思い、従来の方針の徹底を期するため、すでに十数年以前より志して来た計画を慎重審議この際断然実行することにした。吾人は範をかのレクラム文庫にとり、古今東西にわたって文芸・哲学・社会科学・自然科学等種類のいかんを問わず、いやしくも万人の必読すべき真に古典的価値ある書をきわめて簡易なる形式において逐次刊行し、あらゆる人間に須要なる生活向上の資料、生活批判の原理を提供せんと欲する。この文庫は予約出版の方法を排したるがゆえに、読者は自己の欲する時に自己の欲する書物を各個に自由に選択することができる。携帯に便にして価格の低きを最主とするがゆえに、外観を顧みざるも内容に至っては厳選最も力を尽くし、従来の岩波出版物の特色をますます発揮せしめようとする。この計画たるや世間の一時の投機的なるものと異なり、永遠の事業として吾人は微力を傾倒し、あらゆる犠牲を忍んで今後永久に継続発展せしめ、もって文庫の使命を遺憾なく果たさしめることを期する。芸術を愛し知識を求むる士の自ら進んでこの挙に参加し、希望と忠言とを寄せられることは吾人の熱望するところである。その性質上経済的には最も困難多きこの事業にあえて当たらんとする吾人の志を諒として、その達成のため世の読書子とのうるわしき共同を期待する。

昭和二年七月

《東洋思想》〔青〕

- 易経 全二冊　高田真治・後藤基巳訳
- 論語　金谷治訳注
- 孔子家語　藤原正校訳
- 孟子 全二冊　小林勝人訳注
- 老子　蜂屋邦夫訳注
- 荘子 全四冊　金谷治訳注
- 新訂 孫子　金谷治訳注
- 荀子 全二冊　金谷治訳注
- 韓非子 全四冊　金谷治訳注
- 史記列伝 全五冊　司馬遷／小川環樹・今鷹真・福島吉彦訳
- 春秋左氏伝 全三冊　小倉芳彦訳
- 塩鉄論　曾我部静雄訳註
- 千字文　小川環樹・木田章義注解
- 大学・中庸　金谷治訳注
- 仁学 ―清末の社会変革論　譚嗣同／西順蔵・坂元ひろ子訳注
- 章炳麟集 ―清末の民族革命思想　西順蔵・近藤邦康編訳
- 梁啓超文集　岡本隆司・石川禎浩・高嶋航編訳
- マヌの法典　マヌ／田辺繁子訳
- ガンディー 獄中からの手紙　森本達雄訳
- ウパデーシャ・サーハスリー ―真実の自己の探求　シャンカラ／前田専学訳

《仏教》〔青〕

- ブッダのことば ―スッタニパータ　中村元訳
- ブッダの真理のことば・感興のことば　中村元訳
- 般若心経・金剛般若経　中村元・紀野一義訳註
- 法華経 全三冊　坂本幸男・岩本裕訳注
- 日蓮文集　兜木正亨校注
- 浄土三部経 全二冊　中村元・早島鏡正・紀野一義訳註
- 大乗起信論　宇井伯寿・高崎直道訳注
- 臨済録　入矢義高訳注
- 碧巌録 全三冊　入矢義高・溝口雄三・末木文美士・伊藤文生訳注
- 無門関　西村恵信訳注
- 法華義疏 全二冊　聖徳太子／花山信勝校訳
- 往生要集 全二冊　源信／石田瑞麿訳注
- 教行信証　親鸞／金子大栄校訂
- 歎異抄　金子大栄校注
- 正法眼蔵 全四冊　道元／水野弥穂子校注
- 正法眼蔵随聞記　懐奘編／和辻哲郎校訂
- 道元禅師清規　大久保道舟訳注
- 一遍上人語録 ―付 播州法語集　大橋俊雄校注
- 一遍聖絵　聖戒編／大橋俊雄校注
- 南無阿弥陀仏 ―付 心偈　柳宗悦
- 蓮如文集　蓮如／笠原一男校注
- 蓮如上人御一代聞書　稲葉昌丸校訂
- 日本的霊性　鈴木大拙／篠田英雄校訂
- 新編 東洋的な見方　鈴木大拙／上田閑照編
- 禅堂生活　鈴木大拙／横川顕正訳
- 大乗仏教概論　鈴木大拙／佐々木閑訳
- 浄土系思想論　鈴木大拙
- 神秘主義 キリスト教と仏教　鈴木大拙／坂東性純・清水守拙訳
- 禅の思想　鈴木大拙

ブッダ最後の旅 —大パリニッバーナ経— 中村元訳
仏弟子の告白 —テーラガーター— 中村元訳
尼僧の告白 —テーリーガーター— 中村元訳
ブッダ神々との対話 —サンユッタ・ニカーヤI— 中村元訳
ブッダ悪魔との対話 —サンユッタ・ニカーヤII— 中村元訳
禅林句集 足立大進校注
ブッダが説いたこと ワールポラ・ラーフラ 今枝由郎訳
ブータンの瘋狂聖 ドゥクパ・クンレー伝 ゲンドゥン・リンチェン編 今枝由郎訳
梵文和訳 華厳経入法界品 梶山雄一 丹治昭義 津田真一 田村智淳 桂紹隆 訳注

《音楽・美術》〔青〕

ベートーヴェンの生涯 ロマン・ロラン 片山敏彦訳
音楽と音楽家 シューマン 吉田秀和訳
モーツァルトの手紙 —その生涯のロマン 全二冊 柴田治三郎編訳
レオナルド・ダ・ヴィンチの手記 全二冊 杉浦明平訳
ゴッホの手紙 全三冊 硲伊之助訳
ロダンの言葉抄 高村光太郎訳 高田博厚 菊池一雄編
ビゴー日本素描集 清水勲編
ワーグマン日本素描集 清水勲編
河鍋暁斎戯画集 山口静一 及川茂編
葛飾北斎伝 飯島虚心 鈴木重三校注
ヨーロッパのキリスト教美術 —十二世紀から十八世紀まで 全二冊 エミール・マール 柳宗玄 荒木成子訳
近代日本漫画百選 清水勲編
ドーミエ諷刺画の世界 喜安朗編
デューラー 自伝と書簡 前川誠郎訳
蛇儀礼 ヴァールブルク 三島憲一訳
セザンヌ ガスケ 與謝野文子訳
迷宮としての世界 —マニエリスム美術 全二冊 グスタフ・ルネ・ホッケ 種村季弘 矢川澄子訳
日本洋画の曙光 平福百穂
映画とは何か 全二冊 アンドレ・バザン 野崎歓 大原宣久 谷本道昭訳
漫画 坊っちゃん 近藤浩一路
漫画 吾輩は猫である 近藤浩一路
ロバート・キャパ写真集 ICPロバート・キャパ・アーカイブ編
北斎 富嶽三十六景 日野原健司編
日本漫画史 —鳥獣戯画から岡本一平まで 細木原青起
世紀末ウィーン文化評論集 ヘルマン・バール 西村雅樹編訳
ゴヤの手紙 全二冊 大高保二郎 松原典子編訳
丹下健三建築論集 豊川斎赫編
丹下健三都市論集 豊川斎赫編

《歴史・地理》〔青〕

新訂 魏志倭人伝・後漢書倭伝・宋書倭国伝・隋書倭国伝 —中国正史日本伝1　石原道博編訳
ヘロドトス 歴史 全三冊　松平千秋訳
トゥーキュディデース 戦史 全三冊　久保正彰訳
ガリア戦記　カエサル　近山金次訳
タキトゥス ゲルマーニア　泉井久之助訳註
タキトゥス 年代記 —ティベリウス帝からネロ帝へ 全二冊　国原吉之助訳
ランケ 世界史概観 —近世史の諸時代　鈴木成高・相原信作訳
ランケ自伝　林健太郎訳
歴史とは何ぞや　ベルンハイム　坂口昂・小野鉄二訳
歴史における個人の役割　プレハーノフ　木原正雄訳
古代への情熱 —シュリーマン自伝　シュリーマン　村田数之亮訳
大君の都 —幕末日本滞在記 全三冊　オールコック　山口光朔訳
アーネスト・サトウ 一外交官の見た明治維新 全二冊　坂田精一訳
ベルツの日記 全二冊　トク・ベルツ編　菅沼竜太郎訳
武家の女性　山川菊栄
インディアスの破壊についての簡潔な報告　ラス・カサス　染田秀藤訳

ラス・カサス インディアス史 全七冊　長南実訳　石原保徳編
コロンブス 全航海の報告　林屋永吉訳
戊辰物語　東京日日新聞社会部編
大森貝塚 —付 関連史料　E・S・モース　近藤義郎・佐原真編訳
ナポレオン言行録　オクターヴ・オブリ編　大塚幸男訳
中世的世界の形成　石母田正
日本の古代国家　石母田正
クリオの顔 歴史随想集　E・H・ノーマン　大窪愿二編訳
日本における近代国家の成立　E・H・ノーマン　大窪愿二訳
旧事諮問録 —江戸幕府役人の証言 全二冊　旧事諮問会編　進士慶幹校注
朝鮮・琉球航海記 —一八一六年アマースト使節団とともに　ベイジル・ホール　春名徹訳
ローマ皇帝伝 全二冊　スエトニウス　国原吉之助訳
アリランの歌 —ある朝鮮人革命家の生涯　ニム・ウェールズ　キム・サン　松平いを子訳
ヒュースケン日本日記 —1855〜61　青木枝朗訳
さまよえる湖 全二冊　ヘディン　福田宏年訳
老松堂日本行録 —朝鮮使節の見た中世日本　宋希璟　村井章介校注
十八世紀パリ生活誌 —タブロー・ド・パリ 全二冊　メルシエ　原宏編訳

北槎聞略 —大黒屋光太夫ロシア漂流記　桂川甫周　亀井高孝校訂
ヨーロッパ文化と日本文化　ルイス・フロイス　岡田章雄訳注
ギリシア案内記 全二冊　パウサニアス　馬場恵二訳
西遊草　清河八郎　小山松勝一郎校注
オデュッセウスの世界　フィンリー　下田立行訳
東京に暮す —一九二八〜一九三六　キャサリン・サンソム　大久保美春訳
ミカド —日本の内なる力　W・E・グリフィス　亀井俊介訳
増補 幕末百話　篠田鉱造
明治百話 全二冊　篠田鉱造
幕末明治 女百話 全二冊　篠田鉱造
トゥバ紀行　メンヒェン＝ヘルフェン　田中克彦訳
徳川時代の宗教　R・N・ベラー　池田昭訳
ある出稼石工の回想　マルタン・ナド　喜安朗訳
植物巡礼 —プラント・ハンターの回想　F・キングドン-ウォード　塚谷裕一訳
モンゴルの歴史と文化　ハイシッヒ　田中克彦訳
ローマ建国史 全三冊(既刊上巻)　リーウィウス　鈴木一州訳
元治夢物語 —幕末同時代史　馬場文英　徳田武校注

フランス・プロテスタントの反乱　カヴァリエ
―カミザール戦争の記録　二宮フサ訳

ニコライの日記　全三冊
―ロシア人宣教師が生きた明治日本　中村健之介編訳

マゼラン 最初の世界一周航海　長南実訳

徳川制度　全三冊・補遺　加藤貴校注

第二のデモクラテス
戦争の正当原因についての対話　セプールベダ　染田秀藤訳

ユグルタ戦争 カティリーナの陰謀　サルスティウス　栗田伸子訳

《哲学・教育・宗教》〔青〕

ソクラテスの弁明・クリトン　プラトン　久保勉訳
ゴルギアス　プラトン　加来彰俊訳
饗宴　プラトン　久保勉訳
テアイテトス　プラトン　田中美知太郎訳
パイドロス　プラトン　藤沢令夫訳
メノン　プラトン　藤沢令夫訳
国家　全二冊　プラトン　藤沢令夫訳
プロタゴラス　—ソフィストたち　プラトン　藤沢令夫訳
パイドン　—魂の不死について　プラトン　岩田靖夫訳
アナバシス　—敵中横断六〇〇〇キロ　クセノポン　松平千秋訳
アリストテレス　ニコマコス倫理学　全二冊　高田三郎訳
アリストテレス　形而上学　全二冊　出隆訳
アリストテレス　弁論術　戸塚七郎訳
アリストテレース詩学・ホラーティウス詩論　松本仁助・岡道男訳
物の本質について　ルクレーティウス　樋口勝彦訳
エピクロス　—教説と手紙　出隆・岩崎允胤訳

生の短さについて　他二篇　セネカ　大西英文訳
怒りについて　他二篇　セネカ　兼利琢也訳
エピクテトス　人生談義　全二冊　國方栄二訳
マルクス・アウレーリウス　自省録　神谷美恵子訳
老年について　キケロー　中務哲郎訳
友情について　キケロー　中務哲郎訳
弁論家について　全二冊　キケロー　大西英文訳
キケロー書簡集　高橋宏幸編
エラスムス＝トマス・モア往復書簡　沓掛良彦・高田康成訳
方法序説　デカルト　谷川多佳子訳
哲学原理　デカルト　桂寿一訳
精神指導の規則　デカルト　野田又夫訳
情念論　デカルト　谷川多佳子訳
パンセ　全三冊　パスカル　塩川徹也訳
知性改善論　スピノザ　畠中尚志訳
スピノザ　エチカ（倫理学）　全二冊　畠中尚志訳
モナドロジー　他二篇　ライプニッツ　谷川多佳子・岡部英男訳

ハイラスとフィロナスの三つの対話　バークリ　戸田剛文訳
市民の国について　全二冊　ヒューム　小松茂夫訳
自然宗教をめぐる対話　ヒューム　犬塚元訳
人間機械論　ド・ラ・メトリ　杉捷夫訳
エミール　全三冊　ルソー　今野一雄訳
ルソー　告白　全三冊　桑原武夫訳
人間不平等起原論　ルソー　本田喜代治・平岡昇訳
ルソー　社会契約論　桑原武夫・前川貞次郎訳
政治経済論　ルソー　河野健二訳
学問芸術論　ルソー　前川貞次郎訳
演劇について　—ダランベールへの手紙　ルソー　今野一雄訳
言語起源論　—旋律と音楽的模倣について　ルソー　増田真訳
ディドロ、ダランベール編　百科全書　—序論および代表項目　桑原武夫訳編
ディドロ　絵画について　佐々木健一訳
道徳形而上学原論　カント　篠田英雄訳
啓蒙とは何か　他四篇　カント　篠田英雄訳
純粋理性批判　全三冊　カント　篠田英雄訳

カント 実践理性批判 波多野精一・宮本和吉・篠田英雄訳
判断力批判 全二冊 カント 篠田英雄訳
永遠平和のために カント 宇都宮芳明訳
プロレゴメナ カント 篠田英雄訳
学者の使命・学者の本質 フィヒテ 宮崎洋三訳
シュライエルマッハー 独白 木場深定訳
哲学史序論 —哲学と哲学史 ヘーゲル 武市健人訳
ヘーゲル 政治論文集 全二冊 金子武蔵訳
歴史哲学講義 全二冊 ヘーゲル 長谷川宏訳
法の哲学 —自然法と国家学の要綱 ヘーゲル 上妻精・佐藤康邦・山田忠彰訳
自殺について 他四篇 ショウペンハウエル 斎藤信治訳
読書について 他二篇 ショウペンハウエル 斎藤忍随訳
知性について 他四篇 ショーペンハウエル 細谷貞雄訳
将来の哲学の根本命題 他二篇 フォイエルバッハ 松村一人・和田楽訳
不安の概念 キェルケゴール 斎藤信治訳
死に至る病 キェルケゴール 斎藤信治訳
体験と創作 全二冊 ディルタイ 柴田治三郎・小牧健夫訳

眠られぬ夜のために 全二冊 ヒルティ 草間平作・大和邦太郎訳
幸福論 全三冊 ヒルティ 草間平作・大和邦太郎訳
悲劇の誕生 ニーチェ 秋山英夫訳
ツァラトゥストラはこう言った 全二冊 ニーチェ 氷上英廣訳
道徳の系譜 ニーチェ 木場深定訳
善悪の彼岸 ニーチェ 木場深定訳
この人を見よ ニーチェ 手塚富雄訳
プラグマティズム W・ジェイムズ 桝田啓三郎訳
宗教的経験の諸相 全二冊 W・ジェイムズ 桝田啓三郎訳
純粋経験の哲学 W・ジェイムズ 伊藤邦武編訳
純粋現象学及現象学的哲学考案 全二冊 フッセル 池上鎌三訳
デカルト的省察 フッサール 浜渦辰二訳
愛の断想・日々の断想 ジンメル 清水幾太郎訳
ジンメル宗教論集 深澤英隆編訳
笑い ベルクソン 林達夫訳
道徳と宗教の二源泉 ベルクソン 平山高次訳
物質と記憶 ベルクソン 熊野純彦訳

時間と自由 ベルクソン 中村文郎訳
ラッセル教育論 安藤貞雄訳
ラッセル幸福論 安藤貞雄訳
存在と時間 全四冊 ハイデガー 熊野純彦訳
学校と社会 デューイ 宮原誠一訳
民主主義と教育 全二冊 デューイ 松野安男訳
歴史と自然科学・道徳の原理に就て・聖「プレルーディエン」より ヴィンデルバント 篠田英雄訳
我と汝・対話 マルティン・ブーバー 植田重雄訳
アラン 幸福論 神谷幹夫訳
アラン 定義集 神谷幹夫訳
天才の心理学 E・クレッチュマー 内村祐之訳
英語発達小史 H・ブラッドリ 寺澤芳雄訳
日本の弓術 オイゲン・ヘリゲル述 柴田治三郎訳
饒舌について 他五篇 プルタルコス 柳沼重剛訳
ことばのロマンス —英語の語源 ウィークリー 寺澤芳雄・出淵博訳
人間 —シンボルを操るもの カッシーラー 宮城音弥訳
国家と神話 全二冊 カッシーラー 熊野純彦訳